ЛЮБОВЬ
в большом городе

Елена Щербиновская

Кто в спальне король?

МОСКВА

ЭКСМО

2005

УДК 82-3
ББК 84(2Рос-Рус)6-4
  Щ 64

Оформление серии *С. Курбатова*

Серия основана в 2004 г.

Щ 64   **Щербиновская Е. В.**
        Кто в спальне король?: Роман. — М.: Изд-во Экс-мо, 2005. — 352 с. — (Любовь в большом городе).

ISBN 5-699-11946-9

У архитектора Марии Еловской удивительный дар: она словно чувствует дыхание земли. Поэтому в домах, спроектированных ею, людям хорошо и приятно живется. Однако за это волшебное свойство ей дорого пришлось заплатить: Машу предал человек, которого она любила страстно, самозабвенно. Девушка была на грани гибели... И взамен утраченной любви у нее открылся этот дар. Прошли годы. Еловская стала богатой и знаменитой. Однако отношения с мужчинами не складываются. Виной тому — давнее юношеское чувство, не отпускающее ее душу. Неужели счастье так и пройдет мимо?.. Но вдруг начинают происходить жуткие вещи: один за другим сгорают построенные Марией дома, заказчики в страхе разбегаются, ее сестру похищают, бизнес оказывается на грани банкротства. А вдруг это судьба пытается подать знак: строить жизнь нужно по-другому?..

УДК 82-3
ББК 84(2Рос-Рус)6-4

ЧАСТЬ 1

Глава 1

ОТКРОВЕНИЯ С ЛЮБИМЫМ ДОМОМ

Солнце приветливо заглянуло в окно, запустив в кабинет веселых зайчиков. Они заманчиво скользили по стене, напоминая, что лето еще не кончилось, а вечер пока не наступил. Мария сощурилась, зайчики прыгали и завлекали. Как же хорошо сейчас за городом! Ехать бы сейчас туда... Мария так ясно представила себе это: ровная лента шоссе, вдоль дороги мелькает лес, а впереди — любимый домик, окруженный чудесным садом, аромат цветов, необыкновенно чистый воздух, от которого в первый момент кружится голова. Там уединение, покой, тишина... А теплое августовское солнышко будто нарочно дразнит, засылая своих лучистых зайчиков, которые, словно маленькие прозрачные эльфы, летают по комнате. Ну, погодите чуть-чуть, надо еще немного поработать!

Мария встала с кресла, опустила жалюзи, чтобы избавиться от искушения, вернулась к столу, открыла папку. В ней находилась документация по последнему коттеджу. Очередная долгая, напряженная, необычайно интересная, но временами даже и мучительная работа полностью была закончена. Коттедж, который она спроектировала для владельца частной косметической клиники, модного пластического хирурга господина

Сапрыкина, красовался теперь на огромном тенистом участке в тридцати километрах от Москвы. Действительно красовался — здание из светлого кирпича, темного дерева и матового цветного стекла получилось настолько необычным, что все, кто видел его, разглядывали как произведение искусства, музейный экспонат, а не просто как жилой дом. Правда, господин Сапрыкин оказался на редкость капризным заказчиком и удивительным занудой.

Вообще заказчики — это особая песня! Об их безумных фантазиях, почти невыполнимых требованиях, а зачастую просто самодурстве (типа желания иметь зеркальные ванны, позолоченные унитазы и гигантские скульптуры, воспроизводящие их самих, любимых) можно рассказывать бесконечно! Но каким бы ни был заказчик, он — неизбежный посредник между домом и архитектором, без которого архитектор, даже самый что ни на есть талантливый и выдающийся, в эпоху дикого капитализма прожить все равно не может. А уж прогнет ли тебя заказчик под себя или ты сумеешь устоять — вопрос твоего опыта, твердости характера и профессионального авторитета. В общем, все зависит от тебя. Господин Сапрыкин же, по счастью, золоченых унитазов не требовал, монументов себе не возводил, а просто любое непривычное и смелое решение воспринимал с настороженностью и недоверием, и работа из-за этого шла медленно. Его супруга Анжела, необычайно ухоженная дама, врач-косметолог в клинике мужа, постоянно восхищалась внешним видом самой Марии, стройностью ее фигуры, точеными чертами лица. Это раздражало Марию даже больше, чем занудство ее мужа, ее так и подмывало сказать: да, я отлично выгляжу без вашей помощи, без всяких пластических операций, и в ваших услугах пока не нуждаюсь! Но опять же приходилось сдерживаться, сохранять светские приличия, вежливо улыбаться и благодарить за комплименты. Но уж когда госпожа Сапрыкина, уединившись с Марией, стала выпытывать, сколько ей лет, Мария ответила с милейшей улыбкой: по-моему, это один из тех вопросов, которые задавать не принято. Анжела проглотила ее ответ тоже с улыбкой и, усмирив свое любопытство, перестала приставать с комплиментами и вопросами, зато в каждом споре архитектора с заказчиком, то есть со своим мужем, старалась сглаживать острые углы, во всем принимая сторону Марии.

— Каждый профессионал отвечает за свою работу! — твердила она мужу. — Ты лучше знаешь, как делать подтяжку или вживлять имплантат, чтобы твои клиенты выглядели моложе, чувствовали себя увереннее, — она покосилась на Марию, — а Мария лучше тебя знает, как располагать комнаты и где ставить унитазы, чтобы ее клиенты чувствовали себя комфортно!

В итоге заказчик остался не просто доволен результатом, а, как и должно было произойти, не находил себе места от восторга и счастья. Особенно после самых лестных отзывов о доме своих знакомых. Госпожа Сапрыкина, не менее довольная, заранее стала настойчиво приглашать Марию на скорое новоселье, Мария вежливо обещала прийти, если позволит время, и на этом можно было поставить точку.

Перелистав последнюю страницу документации, Мария радостно вздохнула, закрыла папку. Поправила перед зеркалом непослушные тяжелые волосы, аккуратно подкрасила губы, окинула прощальным взглядом стены небольшого, уютного кабинета, увешанные картинами, эскизами и проектами, взяла сумку и направилась к выходу. Но в это время секретарь Влада произнесла в микрофон загадочным шепотом:

— Мария! Звонит новый заказчик. Очень просит вас!

Мария взяла трубку, снова опустилась в кресло, достала сигарету.

— Честь имею, госпожа Еловская! Я по рекомендации Станислава Александровича Сапрыкина, — произнес вежливый мужской голос. — Георгий Малахов...

— Очень приятно, — сказала Мария, с ужасом подумав — неужели такой же зануда, и спросила настороженно: — Вы его коллега?

— Нет, нет, — в голосе послышалась легкая усмешка, — просто приятель. Не буду отнимать у вас время, Мария Романовна... в общем, мне нужен загородный дом, такой, который можете спроектировать только вы!

— Ну, хорошо, Георгий... простите, как ваше отчество?

— Просто Георгий, не люблю этот официоз.

— Как срочно вам нужен проект? У меня...

— Да, да, я знаю, Стас предупреждал. К вам очередь, и все такое. Но мне бы очень хотелось встретиться. Надеюсь, мое предложение вас заинтересует. Может быть, мне повезет, и вы сделаете для меня исключение?

Мария усмехнулась. Каждый мнит себя уникальным, единственным, но как же они все одинаковы и говорят почти одними и теми же словами! Ну, конечно же, Георгий, вы будете думать, что я именно для вас делаю исключение. Так же, как думал господин Сапрыкин и многие другие. Потому что упускать заказчика, даже когда от них отбоя нет, все равно нельзя. Ведь он тут же побежит к конкурентам! И что будет? Сегодня ты на коне, тебя знают, о тебе пишут, а завтра... Кто знает в нашем нестабильном мире, что будет завтра. А посему я назначу вам встречу с тайной надеждой, что вы — не болтун, не самодур и, даст бог, не бандит, не криминальный авторитет, а платежеспособный деловой человек.

— Я постараюсь найти для вас время, — любезно произнесла Мария, мечтая поскорее закончить разговор и вырваться на свободу, мысленно уже несясь по шоссе в сторону дачного поселка. — Давайте на следующей неделе. В среду, часам к двенадцати. Вас устроит?

— Еще как! — радостно воскликнул Малахов. — Огромное спасибо. Буду с нетерпением ждать среды, а потом — терпеливо ждать появления своего нового дома!

Мария погасила сигарету, снова подхватила со стола сумку и вышла в приемную.

— Появлюсь не раньше вторника, а уж в среду — точно! — сказала она. — По-моему, я заработала право на небольшой отдых. Если что-то срочное — звоните на внутренний мобильный.

Внутренний мобильный предназначался на случай нештатных ситуаций, то есть катаклизмов, стихийных бедствий, нападения террористов, неожиданного визита в отсутствие Марии главы какого-либо государства и тому подобного. Но поскольку такие ситуации пока не возникали, Влада воскликнула:

— Ни за что! Пусть все ждут до понедельника! — И добавила с улыбкой: — Счастливо отдохнуть, Мария!

К ее внутреннему мобильному на все вышеуказанные случаи имели доступ только сотрудники мастерской. Конечно же, Влада, кроме нее, коммерческий директор Даглар Дакаев, по прозвищу Дракула, и бухгалтер Карл Константинович, которого любовно называли Каркуша. Этих троих совершенно разных людей объединяла фанатичная преданность работе и своей начальнице. Мария же в ответ питала к ним безграничное доверие и платила очень хорошие деньги.

Мария была владелицей небольшой, но успешной и процветающей архитектурно-дизайнерской компании, которая занималась проектированием загородных коттеджей, дач, перепланировкой квартир, оформлением интерьеров — в общем, всем тем, чем занимается сейчас множество других подобных компаний. Но именно ее частная фирма с маленьким штатом сотрудников в последнее время стала одной из самых престижных в Москве. И не только потому, что госпожа Еловская делала штучную, высококачественную продукцию, никогда не повторяясь, не пуская проекты на поток, и каждый свой проект контролировала сама до полного завершения, до последнего гвоздика. Именно она, как никто другой, умела создавать в своих домах совершенно удивительную атмосферу, в которой люди чувствовали себя комфортно, уютно и радостно, семьи жили дружно, почти никогда не ссорились, болели редко, а в офисах и на предприятиях процветал бизнес. Поначалу это воспринималось как случайность, но постепенно разговоры и слухи о чудесном даре Марии Еловской принесла ей особую славу архи-

тектора, знающего секретный ключ к человече-
скому здоровью, успеху и благополучию. А дар у
Марии действительно был, но как, когда и какой
ценой приобрела она его — об этом немного
позже.

При офисе была небольшая мастерская по мо-
делированию и пошиву любых деталей оформле-
ния интерьера, а также эксклюзивной одежды, автором которой тоже была Мария. Несколько лет
назад она разработала свою концепцию проекти-
рования одежды в соответствии с архитектурны-
ми стилями. Конечно, одежда не делалась из кам-
ня, стекла, дерева или металла, но иллюзия ис-
пользования этих материалов воссоздавалась
полностью. В небольшом салоне при мастерской
потрясенные заказчики обнаруживали уникаль-
ные модели платьев в стиле барокко, ампир, кон-
структивизм, платье-пагоду, костюм-часовню.
Одежда украшалась орнаментами ионического
или дорического ордеров, шились шляпы в фор-
ме средневековых замков и египетских пирамид.
Материалы использовались исключительно нату-
ральные, прошедшие специальную обработку, и
выглядело все это настолько необычно, что вместе с проектами коттеджей многие заказывали себе соответствующие костюмы и платья.

Кроме того, каждый из ее сотрудников охотно
представлял собой живую рекламу эксклюзивной
одежды, автором которой тоже была Мария Еловская. Высокая, худющая, длинноногая Влада — во-
площенная мечта любого модельера, носила оде-
жду исключительно в стиле хай-тек, не уступая в
красоте и изяществе лучшим небоскребам мира,
полноватый Каркуша предпочитал русский ми-
нимализм, а стройный черноглазый красавец Даг-

лар одевался в темные, готические костюмы, которые подчеркивали его загадочность, демонизм и принадлежность к потусторонним силам. Сама Мария позволяла себе в одежде смешение стилей и жанров, но в основе была классическая строгость. Все в ее облике было продумано до мельчайшей детали — одежда, прическа, косметика, украшения, придавая ее внешности удивительный шарм и едва уловимую таинственность.

Легкой, красивой походкой уверенного в себе человека Мария вышла на улицу. Стройная, даже худая, в свободном, разлетающемся льняном костюме зеленовато-болотных тонов, она выглядела красиво и стильно. Мария неторопливо прошла к машине, не обращая внимания на восторженные и любопытные взгляды случайных прохожих. Настроение у нее было прекрасное, на душе беззаботно и легко. Впереди ее ждали несколько приятных дней в любимом загородном доме, свобода, размышления и, может быть, новое вдохновение.

Низкое солнце заглядывало в заднее окно золотистого спортивного «Мерседеса» задумчивым розоватым лучом и отражалось в зеркальце. Мария улыбнулась, прибавила скорость и, прищурив глаза под затемненными очками, покатила вместе с лучами солнца по гладкой, чуть извилистой ленте асфальта, обрамленной плотными рядами деревьев. Ах, как прекрасно мчаться летним вечером навстречу пусть короткой, но такой долгожданной свободе! Дорога, оказавшись на удивление легкой, почти пустой, будто добрые духи пути специально расчистили ее от машин и подготовили для созерцания подернутой легкой дымкой загадочной и чарующей полосы вечернего леса, успокаивала, отвлекала. Лето шло к исходу, но конец августа стоял еще теплый, сухой, солнечный. Проплывавший за окном пейзаж казался таинственным, сказочным, настраивал на отрешенность от городского шума и суеты. Но в душу Марии незаметно закрадывалась легкая грусть. Так бывало всякий раз, когда заканчивалась большая напряженная работа и наступало неизбежное опустошение. Каким бы ни был заказчик, с проектом жаль было расставаться, он еще жил в сознании, в душе, во всех клеточках тела, был неотъемлемой частью самой Марии, и просто отбросить его и забыть сразу не получалось. Многое из того, что нравилось ей в процессе работы, теперь казалось несовершенным, недоработанным, в сознании возникали новые, неожиданные варианты решения отдельных деталей. Хотелось что-то еще доделать, подправить... Но Мария прекрасно это понимала, изменить уже ничего нельзя. Коттедж живет своей жизнью, она — своей. С коттеджем надо расстаться, он стал самостоятельным, отдельным, независимым от нее существом, формально принадлежащим господину Сапрыкину. Именно «существом», потому что каждое здание, которое проектировала Мария, она воспринимала как нечто живое, наделенное не только красивым телом, но и душой... Единство формы, содержания, пространства и времени... Здание и она — единое целое. И вот теперь незримую внутреннюю их связь необходимо разрушить. И чтобы этот процесс проходил не слишком болезненно, надо было перейти в другое измерение и на какое-то время остаться там. В этом, другом измерении можно было хоть ненадолго ощутить себя легким, беззаботным существом, не принадлежащим к обычному материальному миру. И легкая грусть Марии от расставания со своим последним творением проходила, таяла в объятиях сказочного леса, населенного такими же бесплотными, веселыми существами, как и она сама. Пройдет несколько дней, и в душе начнут возникать новые образы следующих проектов, рука сама потянется к карандашу, появятся первые эскизы. Еще немного, и она помчится в мастерскую со свежими идеями, которые настойчиво потребуют воплощения. И через какое-то время начнет зарождаться новый дом, сначала в набросках, потом в компьютере, в разработках и чертежах. И, конечно, он обязательно воплотится в материале, прочно встанет на земле, заставив Марию в очередной раз пережить все радости и мучения сложнейшего творческого процесса. Потом наступит миг расставания, с болью и грустью...

«А ты, милый мой домик, никогда не ревнуй! — подумала она о своем собственном доме. — Ты все равно самый любимый, ты — лучше всех! Тебя я никогда ни на что не поменяю! Собственно говоря, ты и есть — иное измерение, в которое я прячусь, чтобы побыть наедине с природой и своим внутренним миром. А с другими домами — это почти так же, как с мужчинами, когда понимаешь, что история закончилась и надо ставить точку, но внутри она еще живет, пульсирует, вибрирует, раздражает, в общем, вызывает какие-то эмоции. А любой разрыв, что ни говори, всегда бывает болезненным. Хотя, если честно, с мужчинами расставаться все-таки проще, чем с домами! К ним так глубоко не привязываешься!»

Стоило Марии подумать о мужчинах, как ее

сотовый телефон, включенный на автоответчик, зазвонил. И вскоре раздался страстно настойчивый баритон Валентина.

— Мари, что случилось? Ты стала неуловимой, как лесная нимфа! Я схожу с ума от тоски, безумно хочу видеть тебя! Умоляю, откликнись!

Мария, не беря трубку, усмехнулась. Ох уж этот Валентин! Герой-любовник из театрального мира! Сколько ему? Тридцать, тридцать пять? Она даже толком не знала, сколько лет ее последнему любовнику. Он смотрит на нее глазами преданного пса, даже щенка, терпит все ее недостатки и странности и клянется, что будет любить всю оставшуюся жизнь.

Валентин всем был хорош — молодой, красивый, веселый. Безусловно, одаренный актер, по словам матери, известной актрисы и педагога, — восходящая звезда. При этом — невероятный прикольщик, любитель всяких эксцентричных шуток. Он мог, например, ночью притащить чуть ли не всю труппу под окна Марии и распевать с ними под гитару страстные романсы. Мог во время спектакля спрыгнуть со сцены в зал, встать на колени перед Марией и произнести свой монолог, глядя ей в глаза. Его ничто не смущало и не останавливало, а его обаяние и очаровательная улыбка обезоруживали окружающих. Все это вносило в жизнь Марии какие-то свежие краски. Ее с Валентином воспринимали как удивительно красивую пару. Но в последнее время что-то в их безоблачных отношениях еле уловимо изменилось. Возможно, то была просто игра воображения, но для Марии и этого оказалось достаточно. И однажды, проснувшись ясным солнечным утром одна в своей постели, она приняла решение порвать со своим последним любовником и в очередной раз начать новую жизнь. Но сделать это оказалось не так-то просто. Валентин, словно почуяв опасность, вел себя безупречно, был особенно ласков и нежен и не давал никакого повода в чем-либо себя упрекнуть. Разрыв пришлось отложить, но почти целый месяц Мария всячески избегала Валентина — не отвечала на звонки или, уж если ему удавалось ее подловить, придумывала всякие отговорки, чтобы не встречаться с ним. Он был явно растерян, настаивал на встрече, а она, всегда такая решительная, не могла сразу сказать «нет», морочила ему голову, откладывала встречу и разговор на потом, объясняя это своей безумной занятостью. Почему?

«Почему я стыдливо прячу голову под крыло, будто страус, не желая продолжать все, как было, и в то же время пытаюсь оттянуть окончательный разрыв? — размышляла Мария. — Может быть, мне просто льстит его обожание? Когда-то мне казалось, что сорок — это конец жизни. А мне уже сорок три! Что, если дело в этом? Но нет же, это совсем не конец, это расцвет, творческая зрелость. У меня нет никаких комплексов на свой счет. Я прекрасно выгляжу, я многого добилась в жизни, сделала все сама, своим умом, талантом, своими руками! Можно сказать — вполне самодостаточная личность!»

А Валентин вдруг запел в трубке.

— О, Мари! Без тебя я живу в бесконечной тоске!
О, Мари! Ночь прошла без тебя, и уже седина на виске!
О, Мари...

И тут сердце гордой и независимой самодостаточной личности слегка дрогнуло, поскольку это все-таки было женское сердце, хотя и заключенное в строгую, неприступную и почти неуязвимую оболочку. Хитроумный червь сомнения тут же нашел лазейку к этому дрогнувшему сердцу и стал нашептывать коварные слова. Звучали они примерно так: ах, как хорош Валентин! Какое у него красивое лицо и какой чудесный взгляд! А голос, а фигура — он прекрасно сложен! Он молод, талантлив, весел, все женщины с вожделением и трепетом заглядываются на него, а он смотрит только на тебя, и с каким восторгом! Он нежен только с тобой! А как он нежен, как ласков... Он обожает тебя, упрямая старая перечница! Разве таких мужчин бросают, сама посуди, вздорная ты эгоистка... Будешь капризничать, он сам тебя бросит, как пить дать — бросит!

«Он меня никогда не бросит, потому что брошу его я! — возмущенно ответила Мария своему мысленному оппоненту. — Очень скоро брошу. Сделаю это легко и красиво, без всяких объяснений, выяснений и катаклизмов. Так, как делала много раз в своей жизни. Потому что, если роман не оборвать почти что на самом пике, начнется совсем другая история, пропадет легкость и радость, все превратится в банальность, а банальность — это скука, пустая трата времени. Мы будем выше этого! И пусть этот патентованный красавчик благодарит судьбу, что встретил такую редкую, удивительную женщину и добился ее благосклонности!»

«Тупая гордячка, неизвестно что возомнившая о себе! — прошипел червь сомнения. — И останешься ты одна-одинешенька в своей гордыне, со своей бесценной работой, славой, деньгами, машинами, дачами! Да чего все это стоит по сравнению с горькими воспоминаниями и сожалениями!»

Мария, естественно, попыталась задавить этого червя — своего проклятого мысленного оппонента, но не тут-то было. Он продолжал нашептывать всякие гадости, будто умышленно провоцируя. А из телефона в это время снова раздался голос Валентина.

— Мари, пожалуйста, ответь! Не делай вид, что меня не слышишь! Протяни руку, трубка рядом, на сиденье! Умоляю, возьми трубку! Я должен сказать тебе что-то очень важное!

И Мария проявила слабость — рука ее потянулась к мобильнику. Но она решила обратить свою слабость в силу. Сейчас она все ему скажет! Рассчитает этого красавчика по полной программе! С этими противоречивыми мыслями Мария взяла трубку и произнесла ехидным голосом:

— Интересно, откуда ты знаешь, что я еду в машине и где лежит телефон? Ты что, следишь за мной?

— Мария, неужели я дозвонился? — взволнованно и радостно воскликнул Валентин. — За тобой следит моя истомленная душа! Ради бога, не говори мне, что ты очень занята! Не клади трубку! Я готов к любым упрекам, только не бросай трубку! Выслушай меня!

— Что за чушь? Какие упреки? — ответила Мария, все больше впадая в сомнения и ощутив в душе внезапный холодок, какой-то мятный, ментоловый привкус. — Я действительно была очень занята. Я работала, ты знаешь.

— Знаю. Но сейчас ты не работаешь, а едешь в машине! А у меня для тебя сюрприз, — продолжал искушать Валентин.

Какая наглость, однако! Мария вспомнила с ужасом, как однажды Валентин заявился к ней в мастерскую верхом на лошади, в рыцарских доспехах и с огромным мечом на поясе. Он тогда снимался в каком-то историческом фильме и, пожелав немедленно ее увидеть, прискакал прямо со съемочной площадки. Сотрудники были в восторге, солидный заказчик — в шоке, Мария с трудом его успокоила. И как Валентина тогда не задержала милиция?!

— Спасибо, я не хочу сюрпризов, — сказала Мария, все больше сердясь на себя за допущенную слабость и в то же время все еще мучимая червем сомнения.

— А зря! Я уверен, тебе понравится! — воскликнул Валентин, почему-то не принимая всерьез холодный тон Марии. — На самом деле, сюрприза даже два, Мари, прости, если я в чем-то провинился... Я готов доказать тебе своим безупречным поведением, что не заслуживаю такой жестокости. Дай мне хотя бы шанс!

— Дело не в тебе.

— Знаю. Все дело в тебе, в твоем характере!

«Ну вот, началось! — с обидой и раздражением подумала Мария. — Он уже упрекает меня! Критикует! А я ему это позволила!»

— Пожалуйста, оставь в покое и меня, и мой характер, раз и навсегда! — строго произнесла она.

И отключила телефон.

Мария не заметила, как добралась до поселка. Вот впереди, за оградой, показался ее дом — небольшой, скромный, не броский, но такой уютный, такой родной!

— Привет, домик! Как ты? Скучал без меня? — весело сказала Мария, предвкушая приятную встречу.

Дом, словно услышав ее, приветливо блеснул

стеклами окон, отражая последние косые лучи вечернего солнца. Через несколько минут Мария въехала на свой участок, поставила машину в гараж, оглядела прекрасный, слегка заброшенный сад. Вдоль дорожки, ведущей к дому, источали тонкий, пряный аромат осенние цветы. На небольшом, по меркам поселка, участке — всего в двадцать соток — стояла необычайная тишина, и только где-то вдалеке лаяла и повизгивала собака, изредка вскрикивали птицы, и деревья загадочно шелестели листвой, еще нетронутой осенней желтизной.

Мария поднялась по ступенькам на крыльцо, еще раз огляделась и вошла в дом. И сразу ощутила тот особый микроклимат, полный тишины и покоя, который царил здесь и которого ей так не хватало в последние дни. Она сбросила в прихожей туфли на высоком каблуке, с наслаждением наступая босыми ногами на гладкие теплые доски, прошла в комнату, поставила сумку на журнальный стол и легко опустилась в кресло. Минут пять она просто сидела молча, разглядывала такие знакомые, привычные стены, легкий сводчатый потолок. Если снаружи дом выглядел довольно скромно, чтобы не привлекать лишних глаз, то внутри все было необыкновенным, ни на что не похожим, все здесь было ее реализованной мечтой. И комнаты в разных уровнях, и легкие деревянные лестницы, инкрустированные камнями, и витражи, и толстые домотканые ковры с причудливым рисунком, и множество разных деталей, предметов, которые можно было разглядывать часами.

Она с нежностью оглядывала стены в блеклых разводах, где мягкие, глухие тона зеленого размывались причудливыми формами, похожими на сполохи полярного сияния, — этот дизайн она сделала не так давно, всего два года назад, и пока он продолжал радовать глаз. Потом Мария разделась, повесила в стенной шкаф костюм, набросила кимоно из мягкой серо-фиолетовой ткани с тонким серебристым узором, достала из сумочки сигареты. Покурив, подошла к бару, налила в высокий стакан густого, терпкого красного вина и, отпивая его медленными, небольшими глотками, выкурила еще одну сигарету.

Ей показалось вдруг, что в доме что-то неуловимо изменилось — появились какие-то новые, непонятные тени, какие-то неведомые звуки, легкие шорохи. Мария была человеком, отнюдь не склонным к непонятным страхам и галлюцинациям. Она встала, включила свет, пригляделась, прислушалась... и улыбнулась. Конечно же, дом во время разлуки с ней жил своей жизнью, и теперь эта прожитая им жизнь проявлялась перед ней в каких-то едва уловимых импульсах, колебаниях, шелестах. Он словно хотел что-то рассказать ей на своем таинственном языке.

Это был еще очень молодой дом. Мария спроектировала его десять лет назад, специально для себя, в замечательном месте: небольшой участок на краю поселка никто не успел купить, и он, словно нарочно, дожидался ее. Построили дом точно по ее проекту. Все получилось именно так, как было задумано, как ей хотелось. Это был дом не просто для жизни и быта, а для души. Мария очень многое сделала здесь своими руками: вот, например, этот камин — она сама подбирала и выкладывала камни, или витраж на сводчатом потолке, не говоря уже о мелочах, деталях интерьера. Конечно, неполных десять лет для дома — срок совсем небольшой, но Мария была уверена, что он простоит и сто, и даже тысячу лет. И людям, которые будут жить в нем после нее, будет так же уютно, комфортно и легко на душе, как и ей. Она ведь знает, очень хорошо знает, как надо проектировать и строить дома, чтобы они твердо и уверенно стояли на земле и приносили покой и радость людям.

В доме теперь стало совсем тихо. Видимо, он уже высказал ей все свои тревоги и успокоился. Солнце медленно закатилось за горизонт, Мария вышла в сад, и сразу на участке зажглись фонарики, таинственно подсвечивая снизу деревья и кусты. Одновременно вспыхнули лампочки на воротах, на стенах дома. Мария улыбнулась. Она очень любила смотреть, когда зажигаются фонарики, словно по мановению волшебной палочки сказочной феи. На самом деле, феей была она сама, а фонари были подсоединены к специальному автоматическому устройству, реагирующему на наступление сумерек, но все равно в их внезапном загорании было что-то волшебное, фантастическое. Свет фонариков в опускавшихся легких сумерках скользил по развесистым лапам елей и белоснежным стволам берез, и казалось, что где-то в глубине сада притаились фантастические существа, под корнями прятались забавные гномики, а по веткам порхают легкие эльфы.

Мария полюбовалась еще немного своим подсвеченным садом, потом вернулась в дом, зажгла свечи, выключила почти весь свет, оставив только небольшие скрытые светильники. Теперь ее окружала настоящая сказка. В этой сказке можно неторопливо размышлять, вспоминать, анализировать, фантазировать, даже мечтать. И на все это ей отпущено время — не вырванное с трудом, нервное, ограниченное, а спокойно и плавно текущее вместе с мыслями, тишиной, легким ароматом свечей и дымком от сигареты. Она еще раз наполнила вином высокий, тонкий стакан и с веселым наслаждением стала предаваться разлуке и с коттеджем господина Сапрыкина, последним своим детищем, и с Валентином — последним своим любовником.

Конечно, Валентин не был ее творением, ни в какой мере не был, и душевных сил Мария тратила на него гораздо меньше, чем на свои проекты, но за то время, что они встречались, сначала изредка, а потом все чаще и чаще, Мария успела привязаться к нему. Она отчетливо это понимала и все еще думала о Валентине, но уже как-то отстраненно, будто все это касалось не ее, а постороннего человека. Было и прошло. Это не главное.... А что главное? Свобода и одиночество. Все временно в этом странном мире, все проекты приходят и уходят, непрерывно сменяя друг друга, мелькают неторопливой чередой. Постоянно только это движение. И собственный дом, где можно бесконечно что-то перестраивать и менять по собственному желанию. Дом — это часть ее жизни, души, ее мир, который она создавала годами, почти так же, как самое себя. Со своим домом нельзя расставаться, это самый надежный, испытанный друг. Он не обманет, не предаст, только надо к нему любовно и бережно относиться...

Вдруг Мария почувствовала, что в доме происходит что-то странное. Это не было похоже на шелест ветерка, пробравшегося в приоткрытое окно. Ей явственно стало казаться, что кто-то еще здесь есть.

— Кто здесь? — спросила Мария, стараясь не терять спокойствия и равновесия.

Она услышала негромкий звук легких шагов, и это не были осторожные, пугливые шаги домовенка — маленького, невидимого хранителя очага, существование которого она вполне допускала. Она даже иногда беседовала с ним, поверяя ему свои тревоги и тайны, о которых не говорила никому из людей. Домовенок был душой дома, его живым сердцем. Тонким, молодым голоском этого милого, таинственного существа сам дом разговаривал с ней. Но сейчас было совершенно ясно — по дому шел человек. Вот шаги замерли. Все затихло. Наступила неприятная, гнетущая тишина. В помещении явно кто-то был, а теперь он затаился, чего-то выжидая.

Мария предпочитала всегда смотреть опасности в глаза. Отпив для храбрости еще глоток вина, она встала и громко крикнула:

— Ну, кто там? Хватит прятаться!

И вдруг увидела, как сквозь щель под неплотно закрытой дверью просачивается легкий, белый дымок и, медленно расползаясь, стелется по полу. Что это? Пожар? Но почему? Откуда? Нет, это невозможно! И дым был какой-то странный — и комната стала наполняться непонятным, дурманящим запахом. Мария вскочила, бросилась к двери, распахнула. В прихожей все было, словно в тумане, но никакого огня. И веяло прохладой. А где-то звучала очень странная, тихая музыка.

И вот в тускло высвеченном проеме с другой стороны комнаты, окутанный струйками дыма, появился силуэт мужчины. Он стоял неподвижно, потом медленно двинулся к Марии. Она, не отрываясь, смотрела на него, и в отблесках горящих свечей он показался белым, каким-то полупрозрачным. Следом за ним стелился дымок, и в доме сильно запахло странной смесью благовоний и серы.

Мужчина в белом бесшумно приближался. Лицо его тоже было белым, неподвижным, словно маска, глаза загадочно блестели в полумраке. А дьявольский дымок продолжал вползать в дверь. Надо сказать, что выглядело это довольно жутковато, но... эффектно. Мария с любопытством наблюдала странное шоу, которое все больше увлекало ее. Здесь, в другом измерении, в сущности могло произойти все, что угодно. Если это что-то мистическое, оно, скорее всего, исчезнет так же, как и появилось. А если это обычный человек, то он неизбежно проявится, заговорит. Иначе — зачем такое представление?

Мария пригляделась внимательнее и неожиданно разгадала в таинственном госте Валентина. Не узнала, а именно разгадала. Ну, конечно! Кто же еще мог устроить такой спектакль! Как же она сразу не догадалась: театральные спецэффекты — дым, запах, таинственный вид... Вот глупая ситуация! Сумел ведь застать врасплох! Мария, устыдившись своей замедленной реакции, теперь быстро соображала, как лучше отреагировать на хитроумный вымысел своего любовника, и вдруг расхохоталась и громко захлопала в ладоши.

— Браво! Браво! Повторите!

Загадочный мужчина ничего не ответил, отвесил низкий поклон и замер в глубине комнаты.

— Маска, я тебя знаю! — воскликнула Мария,

развеселившись. — Выходи, Валентин! Коль уж ты попал сюда — выходи!

Он бесшумно прошел по комнате, сел на ковер у камина и стал задумчиво смотреть на огонь. Вид его даже вблизи показался Марии каким-то необычным. То ли он был слишком бледен, то ли глаза смотрели как-то не так, да и черты лица... и похожи, и не похожи. На какой-то миг у нее даже появились сомнения — а вдруг это все-таки не Валентин? По спине скользнул неприятный холодок. И тут она поняла — нет никакой мистики! Это грим! Самый обычный грим! Белая маска, подведенные глаза... В полумраке, в дыму его вид действительно производил сильный эффект. Мария смотрела на незваного гостя без удивления, без раздражения, просто она совершенно не понимала, что теперь с ним делать. Продолжать игру? Или с гневом прогнать из дома? Общение с любовником, с которым она вроде бы уже рассталась, совершенно не входило в ее планы. Но в то же время и прогонять его сейчас почему-то не хотелось. И, стараясь удержать дистанцию, Мария сказала спокойно и строго:

— Шоу, конечно, замечательное, но ты играешь с огнем, Валентин.

— Я — не Валентин, а призрак Валентина, — глухо прошептал он, продолжая смотреть на огонь. — Огонь — моя стихия, вот я с ним и играю.

— Ну, что за дурацкие игры! — уже рассердилась Мария. — Все, представление окончено! Зачем ты пришел? Один сюрприз, как я понимаю, ты продемонстрировал. Но у тебя в запасе, кажется, еще и второй?

— Будет и второй, — хрипловатым голосом

произнес Валентин. — Но ты даже не спрашиваешь, как я попал сюда?

— Ну, если ты призрак — тогда и спрашивать не о чем! — усмехнулась Мария. — А если не призрак, то твое проникновение в дом — уже свершившийся факт, и стоит ли вдаваться в детали...

— Ты, наверное, думаешь, что меня впустила Зина, когда прибирала дом? — сказал Валентин.

— Не думаю, она бы тебя не впустила, — ответила Мария.

— Правильно. Меня никто не впускал! Я стал привидением и проник сквозь стену, — произнес Валентин. — Хочешь не хочешь, а придется принять эту версию. Тебе ведь не хватает в доме привидения?

— В таких молодых домах привидения не живут, — уверенно сказала Мария. — Если только случайно забредут, по ошибке!

— Вот я и забрело случайно, — глухо прошептал Валентин. — Но не по ошибке... Ты ведь не выгонишь из дома случайное привидение, залетевшее погреться у очага?

— Ты — плохое привидение! Никуда не годное! — Мария приподнялась в кресле. — Ты просто ряженый клоун!

— Профессия у меня такая. Была. — Валентин вздохнул.

— Почему — была? — удивилась Мария. — Ты что, сменил профессию?

— Ну, если призрак — это профессия, можно считать, что сменил, — опять вздохнул Валентин. — Ты ведь сама превратила меня в призрак! Разве можно выдержать столько страданий и остаться человеком? Зато теперь, став призраком, я не страдаю больше. Сердце мое стало холодным и бесчувственным. Я почти так же свободен, как и ты, моя госпожа!

Мария хотела окончательно рассердиться: Валентин явно упрекал ее в бесчувственности! Да еще и пустился в выяснение отношений! Это было возмутительно, недопустимо. Она ведь все сказала ему по телефону, и выяснять нечего. А он решил ее переиграть и придумал, надо сказать, довольно остроумный способ. И теперь у Марии никак не поворачивался язык поставить окончательную точку. Забавно! Она невольно даже начала подыгрывать ему.

— У тебя неправильное представление о призраках, — сказала Мария. — Они выглядят иначе.

— Почему же? Мир меняется, — тихо ответил Валентин, — и привидения тоже меняются. Ты, наверное, представляешь себе каких-то средневековых монстров? А современные привидения выглядят вполне цивилизованно и артистично. Даже если они похожи на ряженых клоунов! Неужели тебе не нравятся клоуны?

— Не важно, что мне нравится, — сказала Мария. — Но в привидения я тебя все равно не возьму! Мне вполне хватает домовенка!

— Ничего, с ним мы договоримся, — Валентин улыбнулся и вдруг показался Марии таким красивым и таким милым...

— Ладно, хочешь выпить? — Мария встала, лениво потянувшись, прошла к бару, достала бутылку и бокал.

— А разве привидения пьют? — удивился Валентин.

— Еще как пьют! — Мария засмеялась. — И кровь пьют, но это — настоящие призраки!

А поддельные, вроде тебя, с удовольствием пьют вино!

— Что ж, наливай, — улыбнулся Валентин, — я и на звание поддельного призрака согласен! — Он взял бокал с вином и сказал: — За встречу в другом измерении!

Мария едва заметно вздрогнула — откуда он знает про другое измерение? Она ведь никогда ему не рассказывала... Неужели они в чем-то одинаково мыслят? Или это просто игра слов?

— Ну, что ж, — согласилась она, — хороший тост.

— И за то, — сказал Валентин, глядя в глаза Марии, — чтобы прекрасная дама в другом измерении была снисходительнее к бедному ряженому клоуну!

Мария почувствовала, что ее твердое решение дало трещину, и, как ни старалась она держаться неприступно и безразлично, Валентин уже почти выиграл эту партию. Он сам это почувствовал и мгновенно оказался у ног Марии — положил ей руки на колени и улыбнулся с таким подкупающим обаянием, что устоять было просто невозможно. Он знал, что Мария не оттолкнет его, и она действительно не оттолкнула, а сказала с улыбкой:

— Знаешь, а ты и правда был похож на призрака!

— Я очень старался! — радостно произнес Валентин. — Это мое новое шоу. И посвящается оно тебе! Я хотел пригласить тебя на премьеру, сделать сюрприз, но ты решила списать меня в тираж. И тогда я решил сыграть для тебя персонально.

— Послушай, а ты не подумал, что можешь меня напугать? — спросила Мария, невольно гладя рукой его мягкие светлые волосы.

— Тебя? Напугать? Но ведь ты ничего на свете не боишься! — уверенно ответил Валентин. — Удивить тебя я хотел, это точно, но напугать — никогда в жизни!

— А если я вдруг стану трусихой, ты потеряешь ко мне интерес? — поинтересовалась Мария и тут же с сожалением подумала, что сказала лишнее. Вопрос откровенно проявлял ее заинтересованность и предполагал продолжение отношений.

— Я буду счастлив, если ты станешь трусихой! — воскликнул счастливый любовник. — Тогда я смогу заботиться о тебе и защищать тебя!

— Ладно, это была шутка, — сказала Мария. — Погоди, — вдруг осенило ее, — а откуда ты знал, что я сегодня поеду на дачу? Почему ты оказался именно здесь? Ты что, действительно следил за мной?!

— Ну, как же ты плохо думаешь о своем привидении! — воскликнул Валентин, наливая себе новый бокал. — Все гораздо проще. Позвонил тебе на работу и узнал от твоих сотрудников...

— Значит, ты сидел здесь в засаде? — возмущенно спросила Мария.

— И вовсе нет! — засмеялся Валентин. — Мне повезло. Я подъехал к участку почти одновременно с тобой, машину оставил за углом, а когда ты въехала, прошмыгнул в ворота. Потом забрался в раскрытое окно в дальней комнате. Ты ничего не заметила. Я стал готовить свой реквизит, и вот тут вышла промашка. В общем, пошумел чуть-чуть. Ну, думаю, все, провал! Сейчас ты меня накроешь, и не будет спектакля! Но мне повезло, ты не пошла меня искать. Вот, собственно, и все.

— Да, ловко у тебя все получилось, — вздохнула Мария. — Но я одного не пойму — зачем ты мне позвонил?

— Как зачем? Я человек честный. Хотел попытаться в последний раз тебя уговорить. Я ведь давно все понял. Но пока ты мне не сказала прямо, у меня оставалась надежда.

— Ладно, призрак, иди, умойся, а то твой грим нагоняет тоску!

В окно спальни сквозь плотные шторы пробивалось веселое утреннее солнце. Свежий, румяный и совсем не призрачный Валентин безмятежно спал, обнимая во сне Марию. А она ненадолго вздремнула и потом никак не могла заснуть. Она не привыкла спать вдвоем даже в своей широкой постели, ей все время хотелось ворочаться. Наконец, осторожно высвободившись из-под тяжелой руки Валентина, она встала, набросила кимоно, пошла в кухню, раздернула занавески. За окном сад весь светился в солнечных лучах, аромат цветов проникал в комнату.

«Как же здесь хорошо, — думала Мария, отпивая маленькими глотками крепкий утренний кофе. — И почему я оставила Валентина? Я ведь ни с кем не хочу делить свое чудесное убежище! Так почему же я никак не решусь поставить последнюю точку? Жалею его? Или все-таки себя, и боюсь сама себе в этом признаться? Что это? Тщеславие? Или нежелание перемен, боязнь одиночества? Одиночество — естественное состояние человека, оно никогда меня не пугало... Но, может быть, мне все-таки стоит подумать над его предложением?»

В памяти всплывали страстные слова Валентина, произнесенные сегодняшней ночью. Он не только клялся ей в вечной любви, а впервые всерьез умолял выйти за него замуж. И говорил настолько искренне, с такой убедительной страстностью, что Мария просто не знала, как реагировать. Надо сказать, что этот сюрприз тоже застал Марию немного врасплох.

Но связь с Валентином, внутренне совсем чужим ей человеком, на самом деле давно тяготила ее. Они были совсем разные, слишком разные! Он, при всей своей артистичности, был материален, и его актерское искусство, как ни странно, казалось теперь Марии гораздо более приземленным, чем проектирование домов. Странно, парадоксально. Дом связан с землей, он — ее часть, и он — среда обитания человека. Театр же условен во всем, всей своей сутью. Но Валентин играл не только в театре, он охотно снимался в сериалах, воссоздающих какую-то убогую пародию на настоящую человеческую жизнь. И сам, конечно, не мог не заразиться этой искусственностью и фальшью. К работе Марии он относился с уважением, но не видел, не понимал ее творческой глубины. Интересовала его только сама Мария — прекрасная женщина, изящная, утонченная, загадочная. Но ведь она была частью своего мира, и именно этот мир сделал ее такой! Конечно, Валентин предлагал ей лучшее, что у него было, — руку и сердце. Но как нелепо она выглядела бы в роли его жены! Даже представить страшно.

«И за что он так меня любит? Я ведь веду себя по отношению к нему, как черствая эгоистка, я даже не пытаюсь хоть как-то подстроить свою жизнь под него! Может быть, именно за это он и любит меня? Смешно все это, ей-богу! Да что же я так много о нем думаю! Может быть, это совесть? Ведь я, я всю жизнь люблю не его... Ты ведь знаешь, милый домик, все о моих чувствах! Только ты один и знаешь! Разве кому-нибудь еще может замкнутая, скрытная, гордая госпожа Еловская доверить свою душевную тайну?»

Глава 2

ВЕЧНЫЙ ИДОЛ

Интересно устроена человеческая память. Она никогда не рисует картину прошлого целиком, а вырывает из нее отдельные фрагменты. Они мелькают, как в калейдоскопе, потом вдруг картинка застывает. Я разглядываю ее, и мне кажется иногда, что все это было не со мной. Я смотрю на картинку со стороны, словно в старом кино... Почему-то часто повторяются одни и те же картинки, а другие только проскользнут и выпадают из памяти...

Кажется, учебный год шел к концу, потому что в воздухе пахло весной. Тогда, той весной, я была еще Машей, студенткой первого курса архитектурного института.

Сейчас я уже почти не помню ту Машу, все-таки прошло двадцать пять лет! Но дело даже не в этом, то есть не во времени, — Маша была в какой-то другой жизни. С трудом представляю ее. Какая она — эта Маша?

Она — миленькое, немного пухленькое существо неполных восемнадцати лет, с хорошеньким личиком, коротким носиком, темными волнистыми волосами, доверчивой улыбкой и открытым, веселым взглядом. Очень общительная, душа и заводила компании. Вероятно, в то время она больше любила вечеринки с друзьями, всякие веселые приключения, авантюры, болтовню с подружками, особенно с однокурсницей Изольдой Куликовой, теплые пирожки с капустой или зеленым луком и чашечку горячего кофе. Все просто, кафе — напротив. Она не курила, в отличие от большинства подружек, мол, не хочу быть, как все. Выпивала в компании, но немного. Ей нравилось, когда за ней ухаживали, могла пофлиртовать, но ничего лишнего ни себе, ни ухажерам не позволяла. Прощальный поцелуй в подъезде — и не более. В общем, динамила своих поклонников. И не потому, что ханжа или слишком нравственная особа, просто страсть еще не поразила ее сердце. Почти всегда возвращалась домой вовремя, увлеченно рассказывала младшей сестре Таньке о своих довольно бурных, но при этом вполне невинных приключениях. Танька читала по ночам Цвейга и Мопассана, вовсю крутила романы и чувствовала себя более взрослой и умудренной жизненным опытом, чем простодушная и легкомысленная Маша.

Их мама — красавица, актриса, изящная, миниатюрная. Она — Машин идеал. Маша очень хотела быть похожей на нее и была недовольна своей пухлостью, стремилась похудеть, но пока не могла отказаться от пирожков...

Да, кажется, все именно так...

Мама работала в театре и часто возвращалась очень поздно, когда девочки уже спали. А утром спала она, и девочек в школу отправлял папа — главный инженер в проектной мастерской, человек серьезный и занятой. Но папа обожал маму и дочерей, и это не было ему в тягость.

Однажды он привел Машу к себе на работу. Маша увидела множество людей в белых халатах, они что-то чертили на больших деревянных досках, рисовали на белых подрамниках фасады и перспективы красивых зданий. Здесь, в этом большом, но все-таки довольно тесном помещении, совершалось таинство — здесь рождались дома. Маше все это не просто понравилось, а оставило ощущение какого-то чуда, и она захотела стать архитектором. Рисовала она неплохо, даже занималась в художественной студии. Родители одобрили ее выбор. Архитектурный институт — хорошее образование. Правда, с работой потом сложно и зарплата небольшая, но с таким образованием не обязательно быть проектировщиком, можно заняться дизайном, моделированием одежды, да массой всяких полезных и нужных вещей! У Маши был неплохой вкус, с детства она обожала что-то мастерить руками, лепила, шила, даже вырезала из дерева всякие фигурки. В общем, наняли Маше хорошего педагога, чтобы поставил как следует рисунок, и после школы она благополучно сдала экзамены в архитектурный. Правда, училась она отнюдь не блестяще — не хватало усидчивости, мешала лень, — но с рисунком, главным предметом, проблем у нее не было.

Да, вспоминаю: она не просто хорошо рисовала, а, наверное, лучше всех на курсе! Особенно ей удавались портреты. Она здорово схватывала черты лица и прямо на лекциях создавала очень смешные и похожие шаржи на своих однокурсников и преподавателей. Ее рисунки были нарасхват! Особенно шаржи на преподавателей...

В тот роковой день после лекции по истории «изо» Маша, сонно потягиваясь, вышла в коридор.

При всем своем уважении к классической живописи к концу лекции она неизбежно погружалась в глубокий сон. Темный зал, экран, на который проецировались красивые картинки, сопровождаемые монотонным голосом лектора, настолько убаюкивали, что бороться с собой было просто невозможно, и Маша легко отдавалась естественным порывам молодого, здорового организма. Продремав вторую половину лекции, что осталось при этом незамеченным благодаря спасительному полумраку в помещении, теперь она неторопливо пробуждалась в коридоре у окна, рассеянно глядя перед собой. На ней была красивая шерстяная юбка, которую она сшила по самостоятельно придуманному фасону, голубой вязаный свитер, который она сама связала. Красивые пышные волосы слегка растрепались во время сна. Она задумчиво пригладила их рукой, и вдруг...

Пробуждение произошло мгновенно. Это было, как стихийное бедствие! Каждый раз из мелькания калейдоскопа возникает именно эта картинка. Я смотрю на нее глазами Маши, той Маши.

...Я увидела его в коридоре. Рядом шел еще кто-то, но других я не заметила, не запомнила. Был только он. В темно-синих джинсах, в мягкой, чуть потертой замшевой куртке. Походка у него была тоже какая-то мягкая, бесшумная, тигриная. А лицо! Я никогда не видела таких лиц! Густые темные брови, светло-синие, широко расставленные, большие глаза, крупный прямой нос с небольшой горбинкой, бледные впалые щеки и очень светлые волосы, небрежно спадающие на плечи. Лицо было настолько выразительным, притягивающим, что я смотрела на него и не могла оторваться.

Что со мной происходило, описать невозможно. Все внутри переворачивалось, пол уходил из-под ног, я почувствовала, что вижу свою судьбу. Мне показалось, что он тоже смотрит на меня, я вздрогнула. Но он прошел мимо, даже не повернув голову в мою сторону. Как же так? Неужели не заметил? Неужели не понял, что непременно должен остановиться, подойти ко мне? Я стояла и не могла шелохнуться, а внутри била дрожь, будто меня ударило молнией. Почему он уходит? Это какая-то ошибка, нелепость!

А он удалялся по коридору, теперь я видела только его спину, и я поняла, что сейчас он исчезнет за поворотом, может быть, навсегда. И тогда, с трудом оторвав от пола тяжелые, ватные ноги, я пошла за ним. Боже мой, куда девалась моя легкость, что-то меня сковало, ноги не гнулись, я словно превратилась в неуклюжую деревянную марионетку, которую непреодолимая сила толкает вперед, но все кругом сопротивляется, не пускает. Наверное, это был страх перед чувством, которое внезапно обрушилось на меня. Время, которое измерялось минутами, даже секундами, казалось мне вечностью. Как же трудно было идти по длинному коридору! Мне хотелось бежать за ним, а ноги прирастали к полу. «Остановись! Остановись!» — мысленно молила я. С трудом преодолевая метр за метром, я шла за своей судьбой. Я видела его впереди. Но что я буду делать, когда догоню его, что скажу? Как глупо, нелепо, я всегда считала себя смелой, решительной, а сейчас едва не умирала от смущения и страха.

Я ли это была? Иногда мне кажется, будто я читаю Машин тайный дневник. Но как же хорошо, как отчетливо я помню те ее чувства! Сколько раз за свою жизнь проходила я с Машей по тому длинному коридору и каждый раз проживала заново все, что ощущала она тогда. Что было дальше?

Я шла за ним, как сомнамбула, почти догнала его. Но тут он и те, другие, которые шли с ним, вдруг распахнули какую-то дверь и скрылись за ней. Кажется, это была аудитория, обычная аудитория! Но мне казалось, что передо мной захлопнули дверь в другое измерение. Перерыв кончился, надо было бежать на занятия, но как я могла уйти? Тут появилась моя однокурсница Изольда Куликова и очень удивилась, что это я тут торчу. Я наврала, что плохо себя чувствую, то ли живот заболел, то ли кровь носом пошла, в общем, какую-то чушь несла. А ведь я тогда совсем, совсем не умела врать! Но мне надо было остаться под этой дверью и дождаться, когда он снова появится в моем измерении. Изольда оказалась настойчивой и собралась тащить меня в медпункт. Тогда пришлось быстренько выздороветь. Как я могла объяснить ей, что жду под этой дверью свою судьбу? Душой я, конечно, осталась возле двери, но моему физическому телу пришлось переместиться вместе с Изольдой на другой этаж и переться на математику. Ноги понемногу стали гнуться, я почти обрела свою обычную, легкую походку. Вскоре меня заставили решать какие-то чудовищные уравнения... Бред, опять бред! Какие уравнения, к чертовой матери! Я могла думать только о нем!

Мне очень хотелось нарисовать его портрет, но что-то сковывало, карандаш выпадал из руки. Наверное, это был страх — а вдруг кто-то увидит и раскроет мою тайну? Конечно, у меня появилась тайна! Меня разрывали противоречивые чувства. С одной стороны, очень хотелось с кем-нибудь поделиться своими переживаниями. Но с другой стороны, страстная влюбленность в незнакомца была настолько не похожа на прежние, невинные приключения с мальчиками, что я даже представить не могла, как об этом рассказать. Ведь если кто-то узнает, начнут обсуждать, расспрашивать, замучают советами или, не дай бог, посмеются! А этого я просто не перенесла бы. И я бережно охраняла свою тайну от любых посторонних глаз и ушей, становясь с каждым днем все более молчаливой, скрытной и замкнутой. Меня по-прежнему звали на вечеринки, но я потеряла к ним всякий интерес. И даже любимые пирожки в горло не лезли. Вскоре я заметила, что вполне реально сохну от любви, и с большим удовольствием ушила в талии юбку.

— Что-то ты какая-то странная в последнее время! — сказала Изольда, когда я отказалась идти на очередную вечеринку. — Не ходишь с нами никуда, молчишь, как сыч. Сама на себя не похожа.

Я не поддалась на искушение. Даже Изольде рассказывать было страшно. Вдруг не поймет?

— А на кого я похожа? На тебя? — произнесла я не без ехидства.

Маленькая, щуплая, остроносая Изольда вспыхнула:

— Ты чего, Машка?

— Ничего! Надоело мне все! Посиделки эти пустые, мальчишки сопливые... Делом надо заниматься! — отрезала я.

Изольда обиженно поджала губы и замолчала. На этом разговор закончился. Конечно, она обиделась, но зато больше дурацких вопросов не задавала. Мне стало немного стыдно, но это быстро прошло.

Каждый день я топталась у двери той самой аудитории, за которой скрылся объект моей внезапной страсти. Я всюду искала глазами его в надежде увидеть еще раз, но он, как назло, больше не появлялся.

Ночью, убедившись, что все в доме спят, я нарисовала все-таки его портрет. Портрет получился очень похожий. Конечно, ни сестра, ни мама, ни папа никогда не шарили в моих вещах — в нашей семье это было не принято, но страх раскрытия тайны казался столь сильным, что я всюду носила портрет с собой, завернув в старую газету и спрятав в самом дальнем отделении своего модного кейса.

И вот однажды вечером Танька — мелкая, белобрысая воображала, с голубыми блюдцами вместо глаз — таинственным шепотом спросила:

— Машка, кто — он?

Ничего себе — вопросик! Я вспыхнула, но голос мой не дрогнул.

— Не понимаю, о чем ты?

— Да ладно вредничать! В кого ты влюбилась? — не отставала сестра. — Скажи честно! Я ведь тебе все рассказываю!

Страшное подозрение пронзило меня. Меня предали! Танька нашла портрет! Теперь все узнают мою тайну! Я размахнулась и едва не засветила сестре оплеуху. Она ловко успела увернуться.

— Да чего ты?

— Как ты посмела! Кто тебе позволил рыться в моих вещах?!

Танька захлопала голубыми блюдцами, из которых брызнули слезы.

— В каких вещах? Ты чего?

— А если не рылась — откуда взяла? — произнесла я грозно.

— Я твоих любовных записок не читаю! — шмыгнула Танька носом. И произнесла точно с маминой интонацией: — У тебя все на лбу написано!

Ну конечно, я-то ведь не видела себя со стороны... А если действительно по моей физиономии можно догадаться?

— Неужели правда? — спросила я испуганно.

— Я что — дурочка, не понимаю?

Танька снова хлюпнула носом. Я тут же устыдилась своего страшного и, возможно, несправедливого обвинения и примирительно сказала:

— Ладно, не дуйся! Мир!

Мы скрестили мизинцы, и все встало на свои места.

— А ты не заводись! Подумаешь, дело какое! — снисходительно произнесла сестра, снова ощущая свое превосходство. — Я вот уже третий раз влюбилась! Он, между прочим, твой ровесник, не какая-нибудь мелюзга!

— А он — тоже? — спросила я.

— Спрашиваешь! — Танька понизила голос. — Мы решили пожениться.

— Что? — оторопела я. — Прямо сейчас?

Как выяснилось, ее жизненный опыт ограничивался не только литературой.

— Ну, не совсем сейчас. Не знаю, это не важно! Главное — мы решили! Да чего ты смотришь, как маленькая? — покровительственным тоном произнесла Танька. — Не знаешь, как люди женятся, что ли?

Мне стало обидно за себя, и я спросила не без ехидства:

— А если ты четвертый раз влюбишься, что будешь делать?

— Что, что... Разведусь!

— Так, может, не стоит тогда выходить замуж?

— А почему? Все люди женятся по нескольку раз. Женятся и разводятся. Это только наши родители — исключительные. У меня так не получится, — сказала она серьезно. — Я такая непостоянная!

— А я бы хотела одну любовь, на всю жизнь! — неожиданно вырвалось у меня.

Танька вдруг бросилась ко мне, обняла и зашептала:

— Маш, ну расскажи, кто он! Тебе самой легче станет.

Тайна уже давно распирала меня, рвалась наружу, и мне неудержимо хотелось разделить ее с кем-то. Но в институте было опасно, а Танька — она не посмеется, не выдаст! Я молча взяла свой кейс, краем глаза кося́сь на Таньку. Она насупилась и сказала:

— Ты чего, уроки собралась делать?

— Уроки — в школе! А я, между прочим, уже в институте!

Танька совсем сникла. Еще бы, разговор оборвался на самом интересном месте. Нет, похоже, в кейс она действительно не лазила, иначе обязательно выдала бы себя. Я достала из тайника портрет, молча развернула и показала сестре. Она так и впилась в него глазами, покачала головой.

— Классный мужик!

— Ага.

— А он не женат?

— Не знаю, — вздохнула я.

— Так узнай! Чего телишься?

— А если женат?

— Отбей!

Я снова вздохнула. И стала рассказывать ей все в подробностях: о встрече с прекрасным незнакомцем и о своих страданиях, изрядно приправив свой рассказ восторженными эпитетами и романтическими красками. Танька слушала, приоткрыв рот, а мне действительно становилось легче. Дослушав мой печальный рассказ, Танька возмущенно воскликнула:

— Как ты могла?

— Что? — не поняла я.

— Упустить его!

— А что было делать? — спросила я растерянно.

— Бороться за любовь надо! — уверенно заявила моя начитанная сестра. — Я бы такого мужика ни за что не отпустила!

На следующий день я снова во время перемены стояла у той заветной двери. Мне так хотелось приоткрыть ее, заглянуть внутрь! Могу же я в конце концов перепутать аудиторию? Ну, скажу, мол, извините, ошиблась — и все такое. А если он там? Ладно, что гадать! Танька права, надо действовать, а не упиваться своими страданиями! Бороться и искать, найти и не сдаваться! Я тоже кое-что читала! Конечно, меньше, чем Танька, но когда мне читать? Ладно, трусиха, хватит!

Я схватилась за ручку двери, собралась потянуть на себя, но в это время кто-то толкнул ее изнутри. Я, естественно, отлетела и, не удержавшись на ногах, шлепнулась на пол.

— Ах ты, господи! Извините! — произнес кто-то надо мной, помогая мне встать.

Я подняла глаза. И чуть не рухнула снова. Это был он!

— Как же неловко получилось! Вы не ушиблись? — с беспокойством спрашивал он, участливо оглядывая меня.

— Нет, ничего, — промямлила я, одергивая платье.

Кажется, я уже более или менее твердо стояла на ногах, хотя это стоило мне больших усилий, но он продолжал меня осторожно поддерживать. И при этом, я заметила, с интересом меня разглядывал. Вдруг прищурился и спросил:

— Учишься здесь?

— Угу...

— Почему я раньше тебя не видел? — произнес он таким тоном, будто это досадное недоразумение, и продолжал меня разглядывать.

Я совсем растерялась. Что тут можно было ответить? «Ах, какое упущение! Ты знаешь всех хорошеньких девушек, кроме меня! Давай наверстаем упущенное!» Что-нибудь в таком роде, что ли? Конечно, эти глупые фразы вслух я бы никогда не произнесла! Но момент, подаренный мне судьбой вместе с падением на пол под дверью, упускать было нельзя. И я вспомнила наставления своей умудренной книжным и жизненным опытом тринадцатилетней сестрички: не отпускай! И робко, решившись наконец взглянуть ему в глаза, сказала:

— А я тебя видела!

— Да? — удивился он. — Почему не подошла?

— Повода не было, — ответила я с глупой улыбкой.

Он вдруг рассмеялся.

— Ну, теперь-то повод есть. Я тебя чуть не убил этой дверью.

— Но ведь не нарочно, — прошептала я, благословляя в душе дверь, сбившую меня с ног таким чудесным образом.

— Все равно, я просто обязан искупить свою вину! Это долг джентльмена! — Он придирчиво осмотрел мое лицо и вдруг осторожно дотронулся пальцем до моего лба. — Ну вот, кажется, тут синяк...

От его прикосновения голова моя пошла кругом. Пусть бы хоть здоровенный фингал был на лбу — я бы и на него молилась, как на свою счастливую звезду! Неужели все это происходит на самом деле, а не во сне? Наверное, я побледнела и слегка покачнулась. Он тут же подхватил меня и произнес с тревогой:

— Только, пожалуйста, не падай в обморок! Тебе плохо?

— Нет, нет, все в порядке, все уже прошло, — забормотала я, чувствуя на плечах его сильные руки и невольно прижимаясь спиной к его груди. По всему телу побежали мурашки. За такой миг блаженства я бы согласилась получить хоть сто фингалов!

— Аланчик! Ты где застрял? — послышался мужской голос.

— Алан — это я, — прошептал он мне в самое ухо. — Извини, не успел представиться. Я не Алан Парсонс, и даже не Эдгар Аллан По, а Алан Сильвестрович. Но когда-нибудь и мое имя зазвучит по всему миру, так что запомни на всякий случай... А как зовут мою пострадавшую?

— Маша.

— Маша... — повторил он нараспев. — Чудесно! Прямо из русской сказки.

И тут я увидела двоих ребят, быстро направлявшихся к нам. Один — с какой-то невообразимой стрижкой, выбритыми висками, в короткой кожаной курточке, из-под которой висел длинный свитер поверх худющих ног в потертых джинсах, а другой — невысокий, коренастый, в широких вельветовых брюках-бананах и в теплой фланелевой ковбойке. Парни были симпатичные, но явно чем-то озабоченные.

— Алан, хватит любезничать, там рабы пришли, — сказал тот, у которого стрижка.

Алан даже бровью не повел и, не отпуская меня, ответил деловито:

— Я не любезничаю, Жора, а оказываю первую помощь своей невинной жертве!

— Теперь это так называется? — усмехнулся другой, вельветовый.

— Михаил, зачем ты смущаешь девушку? — Алан укоризненно покачал головой. — Что она обо мне подумает? Что я — не благородный джентльмен, а какой-нибудь хитрый и коварный соблазнитель? Маша, не верь ему! Я чист душой, как невинное дитя!

И тут появилась эта девица. Она была высокая, стройная, в узких, облегающих брюках, с походкой манекенщицы. Держалась она свободно, раскованно. Красивое, бледное лицо, на которое очень удачно нанесена косметика.

— Так ты идешь, Алан? — настойчиво спросила девица.

Сердце мое, сердце несчастной юной Маши, тут же сжалось от ревности.

— Мы все идем, Тамарочка, — спокойно ответил Алан. — Кстати, у меня идея! — Он повернулся ко мне. — Маша, а не хочешь ли ты на нас порабствовать?

— Порабствовать? Это как? — не поняла я.

— Святая невинность! — рассмеялся Михаил. — Сразу видно первокурсницу. Ничего, мы тебя просветим! Рабы — это наши помощники, они нам помогают дипломы делать — расчерчивать, закрашивать и все такое.

— Так вы — дипломники? — спросила я.

— Неужели не видно? — произнес Жора. — Мы не рабы. Рабы не мы! Творцы судьбы идут из тьмы!

— Между прочим, Жора у нас еще и поэт, и музыкант! — Алан подмигнул мне. — Ну что, Маша, пойдешь к нам в рабы?

— А чего не пойти? — Я искоса поглядела на Тамарочку. — Мне ведь тоже когда-то диплом делать. Вот и поучусь.

— У нас такому научишься! — Михаил сделал страшные глаза. — Кошмары по ночам будут сниться!

— Это — как творцы из тьмы выходят? — съязвила я.

Все рассмеялись, только Тамара никак не отреагировала на мою шутку и ушла вперед.

— Итак, Маша, ты согласна разделить участь творцов? — спросил Алан.

— Да! — с энтузиазмом откликнулась я.

— Тогда пойдем с нами. А я клянусь никогда больше не бить тебя дверью, а также другими предметами, и всегда оказывать первую помощь!

Алан, уже почти по-хозяйски, обнял меня за плечи, и мы вместе ушли по коридору в новую, еще неведомую мне жизнь...

В пепельнице дымилась незагашенная сигарета. Мария услышала за спиной легкие шаги, но даже не оглянулась. Она была не здесь, а там, далеко, в своем прошлом, и сквозь туман времени смотрела, как Маша уходит по коридору архитектурного института рядом с Аланом и его друзьями. Маша уходила в какую-то другую, новую жизнь. Вот образ опять ускользает, и только чувство остается, только чувство. Что было дальше? Маша тогда даже представления не имела, что ее ждет впереди. Вопрос, как навязчивый рефрен, тревожно звучал в сознании. Что было дальше с Машей?

Сзади подошел кто-то, обнял за плечи... Мария вздрогнула — она все еще была Машей. Обернулась с невольным испугом, словно может сейчас увидеть за спиной Алана. Но это был Валентин. Господи, она ведь, отдавшись своим воспоминаниям, совсем про него забыла! Конечно, это всего лишь — воспоминания, все это было очень, очень давно... А вот она — реальность! Гладит по волосам, целует в шею... Но как трудно вырваться оттуда, из тех далеких дней, из того длинного коридора! Как трудно вырваться из тех сильных, горячих рук!

Мария рассеянно улыбнулась, поглядела на Валентина и вдруг поняла, что так долго удерживало ее рядом с ним. Он был чем-то похож на Алана! Сейчас она неожиданно заметила в их чертах много общего. Конечно, и волосы, и глаза... Нет, глаза не такие, но взгляд... Да что это с ней? И взгляд совсем не такой. Другого такого взгляда нет ни у кого и не может быть! Валентин моложе и, наверное, красивее, но все равно, он только бледная копия. Бледная копия вечного идола!

Мария никогда раньше об этом не думала, но, вероятно, подсознание работало само по себе, выискивая мужчин с каким-то, хотя бы внешним, сходством. Как просто и как глупо! Может быть, был бы Валентин совсем другим, к примеру — жгучим брюнетом с карими глазами или каким-нибудь некрасивым очкариком, у него могло оказаться больше шансов. Но при таком сходстве — нет! «И вообще все это — сплошная глупость! — сказала сама себе Мария. — Мои сомнения, игра в призрака... И как же я могла, как же я могла всерьез задуматься?.. Над чем? Над его предложением? Я-то знаю, что каждая моя любовная история заранее предрешена. Знаю, что все равно не смогу его полюбить! Ни его, ни кого другого! Мне с ним было приятно, занятно, легко, но это — не любовь, а очередной неудавшийся эксперимент над собой. Душа моя по-прежнему не горит...»

Валентин молча смотрел на Марию. Смотрел, как раньше, как всегда, взглядом преданного пса, готового умереть за своего хозяина. Этот замечательный, красивый, очень породистый пес ни в чем не был виноват!

— Хочешь кофе? — рассеянно спросила Мария.

Валентин помотал головой.

— Ты хочешь что-то сказать? — снова спросила она.

— Я все тебе сказал, — ответил Валентин драматическим голосом, в котором Марии послышалась вдруг какая-то фальшивая, актерская нотка. — Теперь слово за тобой!

Мария вздохнула. Что она могла ему ответить? Скорей бы уж все закончилось!

— Знаешь, я думала...

Валентин приложил палец к губам.

— Тсс! Не спеши, подумай еще.

Нет, наверное, он не фальшивил, но Мария, уже не в первый раз, ощутила в душе внезапный холодок, какой-то мятный, ментоловый привкус, словно проглотила пастилку от кашля из рекламного ролика. И с этой пастилкой пришла холодная ясность.

— Я не могу стать твоей женой, — отчетливо произнесла Мария. — Прости, но никогда не смогу!

— Значит, так... — Лицо Валентина вдруг стало жестким, в глазах вспыхнули искры гнева. Таким Мария его еще не видела. — У тебя кто-то другой, да?

— Какая разница? — устало произнесла Мария. И подумала — как все же примитивны и одинаковы мужчины! Если ты им отказываешь — значит, у тебя роман с другим. А представить, что твое сердце все еще живет в прошлом, от которого остались одни воспоминания, им не дано. Понимать, что играть в любовь, когда история внутренне уже завершилась, бессмысленно, они не желают.

— Большая разница, — процедил Валентин. — Меня еще никогда, никогда не бросали женщины! Должна быть причина!

— Все когда-то бывает в первый раз, — сказала Мария. — Прости, еще раз прости. Причина во мне. Я не хочу фальшивить и притворяться и ничего, пойми — ничего не могу сделать с собой.

— Ну, что ж... Пусть будет. Только смотри — не пожалей! — Валентин резко развернулся и пошел к двери. Но вдруг остановился и сказал небрежно: — Кстати, вот билет на премьеру моего шоу. Если надумаешь, можешь прийти. — Он бросил билет на стол и быстро, не оглядываясь, вышел.

Через несколько минут Мария услышала, как

взревел мотор его машины. На этом все кончилось. Во всяком случае, в тот момент Мария думала именно так. И ни о чем не жалела. Конечно, Валентин обиделся, оскорбился, гордо ушел, но не забыл при этом бросить прощальную угрозу «смотри — не пожалей» и оставить билет на премьеру. Зачем? В надежде увидеться, что-то вернуть? Или для того, чтобы продемонстрировать ей свой успех, свою гениальность, задеть, зацепить, что-то доказать? Бог его знает, зачем он так сделал, да и не важно. Можно и сходить на премьеру, если найдется время. Все равно это уже ничего не изменит.

Оставшись в доме одна, Мария ощутила внезапно легкое и свежее дыхание свободы, которого ей, как сейчас она поняла, так не хватало в последнее время. Теперь она была снова совершенно одна в своем мире, в своем измерении. Как же это прекрасно, когда ничто не держит тебя, когда никто ничего от тебя не ждет и не требует! И не надо никаких романов, лучше всего какое-то время просто побыть одной. Одной — в своем доме, наедине со своими мыслями, чувствами, воспоминаниями. Еще немного побыть Машей, той самой доверчивой, искренней и немного наивной Машей, которая двадцать пять лет назад впервые испытала чувство катастрофической, безоглядной любви и которая потом уже никогда не могла от него отказаться...

В тот вечер я вернулась домой очень поздно, слишком поздно по установленным в доме правилам. Мама, нервная, взвинченная, ходила по квартире с сигаретой, то и дело бросаясь к окну. Когда я вошла в комнату, она стояла, прижавшись лбом к стеклу, а отец ее успокаивал. Увидев меня, он резко обернулся и произнес· непривычно суровым голосом:

— Как это понимать?

— Дипломникам помогала, — сказала я.

— Это что, общественная нагрузка? — В голосе отца прозвучала ирония. — И чем, интересно, ты помогала им ночью?

— Как чем? Чертила, подрамники натягивала... — машинально ответила я, надеясь как можно скорее сгладить неприятную ситуацию и скрыться в своей комнате.

— А позвонить было нельзя? — закричал отец. Он вообще никогда не кричал, и я растерялась. Мне тогда и в голову прийти не могло, что кто-то может так обо мне беспокоиться. Подумаешь — час ночи! Конечно, при желании можно было откуда-то позвонить, из телефона-автомата, например, но могла ли я думать об этом, гуляя с Аланом по ночным улицам? Да я вообще обо всем на свете забыла! Но как я могла признаться в этом моим распсиховавшимся родителям? Может быть, начнись разговор иначе, я бы что-то и рассказала, но тут мне тоже попала шлея под хвост.

— Неоткуда было позвонить! Понимаете, неоткуда! Все кабинеты закрыты! — ответила я с вызовом. — И вообще, не надо так за меня беспокоиться. Я уже взрослая! Не могу же я всю жизнь возвращаться домой к десяти!

Родители переглянулись и промолчали. Потом отец сказал усталым голосом:

— Между прочим, мы звонили твоим подружкам по институту. Кроме тебя, все оказались дома. И никто из них, представь себе, никаким дипломникам не помогал. Это что же, исключительно твоя миссия?

Лучшая защита — нападение. Старая, надежная истина.

— Зачем вы устроили панику? — стала я громко возмущаться. — Зачем звоните моим знакомым в такое время? Делать больше нечего? Может, вы еще и в милицию заявили?

— Ты что раскричалась? — на этот раз спокойно и сдержанно сказал отец. — Иногда соображать не мешает... Еще раз такое случится — так и в милицию позвоним. Ну-ка, выкладывай, где была!

— Там, где сказала! — отрезала я. — Если не верите — это ваша проблема. А мне врать ни к чему!

Мама всхлипнула, посмотрела на меня, хотела что-то сказать, но по лихорадочному блеску в моих глазах, видимо, поняла, что разговор сейчас бесполезен. Она только махнула рукой, погасила сигарету, развернулась и ушла в спальню.

— Тебя хоть проводили эти дипломники? — уже более мирно спросил отец.

— Конечно, проводили!

Это была правда. Алан действительно проводил меня до самого подъезда. И даже поцеловал на прощание. Правда, по-дружески, в щеку, но и этого было достаточно, чтобы мое возбужденное воображение дорисовало продолжение истории. Главное, мы снова увидимся завтра. Наверное, и послезавтра тоже. И, как мне тогда казалось, такое чудо будет происходить всю нашу долгую жизнь. А жизнь впереди виделась долгой, почти бесконечной, движение времени не ощущалось вообще. И эта застывшая бесконечность заполнялась невероятной остротой первого сильного чувства.

— У мамы неприятности в театре, она и так —

сама не своя, а тут еще — ты! — произнес отец с какой-то внезапной горечью и досадой.

— Я-то здесь при чем? — огрызнулась я. — И вообще, имею я право на свою жизнь?

— Имеешь, имеешь, — кивнул он устало, — только не за счет других. Ладно, иди спать.

Тут я посмотрела на него и увидела вдруг морщинки у глаз, и отец показался мне каким-то поблекшим, постаревшим. Нахлынула мгновенная жалость, стыд за свои злые слова. Но ведь сами нарвались, думала я, стараясь подавить эти чувства. Знали бы, что творится в моей душе, — не полезли б с расспросами!

— Спокойной ночи, — буркнула я и пошла из комнаты.

— Есть не хочешь? — спросил вдогонку отец.

— Спать хочу!

Но какой мог быть сон после таких бурных событий! Открыв дверь комнаты, я едва не сбила с ног Таньку, которая, естественно, торчала за ней.

— Думаешь, я спала? — зашептала моя истомившаяся от любопытства сестра, семеня за мной. — Ну, расскажи! Что у тебя?

— Погоди! Потом! — Я, не раздеваясь, повалилась на кровать. Все, что случилось сегодня, мелькало перед глазами. Чувства мешались, мысли путались. Я возвращалась домой в состоянии почти неземного счастья, а тут меня, можно сказать, мордой об стол! Вскипела обида, злость. В то же время после разговора с отцом на душе остался неприятный осадок, какая-то тревога, беспокойство, подспудное чувство вины. Я ведь не была законченной, черствой эгоисткой! В общем, как-то не очень мне было хорошо.

Танька подсела ко мне на кровать, всем своим видом выражая сочувствие. И тут я почему-то не удержалась и разревелась. Глупо так разревелась! Уткнулась в подушку, чтобы не слышно было, а Танька испугалась, стала меня тормошить.

— Маш, ты из-за предков, да?

Я и сама не знала, из-за чего плачу. Из-за всего вместе. Не отрывая головы от подушки, я искоса посмотрела на Таньку, спросила:

— Ладно, расскажи, что тут было?

— Тут такое творилось! — с пафосом произнесла она.

Прижавшись лбом к двери, моя героическая сестрица весь вечер смотрела и слушала в маленькую щелку. К счастью, родители, занятые своими переживаниями, ее не заметили. Она торопливо сообщила, что у мамы, как назло, спектакль сегодня отменили и она пришла рано — расстроенная, недовольная. И если б не это, все бы, наверное, обошлось, никто бы не заметил, что меня так долго нет. А тут мама стала плакать, себя ругать, что совсем нами не занимается. Что дочки ее растут, как трава. Вот за это на нее и сваливаются неприятности! Папа ее утешал, говорил: «Разве я плохой садовник? Травку нашу поливаю, подстригаю! Неприятности пройдут. Машка найдется!»

Танька вдруг подозрительно посмотрела на меня:

— А ты правда дипломникам помогала?

— Правда, — ответила я, немного успокоившись. — Танька, ты представляешь! Мы сегодня познакомились!

— Я сразу поняла, когда ты вошла! — снисходительным тоном произнесла моя проницательная сестрица.

— Что, это тоже на лбу было написано? — шутливо спросила я.

Танька хмыкнула и широко раздвинула руки:

— Вот такими буквами!

— А шишка на лбу есть? — спросила я интригующим шепотом.

— Чего? — удивилась Танька.

— Вот тут, — ткнула я пальцем в лоб, — должна быть.

Танька, конечно, вытаращила свои голубые блюдца и стала ощупывать мой совершенно невредимый лоб. Но мне так хотелось, чтобы на нем осталась шишка. Или хотя бы синяк.

— Ну, нашла?

— Вроде есть чего-то, — произнесла она с сомнением.

— То-то! — радостно воскликнула я.

И тут меня прорвало. Накопившиеся за день впечатления и переживания полились рекой. Танька тут же запрыгнула ко мне в постель, слушала, затаив дыхание и, когда я вдруг замолкала, требовала новых подробностей. И я повторяла, снова и снова, почти одно и то же, с удовольствием произнося его имя и расцвечивая наше знакомство и общение самыми яркими красками. Умолчала я только о Тамарочке, которая невольно вызывала у меня неприятное чувство и могла бы испортить такой чудесный рассказ. Танька была в восторге. Она не сомневалась, что мы с Аланом непременно скоро поженимся.

Я же об этом не думала. Я вообще в ту ночь уже ни о чем не думала, кроме своей безумной любви! И мы с сестрой еще долго шептались под одеялом, обсуждая мое невероятное романтическое приключение.

Глава 3

ТАНЬКА

В доме звонил телефон. Звонил долго, настойчиво. Мария не сразу поняла, откуда идет этот звук. Что за дурацкая рассеянность! Нельзя одновременно находиться в прошлом и настоящем! Телефон звонил здесь, сейчас. Мария торопливо взяла трубку.

— Алло!

— Маша, — сказала сестра. — Так я и думала, что ты там! Но ты так долго не подходила, что я испугалась...

— Я выходила, не слышала, — сказала Мария, в сущности, почти не солгав. Но там, где она была еще минуту назад, в мире далеких страстей и тревог, она как раз говорила с сестренкой! Танька была одним из тех немногих людей, кому и теперь позволялось называть Марию Машей. Но сейчас имя «Маша» прозвучало так, будто ее окликнули из прошлого. Будто и не было двух с половиной десятков лет, все изменивших, перечеркнувших и заставивших жить заново... Так-то вот, милый домик, другое мое измерение, в котором время идет по своим, одному ему ведомым законам...

— Прости, если тебя от чего-то оторвала, — сказала Танька.

— Ни от чего ты меня не оторвала! — успокоила ее Мария. — Молодец, что позвонила. Скажи честно, у тебя что-то случилось?

— Ничего, — неуверенно ответила сестра. — Просто в субботу у мамы день рождения. Хотела напомнить...

— Но ведь не в эту, а в следующую... — удивилась Мария.

— Да, в следующую, — согласилась Танька. — Но все равно — надо сообразить с подарком.

— Ну да, я буду в Москве в понедельник. Что-нибудь придумаем.

— Маша, а до понедельника ты не будешь? — каким-то странным голосом спросила сестра.

— Ну, точно! Я же чувствую, у тебя что-то случилось! — воскликнула Мария.

— Ничего особенного, просто хотела поговорить.

— Так не вешай мне лапшу на уши и приезжай! Прямо с работы!

— У меня сегодня отгул...

— Отлично! — обрадовалась Мария. — Вперед и с песней! Жду!

— А спиногрызы? — вздохнула Танька.

Сестриным «спиногрызам» было уже двенадцать и девять лет. Здоровенные оболтусы! Но Таня все равно считала их несчастными маленькими детьми, обделенными материнским вниманием, и тряслась над ними, как курица над яйцами.

— Господи, с собой бери! — воскликнула Мария.

— Они поговорить не дадут...

— Так оставь их с Федором. Все равно ведь дома сидит.

— Он размышляет над новым проектом, вряд ли согласится.

Мария чуть не выругалась. Федор — милый, обаятельный, непризнанный гений, считающий, что весь мир чем-то ему обязан, уже несколько лет ни черта не делал и преспокойно сидел у жены на шее. Но с Марией, которая видела его насквозь, он считался, даже немного побаивался ее.

— Ну-ка, дай ему трубку!

— Ладно, я их к маме закину, — тут же нашла выход Танька. — И сразу к тебе. А я тебе не помешаю?

— Ужасно помешаешь! — рассмеялась Мария. — Я занята примерно так же, как твой Федор — сижу одна и с умным видом плюю в потолок.

Танька весело хмыкнула.

— Ладно, тогда жди!

Мария обрадовалась. На самом деле обрадовалась, что к ней приедет сестра. Им так редко удавалось побыть вдвоем, поговорить наедине. Да и вообще в последние годы они встречались редко, в основном на каких-то семейных торжествах у родителей или у общих друзей. Интересно получилось в жизни: все, о чем они когда-то мечтали, шепчась по ночам под одеялом, не просто не осуществилось, а произошло почти с точностью наоборот. Танька, с детства увлекавшаяся мальчиками старше себя, мечтавшая стать актрисой и собиравшаяся много раз выходить замуж и разводиться, в двадцать лет неожиданно так влюбилась в своего однокурсника, тогда — общепризнанного гения, что все ее мечты развеялись, как дым. Они поженились и могли бы жить долго и счастливо, если бы Федор не оказался страшным бездельником и разгильдяем. Конечно, сестрица сама его избаловала, сразу взвалив на свои хрупкие плечи решение всех житейских проблем. Она хваталась за любую работу, чтобы заработать на жизнь, а Федор с меланхоличным видом лежал на диване и ждал достойного применения своей гениальности. Когда этот его скрытый дефект обнаружился, было уже поздно. У них к тому времени родился сын Рома, потом дочь Римма. Мама несколько раз пыталась пристроить Федора в театр, в кино — он как-никак имел театральное образование, — но гений высокомерно отвергал все предложения, не желая размениваться по мелочам. Он то пробовал заняться режиссурой, то сочинял какие-то шедевры, но, не добившись успеха сразу, объявлял себя непонятым серой толпой и быстро бросал любое занятие.

Танька же, неожиданно для всех оказавшаяся преданной женой и прекрасной хозяйкой, буквально разрывалась на части, чтобы накормить и ублажить своего гениального мужа. Просидев какое-то время дома и измучившись от трудностей и нищеты (а Федор тем временем все еще продолжал лежать на диване и ждать, когда признание преподнесут ему на блюдечке), она поняла, что актерским трудом много не заработаешь, семью, учитывая ее специфику, не прокормишь, и решила сменить профессию. Устроив детей в сад, отважная Татьяна отправилась на бухгалтерские курсы и спустя какое-то время, проявив невероятный энтузиазм, без всякой взятки поступила в финансовую академию.

За несколько лет она сделала успешную карьеру, зарабатывала теперь довольно много денег, детей устроила в престижную гимназию, а Федор все так же лежал на диване, сочинял какие-то эссе, умно и красиво рассуждал об искусстве и при этом на словах обожал Таню. Денег им все равно не хватало, поскольку производимые семьей затраты превышали Татьянины возможности. Сама сестра вечно была задерганная, с утра мчалась в свой банк, вечером, притащив сумки с продуктами, купленными после работы, тут же бежала на кухню и бросалась к плите — готовить еду, а любящий муженек и милые детки уже ходили кругами, принюхиваясь и предвкушая вкусный ужин. А готовила она действительно великолепно. И чистота в доме всегда была удивительная. Мария поражалась, как и когда Танька все успевает. Она сочувствовала сестре, пыталась незаметно подсовывать ей деньги, презирала Федора, окончательно оставившего попытки устроиться на работу, и не понимала, почему сестра так им восхищается. Поистине — любовь зла!

Вмешиваться в их жизнь, повлиять как-то на этот дикий семейный уклад было совершенно невозможно. Стоило родителям или Марии сказать хоть слово, Таня тут же грудью вставала на защиту любимого супруга-паразита. И Мария с горечью думала, что, похоже, в их жизни уже никогда ничего не изменится.

Что же касается Марии, то ее романтическим мечтам тоже не суждено было осуществиться. Но, наверное, в итоге это оказалось к лучшему. Не дай бог стать жертвой своей безумной страсти, как ее сестра! Возможно, это были какие-то причуды судьбы, которая нарочно поменяла их ролями, закрепостив Таньку ее нелепым браком, а Марии, взамен страстной любви к мужчине, дав любовь к творчеству и успех, к которому в юности она совсем не стремилась...

Сестрица появилась примерно через полтора часа. Мария открыла ворота и с радостью впустила на участок смешную маленькую машинку с большими круглыми фарами, такую же глазастую, как и ее хозяйка. Сестры обнялись, расцеловались. Танька рассеянно оглядывала любимый сад Марии, ее диковинные цветы, хлопала глазами и явно не воспринимала окружающую ее красоту.

Мария решила, что скорее всего у Тани возникла очередная идея по поводу реализации гениальности Федора, которой ей непременно захотелось поделиться. Что ж, Мария была готова принять в этом участие — чем бы дитя ни тешилось... Но, наверное, сначала надо немного успокоить сестру, снять напряжение, переключить ее внимание на вещи прекрасные, возвышенные, неподвластные земным страстям. А уж потом она ее спокойно выслушает.

И тут у сестры зазвонил мобильный телефон.

— Да, я сейчас за городом. Не знаю, приеду вечером, — торопливо говорила в трубку Таня. — А что? Да. Ну да. Хорошо, я перезвоню, чуть позже.

— Что, Федор уже соскучился? — с усмешкой спросила Мария.

— Нет, это... с работы, — сказала Таня. И вдруг вспыхнула: — Пошли в дом! Прости, не могу смотреть на твои цветочки!

Мария, конечно же, сразу заметила, что сестра не в себе. Она и выглядела не совсем обычно — глаза ее блестели непривычным блеском, которого Мария не видела уже многие годы, движения стали порывистыми, нервными. Это было что-то новое. Обычно сестра, вырвавшись в загородный дом Марии, с наслаждением рассматривала и нюхала цветы, расслабленно бродила по саду, словно набираясь от него недостающей ей энергии. И сад охотно отдавал усталой Татьяне свою нежность и красоту. Но сейчас она явно была занята какими-то своими мыслями и переживаниями.

— Идем! — Мария обняла сестру и повела в дом.

— У тебя есть что-нибудь выпить? — нервно спросила Таня, войдя в дом.

— Конечно. Но ты же на машине? — удивилась Мария.

— Неважно. Может, я у тебя ночевать останусь... Если, конечно, не выгонишь...

— Ты скажешь! — рассмеялась Мария.

— Понимаешь, мне хочется тебе рассказать... Надо кое-что рассказать, но я так не могу. Если не выпью — язык не повернется!

Мария достала бутылку красного французского вина, сестры молча выпили.

— Чудесное вино! — немного расслабившись, сказала Таня. — Как же у тебя здорово! Другой мир! — воскликнула она, бросилась на ковер и растянулась. — Знаешь, Маша, у тебя тут вообще — будто не на земле. Как в сказке.

— А не хотела смотреть мои сказочные цветочки! — улыбнулась Мария, усаживаясь на ковре рядом с Таней.

— Это я на нервной почве, ты прости. — Таня вдруг вскочила. — Слушай, совсем забыла! Совсем у меня дырка в голове! Я ведь тебе всяких вкусностей привезла, а то ты тут сидишь, созерцаешь свои красоты и ничего не ешь. Сейчас принесу!

Она стремительно выбежала из дома и вскоре вернулась с большой сумкой. Мария чуть снисходительно покачала головой: да, сестрица была в своем репертуаре — ей обязательно надо о ком-то заботиться!

— Тащи тарелки, — скомандовала Таня, заметно повеселев.

Через несколько минут стол был накрыт. Его украсили какие-то невообразимые салаты, румяные котлеты, совсем теплые, которые Таня вытащила из маленького термоса, кусочки запеченной рыбы, даже пирожки с капустой — в общем, настоящее домашнее великолепие. Сестры выпили еще немного и с удовольствием принялись за еду.

— Господи, какая же я, оказывается, голодная! — воскликнула Мария, доедая третью котлету. — Если бы не ты, наверное, о еде и не вспомнила бы!

Но ела в основном Мария, а Таня только поковыряла вилкой салат, откусила кусочек пирожка и потянулась за сигаретой.

— Танька, ты что, куришь? — удивилась Мария, заметив сигарету в руке у сестры. — Ты ведь никогда не курила!

— Я много чего раньше не делала, — вздохнула Таня. — Надо же когда-то начинать! Ладно, давай еще выпьем!

Таня жадно сделала несколько глотков. Бутылка незаметно закончилась. Мария достала из бара следующую и сказала:

— Теперь ты точно у меня заночуешь! Никуда тебя не отпущу!

Таня вдруг загадочно улыбнулась.

— А если за мной приедут?

— Ну, это, конечно, меняет дело, но надо еще посмотреть, кто приедет! — Мария лукаво подмигнула сестре.

— В общем, так... — начала было Таня и вдруг уронила голову на руки и заплакала.

Мария бросилась к ней, обняла.

— Танюшка, милая! Да что ты, успокойся, родная!

— Как, как успокоиться? Маша, я не знаю, что делать! — бормотала Таня сквозь слезы. — Кошмар какой-то!

— Да что же случилось? — спросила Мария с беспокойством.

— Понимаешь, он сделал мне предложение!

— Да, дела... — сказала Мария, стараясь не выдать голосом своего удивления.

— То-то, что дела! — Таня вытерла слезы, шмыгнула носом, посмотрела на сестру. — Это уже давно, почти год... Ну, я не думала, что так серьезно, я думала, просто так... А он говорит — бросай все и выходи за меня замуж!

— И кто же, если не секрет? — спокойно спросила Мария.

— Да наш директор банка! Помнишь, я говорила, его год назад назначили... Ну, тут все и началось. И что теперь делать, я совсем-совсем не знаю!

— Ты его любишь? — тихо спросила Мария.

Таня вздохнула и молча кивнула.

— Знаешь, Танюшка, — ласково сказала Мария, — мне сегодня не спалось и что-то пробило на воспоминания. Помнишь, как мы с тобой по ночам шептались, все наши любовные тайны обсуждали?

Таня снова кивнула.

— А помнишь, как я тебя спросила — а если ты четвертый раз влюбишься, что будешь делать? И что ты ответила? Что, что — разведусь, сказала. Все люди женятся по нескольку раз. А тут вроде бы еще только второй намечается. Или я чего-то не знаю?

— Да все ты знаешь! — Таня вскочила и стала ходить по комнате. — У меня, правда, ничего и никого не было. Как зачумленная жила. Федечка мой — один свет в окошке, за него в огонь и в воду! Сама не думала, что на кого-то вообще погляжу. А тут — будто в первый раз. А он, ты представляешь, вообще не женат — развелся давно, стерва

65

ему какая-то попалась, и после этого, говорит, три года на женщин смотреть не мог. И вдруг — я. Ну, он и говорит, что теперь оттаял, будто солнце взошло. Вроде как жизнь его началась заново.

— Танюшка, родная моя! Как же это прекрасно, как здорово! — воскликнула Мария. — Нет ничего на земле важнее, прекраснее и выше любви! Как же я рада, что это случилось с тобой!

Таня снова всхлипнула.

— Мне страшно, Маша! Я очень люблю Сергея, но как я Федьку брошу? Он ведь без меня пропадет.

— Не пропадет твой Федька! — уверенно произнесла Мария. — Может, наоборот — за ум возьмется, человеком станет. Работать пойдет наконец.

— Да что он заработает?

— Ну, можешь первое время ему алименты платить, пока на ноги не встанет.

— Ты скажешь! — рассмеялась Таня.

— Что думаю, то и говорю, — улыбнулась Мария. — А дети... Ты их с банкиром своим, то есть с Сергеем, познакомила?

— Ага. Он нас в кино на Гарри Поттера водил. Так представляешь — вели себя при нем, как ангелочки. Придраться не к чему было!

— Они у тебя не дураки. И тебя любят, — улыбнулась Мария. — А Федору ты уже сказала?

— Ты что! Федор — ни сном ни духом! Думает, я на работе сижу допоздна. Он уверен, что я всю жизнь буду его с ложечки кормить, по головке гладить и ни на одного мужика даже не взгляну. — Таня горько усмехнулась. — Сама, конечно, виновата.

— Ты — чудо! Ты такая хрупкая, красивая! Тебя

на руках носить надо! — взволнованно говорила Мария. — Тебе нужен сильный, настоящий мужчина, а не хлюпик и разгильдяй!

Танька улыбнулась сквозь слезы.

— А знаешь, Сережа и правда очень сильный. Такой характер крутой! Не терпит вранья и предательства. А за друга, за любимую женщину весь мир на уши поставит. Представляешь, Маша, он на тебя чем-то похож.

— Не преувеличивай, — усмехнулась Мария, — не такая уж я и сильная. Вон, целый месяц не могла с Валентином расстаться. Давно знала, что пора, а все тянула, сопли жевала. Но теперь наконец я свободна, как ветер!

— Ты ему отставку дала? Окончательно? — удивилась Таня.

— Окончательно и бесповоротно! — весело сказала Мария. — И прекрасно себя чувствую!

— А мне жаль, — вздохнула Таня. — Он славный.

— Славный, да не про меня. Ничего, он-то уж точно не пропадет, с его-то данными! — усмехнулась Мария. — Расхватают! На сувениры порвут!

— А ты? — вдруг спросила Таня.

— Я? — удивилась Мария. — Без него, надеюсь, не пропаду. А вот с ним — с ним бы, наверное, пропала...

— Машенька, милая, — вдруг произнесла немного захмелевшая Таня и обняла сестру. — Неужели ты так и будешь одна? Ты такая замечательная, красивая, талантливая, сильная! Но ты ведь женщина! Такие мужики классные у тебя были, а ты их всех раскидала, они и опомниться не успели...

— Ну, Валентин долго продержался, все рекорды побил.

— Машенька! Ну, неужели ты так никого для себя и не выберешь?

Мария разлила еще вина и сказала с грустью:

— Я выбрала однажды, да что толку. Знаешь, тогда я и решила, что больше ни один мужик никогда в жизни меня не бросит!

— Выходит, ты им мстишь за него? — удивленно сказала Таня.

— Зачем? — Мария встала, прошла по комнате. — Я никому не мщу, дорогая моя сестричка. И я же не шлюха какая-то, чтобы просто так... Нет, они мне все нравились, казалось — даже влюблялась. Но потом — как отрежет, и ничего с собой сделать не могу.

— Ты все еще любишь Алана? — прошептала Таня, с отчаянием поглядев на сестру.

— Да плевать я на него хотела! — резко ответила Мария. — И все, хватит об этом! Не хочу душу выворачивать! Не хочу о нем даже думать! Забыли, проехали...

В это время у Тани снова зазвонил телефон.

— Да, — сказала она в трубку. — Прости, что не перезвонила. Ну, мы тут с сестрой разговариваем. Я, наверное, останусь у нее. Нет, не надо, не приезжай! Дай мне хоть до завтра подумать, ладно? Ну, все, целую, пока.

Таня отключила телефон, посмотрела на сестру и сказала:

— Ну вот, я обещала ему подумать. Господи, Маша, ну что же мне делать? Что же мне делать, черт возьми?

— По-моему, ясно, что делать. Но я за тебя решить, к сожалению, не могу, — ответила Мария. — А хочешь — спросим домовенка?

— Смеешься ты надо мной, — вздохнула Таня.

— Нисколечко не смеюсь! Я вот со своим домом всегда разговариваю, когда у меня что-то не клеится. А он по-своему отвечает. — Мария понизила голос и зашептала: — А домовенок тут на самом деле есть. Он — душа дома, понимаешь? Правда, днем он не выходит, а вот как стемнеет — сама его услышишь. И не бойся, заговори с ним. А потом слушай внимательно. Если очень захочешь — ответ услышишь!

— Ладно, попробую, — неуверенно сказала Таня.

Когда наступил вечер, Мария зажгла свечи. Сестры выпили еще вина, кажется, уже третью бутылку. Им было так хорошо вдвоем, как когда-то в детстве и юности. Они вспоминали давние истории, свои чувства и приключения в то далекое время. За день Таня успела уже раз пять поговорить по мобильнику со своим банкиром. И после очередной бурной беседы вдруг сказала сестре:

— Ну, где же твой домовенок, Маша? Хочу с ним поговорить!

Мария загадочно улыбнулась и ласково позвала:

— Тишка, голубчик. Поди-ка сюда!

Сестры замолчали. В доме была полная тишина. Потом что-то тихонько зашуршало, застучало, заскрипело. Таня вздрогнула, напряглась, вглядываясь в пространство дома, погруженное в полумрак. И вдруг что-то темное бесшумно скользнуло в дверях, быстро прошмыгнуло куда-то. Таня вскрикнула. И с ужасом увидела пару желтых глаз, горящих в темноте.

— Это он? — дрожащим голосом прошептала Таня.

— Мяу! Ур-мяу! — раздалось в тишине в ответ.

И тут в комнате материализовался огромный черный кот. Он подбежал к столу и, усевшись в красивую позу, вполне достойную булгаковского Бегемота, уставился на сестер. В полумраке, при свете свечей, он производил почти мистическое впечатление. Таня опасливо глядела на него, а Мария протянула коту, взяв со стола кусочек рыбы. Кот благосклонно мяукнул и, схватив рыбу, тут же принялся жадно ее уминать. На стене колыхалась его непомерно большая тень.

— А нас он не съест? — прошептала Таня, все еще с опаской кося на странного гостя.

— Это как вести себя будем, — рассмеялась Мария.

— Ни фига себе домовой! — воскликнула Таня. — А Воланд к тебе случайно не заглядывает?

— Пока, к сожалению, не заходил, — вздохнула Мария. — Но быть может все!

Кот тем временем, изрядно наевшись, забрался к Марии на руки, свернулся и стал громко урчать.

— По-моему, это все-таки не домовенок, — с сомнением прошептала Таня, осторожно прикоснувшись рукой к лохматой черной шерсти. — Уж слишком похож на кота!

— Конечно. Это же Бандит. Причем самый настоящий Бандит! Имя вполне соответствует его натуре, хотя на вид он вальяжный. Ну, все они сейчас такие! Он заходит ко мне изредка в гости, когда собственные хозяева ему надоедают. — Мария потрепала кота по загривку и осторожно спустила на пол. — Ладно, Бандит, отвали! Сестричка тебя боится! — Она сунула желтоглазому черному зверю на прощание еще кусочек рыбы, и кот тут же исчез.

Сестры переглянулись и расхохотались.

— Ну вот, облом! — сказала Таня сквозь смех. — Никакой мистики! Обидно даже. А может, он все-таки заколдованный?

— Кто его знает, — ответила Мария. — Может, мы все заколдованные, только вот некому нас расколдовать...

Под утро, когда сестры наговорились вдоволь и Таня, окончательно развеселившись, заснула сладким сном, Мария поднялась на второй этаж, достала из шкафа аккуратно завернутую папку и извлекла из нее небольшой лист плотной бумаги. Поставила перед собой и долго смотрела на него. Это был портрет Алана — тот самый, который она нарисовала когда-то. На портрете он ничуть не изменился и словно живым взглядом смотрел сейчас на Марию...

Вдруг рука ее помимо воли зачем-то потянулась к телефону. Ведь это так просто — взять и набрать номер. Сказать — привет, как живешь? Звоню, мол, просто так, рассталась с очередным домом, с очередным любовником, переживаю за сестру, и мне немного грустно. Тянет пофилософствовать. А с кем это можно сделать лучше, чем с тобой? Ты ведь мудрый старый змей, посоветуй что-нибудь одинокой печальной душе, забежавшей передохнуть в печальный пустой дом. Этот дом полон прозрачных призраков пережитых предчувствий, памяти прошедшего, пройденных путей... Ты тоже призрак, вечный призрак моей мерцающей жизни, манящий меня в могильный мрак и открывающий мне немеркнущий мир.... Ах, как красиво звучит! Будто заклинание, или как мантра... Господи, неужели никогда не уйдет из памяти, из души образ прекрасного демона ночи?

Мысленно произнеся свой монолог, Мария откинулась в кресле, закурила и рассмеялась. Да что за чушь она несет? Какие еще призраки! И дом не печальный, а веселый, прекрасный!

Сколько это может продолжаться? Ведь Маши давно нет! Есть Мария — свободная, талантливая, независимая, богатая, только что окончательно рассчитавшая молодого, красивого любовника. Мария, у которой давно все классно и никаких проблем. Это все — воображение, навязчивая идея, маниакальный психоз, который длится уже двадцать пять лет! Но как же трудно оторваться от этих глаз, от этого взгляда, который Маша так точно сумела уловить когда-то и передать на клочке бумаги!

Глава 4

ТОТ ДОМ СТОЯЛ НА ПУСТЫРЕ...

С того самого момента, когда я заявилась домой глубокой ночью, а потом почти до утра шепталась с сестрой, моя жизнь стала меняться стремительно и неудержимо. Каждый день после занятий я бежала к дипломникам и помогала им, чем могла, — чертила, рисовала, копировала. Дипломники быстро привыкли ко мне, кто-то то и дело просил о какой-нибудь мелкой услуге, которую я охотно выполняла. Друзья Алана добродушно подшучивали надо мной и называли младшей сестренкой по несчастью. В общем, из меня получился вполне надежный и даже квалифицированный «раб». Здесь изредка появлялась и Тамара, поглядывала на меня каким-то испытующим взглядом, но никогда не заговаривала со мной и ни о чем не просила. Меня это немного напрягало. Мне очень хотелось добиться и ее расположения, но я не представляла, как это сделать.

Конечно, больше всех я помогала Алану. Дипломный проект Алана восхищал меня не меньше, чем он сам. Его дворец культуры просто ошеломлял безудержной фантазией и смелостью авторской мысли. Казалось, высотное здание парит в воздухе, в нем было что-то неземное, космическое. Я даже не представляла, что в современном проекте можно так интересно и органично использовать разные архитектурные стили, создавая и что-то совершенно новое. Мне очень хотелось, чтобы это здание когда-нибудь было построено, но Алан говорил, что об этом даже мечтать бессмысленно.

— Дипломные проекты сдают в архив, они там пылятся и гниют, а строят только однотипные коробки, похожие друг на друга, будь то жилье или клубы и школы. И в этой стране так будет всегда!

От столь непривычных разговоров меня лихорадило. Я никогда раньше не задумывалась, в какой стране я живу, — просто жила, и все. Но теперь все изменилось, я с трепетом слушала Алана, открывающего передо мной совсем другую, новую для меня жизнь. Все мои представления об архитектурном авангарде заканчивались конструктивизмом двадцатых-тридцатых годов. Корбюзье в те годы воспринимался уже как классик. В общем, я поняла, что до недавнего времени была совсем дремучей, и теперь с помощью Алана и его друзей старалась заполнить пробелы в своем художественном развитии. Каждый прожитый день наполнялся не только чувствами, но и огромным количеством информации, становился особенным, значительным.

Почти каждый вечер, иногда с Мишей и Жорой, а чаще — с Аланом вдвоем, мы ходили в мастерские к каким-то художникам, где меня поражали совсем непривычные картины. Они не радовали глаз гармонией линий и цвета, а словно били наотмашь, будоражили, даже пугали. На них были искаженные лица, падающие, полуразрушенные дома, обрывки газет и мусорные свалки, кричащие пятна цвета, вызывающе уродливые формы... Мне было очень странно: почему эти бородатые, хипповатые люди видят мир таким искаженным и страшным? В то же время меня тянуло к их картинам, мне хотелось подолгу вглядываться в них, выискивая новые и новые подробности изображенной на них жутковатой жизни.

В тех мастерских, довольно просторных и изрядно захламленных помещениях, разложив на доске газеты, накрывали импровизированный стол. Пили вино и водку, закусывали какими-то черствыми корками и дешевой, почти несъедобной колбасой. Дым стоял коромыслом, и в этом дыму бурно и страстно говорили. И Алан среди этих людей был своим. Он говорил не так много, как другие, но резко, страстно, убежденно. Я заметила, что, хотя Алан был моложе многих, к нему прислушиваются, с его мнением считаются, в нем чувствуют и признают лидера. Конечно, мне это было приятно и лестно, поскольку меня воспринимали здесь как его подругу, его девушку и уважительное отношение к нему распространялось и на меня. Художники показывали мне свои работы, спрашивали мое мнение, а я, конечно, смущалась, но старалась говорить, что думаю и чувствую. И по одобрительному взгляду Алана понимала, что он не только меня не стыдится за мою наивность и необразованность, а даже гордится мной.

Я никогда прежде не делила искусство на официальное и подпольное, просто что-то мне нравилось, а что-то — нет. Здесь, в мастерских, я впервые услышала о таких художниках, как Оскар Рабин, Олег Целков, Владимир Немухин, Анатолий Зверев, Михаил Шемякин, Илья Кабаков, имена которых произносились с трепетом и легкой скрытой завистью. Большинство из них уже жили за рубежом. Здесь до сих пор вспоминали о бульдозерном разгроме выставки авангардистов в Беляеве, о котором я что-то слышала раньше краем уха, но не знала, как там все было на самом деле. А тогда, оказывается, неизвестно откуда появились бульдозеры и поливальные машины, которые направили на толпу милиционеры, какие-то типы в штатском. Они кинулись на художников и на зрителей, били их, выворачивали им руки. Картины отняли и затоптали в грязь, давили бульдозерами, среди избитых оказались даже иностранные корреспонденты — одному выбили зуб, другую журналистку ударили по голове ее же фотоаппаратом. Пятерых избитых художников милиционеры арестовали «за хулиганство». Правда, потом в международной прессе поднялась целая буря, и на следующий год властям пришлось разрешить выставку в Измайлове, которая прошла без погромов.

В мастерских художников, куда мы с Аланом ходили, часто звучали не совсем понятные мне слова — концептуализм, нонконформизм, андеграунд, там спорили до хрипоты о разногласиях между Сахаровым и Солженицыным, с возмущением и презрением рассуждали о придворной карьере Ильи Глазунова и о горькой участи Эрнста Неизвестного, навсегда покинувшего родину. К тому времени многие из художников, о которых говорилось за закрытыми дверями пыльных мастерских, уже выехали за границу, в основном по «еврейской линии», поскольку других путей для эмигрантов тогда практически не существовало. Правда, кого-то еще и высылали, а кому-то запрещали вернуться в Советский Союз. Тогда, в смутное и мрачное время самого конца семидесятых, я узнала, тоже впервые, о существовании «самиздата», о нелегально издаваемой «Хронике текущих событий». Кто-то рассказывал о том, как его или его друга вызывали на допрос в КГБ. Конечно, тогда это не было так опасно и страшно, как в предвоенные и послевоенные годы. Но тем не менее из разговоров было ясно, что Лефортовская тюрьма представляла потенциальную угрозу для всех инакомыслящих. Говорили об этом сначала шепотом, потом доходили до крика. Вся эта информация обрушивалась на меня, как камнепад на горной тропе, и я с большим трудом сохраняла остатки здравого смысла. Внезапно оказалось, что мир, в котором я еще недавно беззаботно существовала, на самом деле жесток, двуличен, лжив. Все мои привычные представления рушились, и на их место приходили тревога, сомнения и жажда какой-то новой деятельности. Но какой именно деятельностью надо заняться, как применить свои открытия, свое новое понимание мира, я еще не знала. И если бы не Алан, постоянно трогательно меня опекавший, моему рассудку пришлось бы совсем плохо.

Иногда Алан сам заходил за мной после каких-то занятий и на глазах у моих однокурсников уводил меня из аудитории. Мне было очень приятно, что он совсем не стесняется меня, не скрывает наши отношения, которые тоже развивались стремительно. Прощальные поцелуи в подъезде становились все более пылкими и страстными. Алан, с трудом выпуская меня из своих объятий, шептал:

— Машка! С ума ты меня сводишь! Не вводи в искушение!

А я? Разве я не сходила с ума? Куда бы он меня ни позвал, какие бы опасности ни подстерегали меня на пути, я пошла бы за ним не задумываясь, не оглядываясь. И я понимала, что в любой момент готова перейти последнюю запретную черту, которая еще оставалась между нами. От этой мысли все мое существо пронизывала дрожь, я очень этого хотела, но одновременно и боялась, и этот страх еще сильнее обострял мои чувства.

Надо сказать, что изменилась не только моя жизнь, — я и сама становилась другой с каждым днем, с каждым мгновением этой новой жизни. Я научилась курить, выпивала, если доводилось, вместе со всеми, стараясь только не напиваться допьяна, хотя зачастую очень хотелось. Я не носила больше шерстяные юбки и трикотажные вязаные платья, а ходила в джинсах и курточках, коротко постригла волосы и заметно похудела (как выяснилось, дело было не в пирожках!). Во взгляде у меня, как сказала сестрица, появился загадочный блеск, в движениях — резкость и порывистость.

Домой я возвращалась теперь практически регулярно ночью, отвоевывая себе все больше совершенно необходимую мне свободу, и дома постепенно с этим смирились. Ни мать, ни отец почти никогда ни о чем не спрашивали, только вздыхали молча. Танька иногда терпеливо ждала меня, борясь со сном, но чаще не выдерживала и засыпала, сжимая в руке спрятанную под подушку книгу с очередной историей о большой и страстной любви.

Но однажды отец, когда я вернулась немного раньше обычного, а матери еще не было дома, сказал: надо поговорить. Я сразу напряглась, ожидая неприятных вопросов. Мы зашли в кухню, довольно большую, немного запущенную, сели за стол. Отец неожиданно достал бутылку вина.

— Хочешь? — спросил он, дружелюбно подмигнув мне.

Я кивнула. Отец разлил вино поровну в два бокала, протянул мне и сказал очень мягко и дружелюбно, словно прочитав мои мысли:

— Машка, дорогая! Ты не думай, что я полезу в твою личную жизнь. Ты должна была стать взрослой рано или поздно. К сожалению, это происходит со всеми. Меня беспокоит другое... — Он взял сигарету, хотя курил дома очень редко, протянул пачку мне. — Куришь?

— Угу, — пробурчала я, все еще напрягаясь от ожидания.

— Так вот... Ты рвешься к свободе, я вижу по твоим глазам. Понимаешь ли, мы тоже пережили это, когда ты была совсем маленькой. Мы глотнули этой свободы! Потом все изменилось, наступило тяжелое время. Я надеюсь, что когда-нибудь все изменится, но пока нужно ждать и терпеть. Об одном тебя прошу — ради бога, будь осторожна!

Не говори ничего лишнего и смотри, кто стоит у тебя за спиной!

Я очень удивилась такому повороту разговора. Отец мне всегда представлялся человеком, далеким от политики и увлеченным только семьей и своей работой. Теперь я по-новому увидела и его.

И все, что казалось еще недавно таким прочным, незыблемым — дом, семья, родители, тоже пошатнулось и медленно покатилось в пропасть, как внезапная горная лавина. Я еще не понимала, как мне теперь жить со всем этим, как справиться с нахлынувшим безумием, в котором смешались политика, искусство, семья, учеба, вино, сигареты, джинсы и в центре которого, затмевая все остальное, обжигающим пламенем горела моя неудержимая любовь к Алану.

Так продолжалось какое-то время, но однажды в ясный, солнечный день, похожий на те дни, что стояли сейчас, только более холодный и ветреный, поскольку весна еще не отвоевала полностью свои права у зимы, Алан сообщил мне с загадочным видом:

— Сегодня открывается выставка «двадцатки» на Малой Грузинской!

Я никогда еще не бывала в залах на Малой Грузинской и о «двадцатке» имела довольно смутное представление, полученное из обрывков разговоров. Знала только, что так называют какую-то группу молодых художников. Алан, заметив мое смущение и любопытство в глазах, с улыбкой воскликнул:

— Ты обязательно должна это видеть! Конечно, прорваться туда нелегко, но я что-нибудь придумаю. Нельзя допустить, чтобы в твоем образовании был такой пробел!

И он придумал. Мы отправились на Малую Грузинскую.

К входу в знаменитый подвал знаменитого дома тянулась огромная очередь. Алан, оставив меня на попечение Миши и Жоры в самом хвосте, тут же куда-то исчез. А я стала с интересом наблюдать за толпой, которая терпеливо, очень медленно, почти незаметно, продвигалась вперед по узкому переулку. Люди тут были самые разные — молодые и пожилые, одетые кто броско, кто скромно, но всех их объединял живой блеск в глазах и какая-то явно ощущавшаяся общность интересов. Я слышала обрывки разговоров, в которых непрерывно звучали цитаты из культовой повести Вениамина Ерофеева «Москва — Петушки», из песен Владимира Высоцкого. Ерофеева любовно называли Венечка, Высоцкого — Володя. Жора тронул меня за рукав.

— Маша! А ты знаешь, что Высоцкий живет в этом доме?

— Нет, — прошептала я в изумлении. В какое же невероятное место меня привели! Я ощутила себя вдруг крошечной песчинкой в огромной глыбе живой истории. Пусть совсем маленькой, но все же и я была какой-то частью великой истории. А вдруг мне посчастливится, и я, стоя в этой безумной очереди, увижу еще и Высоцкого? Вдруг он случайно, именно вот сейчас, выйдет из подъезда?

— Ты была хоть раз на его концерте? — спросил Жора.

— Нет, не приходилось, — ответила я, почувствовав жгучий стыд за свой очередной пробел.

— Значит, сходим, — уверенно сказал Жора.

— Послушай, — вдруг спросила я, искушаемая тайным любопытством, — а почему Тамара не пошла с нами?

— Да она наверняка уже там! — высказал предположение Миша.

— А как же она прошла? — удивилась я.

— У нее — свои каналы, — усмехнулся Костя и с уважением добавил: — Она, если захочет, и сквозь стену пройдет.

Мне стало немного неприятно от этих слов, но я не подала виду.

Тамара вообще вызывала у меня не совсем здоровый интерес, в котором явная антипатия смешивалась с тайным восхищением. В этой девушке было то, чего так не хватало мне самой — раскованность, свобода в общении, удивительное знание тех вещей, которые у всех на слуху. Кроме того, она была еще и язвительна, остроумна, говорила всегда к месту, а своими едкими остротами неизбежно попадала в цель. Я, конечно же, побаивалась ее языка, но, к счастью, пока ни разу не стала целью Тамариного изощренного остроумия. Скорее всего, Тамара просто не замечала меня. Или делала вид, что не замечает. Но, как бы там ни было на самом деле, я почему-то в глубине души была уверена, что когда-нибудь нас жизнь еще столкнет, когда-нибудь наши интересы и пути пересекутся, и думала об этом с тревогой.

Очередь по-прежнему почти не двигалась, но вдруг откуда-то из толпы выглянул Алан и замахал рукой.

— Осторожно, по одному — за мной, — скомандовал Миша.

И все мы трое, цепочкой, стараясь не привлекать к себе внимания остальных людей из очереди, двинулись к входу в заветный подвал.

В довольно просторном помещении, где разместилась выставка, было невероятно тесно от обилия посетителей. Народ толпился у картин, заслоняя их, и чтобы что-то увидеть, приходилось протискиваться в освободившиеся щели. Здесь же, у своих работ, ходили художники, которые охотно общались со зрителями, вступали в беседы, отвечали на вопросы. Атмосфера была очень живой, творческой, какой-то непринужденной, но более торжественной, чем в мастерских, и я с радостью впитывала эту необычную атмосферу. Картины, конечно, поражали меня, но мое сознание к тому моменту было уже подготовлено, и ни вызывающая плакатность, ни жесткий натурализм в сочетании с фантастической романтикой его не шокировали. Я с огромным интересом разглядывала детали картин, пыталась понять, какая в них использована техника, восхищалась смелыми сочетаниями цвета, в общем, воспринимала эту живопись как профессионал. Алан одобрительно улыбался, потом вдруг исчезал в толпе, с кем-то оживленно разговаривая. Я заметила, что и здесь у него много знакомых — к нему подходили художники, пожимали руки, и видно было, что встречаются они не в первый раз. Вдруг Алан протиснулся ко мне, взял за руку, от чего я испытала легкую, приятную дрожь, и куда-то потащил за собой.

— Идем. Покажу тебе самое интересное, что есть на этой выставке.

— А что это? — спросила я.

— Сейчас увидишь!

Вскоре мы оказались в другом зале, поменьше, где звучала удивительная музыка. Я огляделась и увидела в углу очень молодого паренька за небольшим синтезатором. Он самозабвенно извлекал из инструмента странные, неземные звуки, и казалось, на развешенных здесь полотнах под эту музыку происходит какое-то движение, они словно живут, меняются на глазах. На моих глазах происходило настоящее чудо. Я замерла перед летящим в небе диковинным садом. Что это — космические цветы, цветущие метеориты? От картин и от музыки захватывало дух. Я, как зачарованная, переходила от одного полотна к другому, читая странные названия — «Человек и космос», «Бог во мне», «Жизнь и смерть», «Нервы земли»... Во мне рождалось какое-то щемящее чувство, и совсем другой, нездешний мир открывался передо мной. Казалось, человек, который написал эти картины, сам — пришелец из космоса или из будущего, он как будто видел и космос, и землю, и человека как бы изнутри, заглядывал за пределы человеческого разума и знал тайну мироздания, которую пытались разгадать многие поколения людей. Мои представления о мире, в котором я жила, пошатнулись еще раз и с новой силой. И едва не опрокинулись. И тут мой взгляд остановился на человеке, сидевшем на полу рядом с картинами. Худой, тонкое лицо, удивительно добрый и какой-то просветленный взгляд, черты, почти иконописные, длинные темные волосы, борода. Черный, свободный свитер, костлявые руки с длинными, тонкими пальцами высовываются из рукавов и живо жестикулируют. Он увлеченно что-то говорил, а рядом с ним, на корточках, сидела Тамара. Сзади подошел Алан, положил руку мне на плечо.

— Что, сильно? — тихо спросил он.

— Да... — прошептала я.

— Идем. Познакомлю с автором! Скажешь ему о своем впечатлении.

— Но, это неудобно, не надо... — попыталась я возразить, сильно смутившись и не представляя, как заговорить с таким удивительным художником. — Что я ему скажу?

— Что думаешь, то и скажешь, — улыбнулся Алан. — Да не смущайся, ему приятно будет! — И легонько подтолкнул меня.

Тут нас заметила Тамара, сдержанно улыбнулась, махнула рукой, поднялась на ноги. Бородатый художник тоже поднялся, оказавшись очень высоким, приветливо протянул руку Алану. Алан дружески похлопал его по плечу, они обнялись. Потом Алан обернулся ко мне, обнял за плечи и подвел к художнику.

— А это — Маша, — сказал он с такой интонацией, в которой отчетливо прозвучало «моя Маша».

Художник протянул мне руку, крепко пожал мою, улыбнулся и сказал приятным тихим голосом:

— А я Арсений Сухарев.

— По глазам вижу, она уже стала твоей фанаткой! — весело воскликнул Алан.

— Вам, правда, понравилось? — как-то неожиданно робко спросил Арсений.

Он держался так непринужденно и естественно, что я вдруг почувствовала себя удивительно свободно, смущение исчезло. От этого человека, от его крепкого рукопожатия, от его доброй и светлой улыбки исходило какое-то необычайное тепло, с ним оказалось легко и просто. И я, подбодренная взглядом Алана, взволнованно начала говорить о его картинах, о том, что увидела в них, о тонких, прекрасных образах, которые проникли мне в душу. Я говорила, кажется, о том, что в его работах запечатлен инопланетный пейзаж

Вселенной, что в них другое измерение, новая космическая реальность, недоступная нашему взгляду, бескрайняя, таинственная и многоликая. Говорила и сама толком не понимала, откуда берутся у меня все эти слова и мысли. Арсений внимательно, с интересом слушал мои сбивчивые и, как мне казалось, немного сумбурные впечатления. Алан и Тамара молчали и тоже слушали. И вдруг, поймав на себе пристальный и какой-то испытующий взгляд Тамары, я смутилась и замолчала.

— Вы извините, я, наверное, какие-то глупости говорю, — растерянно пробормотала я. — Я, может, поняла неправильно...

— Ты все правильно поняла, — сказала Тамара неожиданно дружелюбно. — Я и не ожидала... А ты, оказывается, умница! И нечего стесняться, всегда говори, что думаешь и чувствуешь. Это редко кто умеет!

— Спасибо, — прошептала я.

— Это вам спасибо, — сказал Арсений, — за прекрасные слова. За искренность и понимание.

Мы постояли еще немного, потом Алан взял меня под руку.

— Ну, ладно, пошли!

Мы попрощались и вышли из зала. Я оглянулась все еще под впечатлением от увиденного — картины Арсения Сухарева притягивали меня, словно магнитом. Я даже не заметила, что Алан смотрит на меня каким-то странным взглядом.

— Ты не устала? — спросил он.

— Нет, что ты! — воскликнула я. — Здесь так интересно!

— Знаешь, а я думаю — на сегодня хватит, —

сказал Алан. — Слишком много впечатлений. Тебе ведь надо все это переварить, осмыслить, правда?

— Да, наверное. Но, может, побудем еще? Жалко уходить! — сказала я, испугавшись, что сейчас все закончится. Мне было так хорошо на этой выставке, рядом с Аланом, среди его знакомых художников и их замечательных картин. И этот его бородатый друг — такой славный, замечательный.

— Выставка не закрывается, придем еще раз, завтра, послезавтра. — Алан потащил меня за собой к выходу. — Видишь, в очереди стоять не надо, всегда найдется кто-то из знакомых, кто проведет!

— А этот Арсений Сухарев — такое чудо! Ты был прав! — не удержалась я. — Он — как светлое пятно в нашей неясной, запутанной жизни!

Алан улыбнулся.

— Красиво говоришь. Пора тебя записывать.

— Ну, не смейся! Говорю, как чувствую! Наверное, он и человек замечательный! — взволнованно сказала я. — Такие картины может написать только необыкновенный и очень хороший человек!

— Гений и злодейство несовместны? — Алан усмехнулся. — Ты придерживаешься этой концепции?

— А разве не так? — удивилась я.

— Вечный вопрос, — произнес он задумчиво. — Но в данном случае ты права. Арсений — лучший. Наверное, на самом деле он лучший из нас...

Мы вышли на улицу. У входа в подвал все еще толпилась очередь. Кто-то с завистью посмотрел вслед нам — молодой парочке, уже побывавшей на выставке. А я с грустью подумала: сейчас, как обычно, Алан проводит меня до дома, но время пролетит так быстро, и мы снова расстанемся. Я с отчаянием думала, что не хочу расставаться с ним никогда!

— Знаешь, я хочу еще кое-что тебе показать... — Алан наклонился ко мне и коснулся небритым подбородком моей щеки.

У меня замерло сердце. Значит, сейчас мы еще не расстанемся! Что бы он ни предложил — я заранее была согласна на все, лишь бы как можно дольше побыть с ним вместе.

— Покажи, — прошептала я.

— Тут, в общем-то, недалеко... Я хочу с комфортом, чтобы все было красиво!

Он вышел на середину улицы и стал ловить машину. Вскоре рядом остановилось обшарпанное такси, Алан усадил меня на заднее сиденье, сам сел рядом и сразу обнял. Я чувствовала на спине его руку — казалось, от нее исходит сильный жар. Алан осторожно притянул меня к себе, моя голова очутилась на его плече. Это было невероятное, ни с чем не сравнимое ощущение. Мне хотелось ехать в этой машине всю оставшуюся жизнь...

По дороге мы остановились у какого-то магазина — Алан попросил подождать, потом вернулся с набитой сумкой, поставил ее под ноги и снова обнял меня. Мы выехали на какую-то улицу, свернули в узкий переулок. Дома кончились, впереди был заброшенный пустырь, а на пустыре виднелся силуэт небольшого полуразрушенного дома с темными проемами окон. Надо сказать, зрелище было жутковатое.

— Остановите здесь, — сказал Алан. Расплатился с водителем, подал мне руку. — Приехали. Пошли.

— Где это мы? — удивилась я.

— В моем сказочном королевстве, — улыбнулся Алан. — Не удивляйся, вид у него невзрачный, но ночью здесь все преображается. Сама скоро увидишь.

Мы обогнули мрачный остов нежилого дома, и за ним показался еще один домик — двухэтажный, оштукатуренный, светлый, окруженный голыми деревьями с еще нераскрывшимися почками и какими-то причудливыми кустами. Ощущение создавалось такое, что мы не в Москве, а в каком-то богом забытом провинциальном городке. С торца домика было довольно высокое крыльцо с выщербленными ступеньками, под козырьком — массивная деревянная дверь. Алан отпер ее ключом, и мы оказались в длинном коридоре, покрытом крашеными досками. В конце коридора скрипнула дверь, в щель высунулась темноволосая тощая женщина, что-то проворчала и скрылась.

— Осторожно! В квартире злая соседка! — прошептал мне в ухо Алан и открыл ключом другую дверь, выкрашенную темной коричневой краской.

— Она не кусается? — тихо спросила я.

— Пусть только попробует. Сразу намордник надену! — усмехнулся Алан, щелкая выключателем.

Вспыхнула тусклая лампочка под темным абажуром. В легком полумраке передо мной открылась просторная комната с плотными шторами на окнах. В углу стоял широкий диван, покрытый плюшевым ковриком, вдоль стен — книжные полки, старый резной шкаф с зеркальной дверцей и большой чертежный стол у окна. Рядом с диваном расположился журнальный столик с облупившейся полировкой. А по всему свободному пространству стен висели картины, рисунки, гравюры. Это помещение немного походило на те мастерские, куда Алан часто водил меня, но там всегда было светло, захламлено, шумно, накурено, а здесь стояла полная тишина, в воздухе чувствовался какой-то легкий пряный аромат, а старая мебель и картины, проступавшие в полумраке, придавали комнате таинственный вид.

Алан достал откуда-то свечи в старинных подсвечниках, зажег. Выключил мрачную лампу. В отблесках свечей вдруг заиграли картины на стенах. Я стала их разглядывать, но Алан сказал:

— Подожди, потом вместе посмотрим. Я все тебе о них расскажу...

Он усадил меня на низкий диван, распаковал свою сумку, накрыл небольшой журнальный столик пестрой салфеткой, поставил бутылку шампанского, достал два бокала. На столе появилась колбаса, плавленые сырки, батон хлеба и даже конфеты. Потом Алан, придвинув к столу старое колченогое кресло, сел напротив меня и спросил:

— Ну, как тебе в моем королевстве?

— Здорово! — ответила я. — Как в другом измерении...

— Да? — Алан осторожно взял мою руку, поднес к губам. — Наверное, это потому, что ты здесь.

Я смутилась, разволновалась. Я впервые была наедине с Аланом — не в подъезде, не в такси — в его доме! И его легкое прикосновение обожгло меня еще сильнее, чем обжигали страстные поцелуи на лестнице возле моей двери. Я чувствовала, как колотится мое сердце, и так разволновалась, что не знала, что сказать. Алан с улыбкой смотрел на меня, отпустил мою руку и стал открывать бутылку шампанского.

— Представь! Весной под окнами расцветает жасмин, рядом в парке поют соловьи! Когда расцветает жасмин, запах стоит потрясный! Он меня вдохновляет. И правда — другое измерение! — прошептал он. — Когда-нибудь, к сожалению, эту красоту снесут, и тогда, может быть, я получу типовую квартиру в какой-нибудь новостройке. Там не будет жасмина, соловьев... но не будет и соседки!

— Она тебе сильно мешает? — спросила я. Смена темы чуть-чуть разрядила напряжение, и я немного пришла в себя.

— Мне никто не может помешать, кроме меня самого! — сказал вдруг Алан с горечью. — Знаешь, самый страшный враг человека — это он сам.

— Разве ты себе враг? — удивилась я.

Алан открыл шампанское, аккуратно разлил в бокалы.

— Ладно, не будем о грустном! — Он поднял бокал. — Я хочу выпить за то, что вижу тебя в своем доме, за то, что мы встретились... В общем, за тебя, Машенька!

Я тоже подняла бокал и сказала:

— И еще за ту счастливую дверь, которой ты меня чуть не убил! И за то, чтобы соседка всегда ходила в наморднике!

Алан рассмеялся, мы выпили.

— На самом деле, мне плевать на соседку. Я почти не вижу ее, — сказал он. — Но она — старая дева, и у нее одна радость — следить за мной и рьяно блюсти мою нравственность. Думаю, она тайно влюблена в меня, поэтому так переживает, когда я девушек привожу.

— А ты часто приводишь сюда девушек? — спросила я с напускной улыбкой.

— Вопрос на засыпку... — Алан усмехнулся. — Если скажу, что тебя — первую, ты все равно не поверишь. Изображать страшного сердцееда, который приводит сюда разных дам чуть ли не каждый день, тоже глупо. Не буду врать и пускать тебе пыль в глаза. Я почти всегда один. И вообще, после неудачного брака живу чуть ли не отшельником.

До сих пор жизнь Алана была для меня окутана тайной, а сейчас он впервые за все время нашего знакомства не только привел меня в свой дом, но и что-то рассказывал о себе. Для меня это было великим событием. Конечно, представить себе Алана отшельником было очень трудно. Я не сомневалась, что он со мной немного лукавит, но мне так хотелось верить его словам!

— Ты был женат? — с любопытством спросила я.

— Машенька, дорогая! — воскликнул он. — Я уже пожилой человек, мне двадцать пять лет! Каких только глупостей не наделаешь за такие-то годы! — Алан снова разлил шампанское в бокалы, посмотрел на меня каким-то значительным взглядом. — Но я не хочу больше делать глупости!

Мы снова выпили. У меня голова и без того шла кругом, а теперь я почувствовала себя словно в невесомости.

— Знаешь, на самом деле я привожу сюда избранных, — сказал Алан. — И это касается не только женщин — вообще всех.

— Значит, я попала в избранные? — с улыбкой произнесла я.

— Как видишь. Но даже избранные бывают здесь редко. Есть много других мест, где я общаюсь с друзьями, а тут я работаю. Это мой священный храм, моя мастерская! Я придумываю здесь дома, которые никогда не построят, и даже пишу картины, которые нигде не выставляют! Те, что на стенах — не мои. Дар друзей. Но они мне дороги. Знаешь, иных уж нет, а те — далече...

— А мне ты покажешь свои работы? — спросила я.

— Конечно! Но это — особый ритуал, нужен настрой, — задумчиво произнес Алан. — Ты все еще под впечатлением космических экспериментов Арсения Сухарева, и боюсь, мои работы не произведут на тебя такого же сильного впечатления. А я человек ранимый, как все художники. И, представь себе, — ревнивый. Когда я слушал, с каким восторгом ты отзывалась о картинах Арсения, меня просто всего изнутри разрывало!

Я рассмеялась.

— Так вот почему ты меня увел с выставки! Ты ему завидовал? Я-то думала, тебе вообще на все наплевать, а уж на мое мнение о чужих картинах — и подавно!

— Ну, не скажи, — Алан разлил в бокалы остатки шампанского. — Твое мнение мне совсем не безразлично. Я очень рад, на самом деле рад, что Арсений тебе понравился. Насчет ревности — это шутка, не принимай всерьез. Но, пойми, мы очень разные. Он — не от мира сего, он витает в вечности, ищет бога, верит в потустороннюю жизнь. А я иду по земле и смотрю вперед. Я живу не вечностью, а сегодняшним и завтрашним днем. Я пытаюсь бороться и хочу хоть немного опередить свое время. Я уверен, мы не найдем никакой гармонии с космосом, пока не решим наши, земные проблемы! Для меня в этом смысл существования художника!

Он встал, прошел по комнате, отдернул занавеску из выцветшего гобелена, за которой оказалась невзрачная узкая дверь.

— Иди сюда! — позвал Алан.

Я вскочила, подбежала к нему. Он толкнул дверцу и включил яркий свет в небольшой комнате без окон, которая была за ней. Свет меня ослепил. Я зажмурилась.

— Смотри! — требовательно произнес Алан.

Я открыла глаза. Прямо передо мной на большом подрамнике было что-то накрыто куском ткани. Алан задвинул подрамник в угол.

— Это — потом, в конце, — прошептал он.

Все стены были увешаны большими картинами без рам. Картины стояли и на полу, прикрывая одна другую. Я взглянула и замерла. Вокруг меня вырастал удивительный город будущего. Легкие, высокие здания самых невероятных форм казались космическими кораблями или сооружениями инопланетян. Четкие линии, жесткие и в то же время изящные конструкции, прозрачные переходы, сплетенные из стекла и металла, возвышались над густыми рощами, пронизанными солнечными лучами, и устремлялись в самое небо. От всего этого захватывало дух.

— Это мои проекты, — сказал Алан. — Пусть хотя бы на досках останутся!

Тут же, вперемешку с проектами, висели и стояли картины. В основном это были мрачные пейзажи, написанные мощными мазками, на которых жутковато выглядел современный город: дома в нем напоминали мусорные контейнеры, деревья — проволочные каркасы, а люди в лохмотьях бесцельно брели по грязной улице вместе с бездомными собаками. На одной из картин красный лозунг «Да здравствует коммунизм!» словно оплывал каплями крови. Они падали на головы и под ноги голодной, серой толпе. От картин веяло пронизывающим ужасом.

— В таком мире мы живем, — сказал Алан. — Нас пытаются раздавить. Но я не хочу сдаваться! Я хочу этот мир изменить. Хочу, чтобы в нем жили вот такие люди!

Он вытащил еще несколько работ. Это были портреты — удивительно красивые портреты красивых людей. Одухотворенные лица с живым и радостным блеском в глазах. И среди этих картин был замечательный портрет Тамары. Меня что-то ревниво кольнуло, возникла тревожная мысль — а вдруг он был женат на Тамаре?

— Ты не думай, — сказал Алан, неожиданно смутившись. — Между нами ничего нет. Просто я люблю красивые лица. — Он немного помолчал, повернулся ко мне: — Знаешь, а недавно я вдруг понял... — задумался и снова замолчал.

— Что ты же понял? — с волнением спросила я.

— Я понял, что самое красивое лицо у тебя.

Я вспыхнула, опустила глаза. Алан развернул задвинутый в угол подрамник, снял с него наброшенный холст.

— Смотри! — возбужденно произнес он. — Правда, я еще не закончил, но осталось совсем чуть-чуть...

Я подняла глаза. На меня смотрело тонкое, почти неземное лицо, которое чертами было очень похоже на мое. Это было невероятно — Алан написал мой портрет! Наверное, я была не такая на самом деле — не такая красивая, утонченная, но сходство при всем при том было невероятное.

— Ну, вот, — пробормотал он, снова накрыл

картину тканью, взял меня за руку и повел обратно к столу. Усадил на диван, достал из сумки еще бутылку шампанского. Обошел вокруг стола, сел рядом со мной на диван, поглядел мне в глаза и произнес: — За мой источник вдохновения! За тебя! — Алан выпил шампанское, налил еще. — Понимаешь, ты мне сразу понравилась, еще там, в коридоре. Но я... я не могу так, сразу... В общем, я приглядывался к тебе, меня все больше тянуло к тебе... А сегодня, когда смотрел на тебя на выставке, вдруг понял окончательно — я встретил женщину, которая мне нужна! Может быть, единственную в моей жизни!

Я смотрела на него, голова моя шла кругом, все было, словно в тумане. Алан обнял меня, я прильнула к нему, его руки стали ласкать мои плечи, шею, осторожно дотронулись до груди. Я прижималась к нему все сильнее, мне хотелось раствориться в нем. Но вдруг меня охватил страх — страх, что и эти ласки, и наше общение наедине скоро закончатся. Пройдет это мгновение, и, может быть, оно никогда уже не повторится. А я понимала, что уже никогда, никогда не смогу жить без него!

— Да не дрожи ты так... — шептал Алан, целуя меня. — Все хорошо! Я не хочу больше расставаться! Даже на час, на минуту не хочу никуда тебя отпускать! Останься со мной! Навсегда...

И я осталась. В полузаброшенном доме на пустыре, в его мастерской, на низком, скрипучем диване, с ревнивой соседкой за стеной, с нерасцветшим жасмином под окном. Осталась навсегда. Я впервые в жизни была с мужчиной, самым прекрасным, самым сильным и смелым из всех мужчин на земле. Окончательно потеряв голову от любви и шампанского, мы бормотали какие-то бессвязные нежные слова. В эту ночь я отдала Алану себя всю, без остатка, не оставив в запасе даже самый маленький кусочек души. И мир в очередной раз перевернулся, и я узнала, что нет ничего на земле сильнее любви мужчины и женщины...

Таня проснулась, обошла дом и, нигде не найдя сестру, пошла гулять по саду, в надежде встретить Марию там. Ей очень хотелось сообщить ей о своем решении, но и в саду она ее не нашла. Но как же здесь было хорошо! И солнце, и дивные цветы, и деревья с раскидистыми ветками... Как же она вчера ничего этого не замечала? Да просто не хотела видеть!

Зато сегодня все ее радовало, наверное, потому, что решение уже принято. А скольких мучений, скольких бессонных ночей стоило ей принятие этого решения! Казалось, вообще нет выхода, и поступить ни так, ни этак — невозможно. В любом случае получалось плохо. Плохо кому-то, но в первую очередь — ей самой. Да что же она действительно раньше-то не приехала к Маше? Может быть, давно бы все встало на свои места и прекратила бы она мучиться и маяться дурью. Но, видно, всему свое время, и все происходит именно тогда, когда должно произойти. Но где же все-таки сестра?

Таня снова вернулась в дом, сварила кофе и с наполненной чашкой в руках поднялась на второй этаж. В доме стояла тишина, и Таню почему-то охватил страх. Она прошла в дальнюю комнату, тревожно огляделась и увидела сестру — Маша лежала на полу, свернувшись на пушистом ковре, а рядом с ней, в изголовье, стоял портрет Алана, который она нарисовала когда-то в юности...

Таня склонилась над сестрой, прислушалась к ее дыханию и, убедившись, что сестра безмятежно спит, осторожно поставила рядом чашку кофе и тихо спустилась вниз. Она уже собралась, но ей не хотелось уезжать, не поговорив с сестрой. Можно, конечно, оставить записку, но это как-то неправильно. Когда еще они смогут вот так, без посторонних, побыть вдвоем?

— Привет! — весело сказала Мария, спускаясь по лестнице и лениво потягиваясь. — Прости, я заспалась. Спасибо за кофе! Ты что, уже собираешься?

— Надо ехать, — сказала Таня. — Но сначала я должна сделать важное сообщение.

— Неужели ты что-то решила? — воскликнула Мария. — Заранее говорю — каким бы ни было твое решение, я всегда на твоей стороне!

— Знаю, — сказала Таня.

— Ну, не томи! — Мария налила еще кофе и закурила.

— Я поняла, что... — Таня тоже взяла сигарету и, набравшись духу, решительно произнесла: — В общем, я поняла, что не могу оставить Федора, и собираюсь сообщить об этом своему банкиру сразу, как приеду.

— Да... — разочарованно протянула Мария. — Какое печальное решение!

— А ты думала, я смогу бросить все, чем жила столько лет? — Таня жадно закурила. — Оставить детей без отца? И ради чего — ради собственного эгоизма, удовлетворения своего женского тщеславия?

— Ах ты, господи! — Мария обняла сестру, погладила по голове. — Да что же с тобой сделаешь!

— Ничего не сделаешь. И пусть все будет, как было. Только вот работу, наверное, придется сменить... Ну, ничего, что-нибудь найду.

— Тебе стало легче? — спросила Мария. — Да что я спрашиваю, все и так видно! Ты в который раз приносишь себя в жертву и испытываешь от этого облегчение. Такой ты у нас святой человечек! Но только пойми, сестричка моя любимая: не всегда жертвы идут на пользу тем, ради кого их приносишь!

— Я понимаю, — вздохнула Таня, вспомнив портрет Алана в изголовье сестры. — Ну, я поеду. Прости, что заморочила тебе голову...

— Тебе же надо было выговориться! А кому еще ты могла все это рассказать, как не единственной сестре? — Марии так хотелось удержать Таню, поговорить с ней еще и, если вдруг получится, как-то поколебать ее решение. — Может быть, побудешь еще немного?

— Нет, пора.

— Ну, ладно, бог с тобой! — вздохнула Мария. — Только обязательно позвони, когда доедешь!

— Конечно, позвоню!

Через несколько минут Таня уже выехала за ворота, махнула рукой сестре, и ее смешная глазастая машинка скрылась за поворотом...

Глава 5

ЧТО НАС ЗА ПОВОРОТОМ ЖДЕТ?

Когда я проснулась в мастерской Алана, за окном вовсю светило солнце, пробиваясь лучами сквозь неплотно задернутые шторы. В комнате никого не было. Почему я одна? Я испуганно огляделась. Где Алан? Почему его нет рядом? Почему я проснулась на этой подушке, а не на его груди? Меня вдруг охватили сомнения. Неужели все, что случилось этой ночью, было на самом деле? Неужели я действительно провела эту ночь с мужчиной, которого любила больше всего на земле? Или, может быть, это сон? Нет, не сон, напомнила приятная, тянущая боль внизу живота. Все было на самом деле. Но где же Алан? Я вскочила с постели, быстро оделась и с ужасом подумала — я не позвонила домой! Наверняка меня ищут! Что же делать? Ох, что теперь будет? Вчера я, не задумываясь, по первому зову Алана бросилась ему в объятия, осталась с ним, забыв обо всем на свете. Шампанское придавало смелости, обостряло чувства. Я и сейчас готова была бежать за Аланом на любой край света, но утро отрезвляло, привносило тревогу. Утром все выглядело иначе, все было другим. В это время дверь распахнулась, в комнату вошел Алан — улыбнулся, поставил на стол джезву с дымящимся кофе.

— Проснулась? — Он поцеловал меня в щеку и сказал деловитым, будничным тоном: — Тебе надо умыться, в туалет, и все такое. Ванной, к сожалению, нет, но умывальник вполне приличный. Вот мыло, полотенце. Пойдем, я тебя провожу.

Мыло, полотенце! У меня едва не разорвалось сердце. Как же у него все просто: умыться, в туалет... И — никакой романтики! Он, мой возлюбленный, первый мой мужчина, о котором я самозабвенно мечтала все последнее время, а ведет себя так, будто мы лет десять женаты. Нет, еще хуже — так, будто каждую ночь таскает к себе женщин, а по утрам, по отработанной программе, ведет их в туалет. Я едва не заплакала, представив такую жуткую картину. Мысли путались в голове, в душе смешались нежность и обида, любовь и страх. Страх от неизбежного объяснения с родителями, страх от неясности будущего, от неуверенности в себе и, главное, в любви Алана. Как он поведет себя теперь? Что скажет? Повторит ли все те слова, что говорил ночью, или отправит меня домой как ни в чем не бывало, а потом будет так же по-дружески обнимать на людях, целовать в щеку, словно ничего между ними и не произошло? Нет, этого не может быть, это было бы слишком ужасно!

Алан обнял меня, заглянул в глаза и спросил ласково:

— Что с тобой?

— Ничего, все нормально! — нарочито бодрым голосом ответила я, стараясь не показать, что со мной творится. И подумала — неужели он сам ничего не понимает?

— Ну, идем, — сказал он.

— А соседка? — смутилась я.

— Не обращай внимания, я все уладил. Она тебя не тронет, не укусит.

— Ты что, правда, намордник на нее надел? — хмыкнула я.

— Вроде того, — рассмеялся Алан. — Ладно, пошли.

— Алан, — спросила я. — Где тут телефон? Мне срочно надо позвонить домой!

— Телефон, к сожалению, почти там же, где ванна.

— Это как?

— Тут недалеко есть небольшая банька, а рядом с ней — телефонная будка. — Он вывел меня в коридор, показал, где туалет и умывальник. —

Возвращайся скорей! Выпьем кофе и пойдем звонить.

Закончив утреннюю процедуру, я возвращалась по коридору в комнату Алана и увидела, что дверь соседки приоткрыта. Видимо, соседка подглядывала за мной, но на глаза не показывалась. Как же все странно... Интересно, что он ей сказал?

Едва я вошла в комнату, Алан обнял меня, подхватил на руки, закружил, потом усадил себе на колени.

— Все, попалась! — шутливо воскликнул он и стал целовать.

Я попыталась освободиться.

— Мне надо позвонить!

— Позвонишь! Обязательно позвонишь!

Он осторожно снял с меня свитер, коснулся моей шеи небритой щекой. Меня затрясло, как в лихорадке, и через минуту мы снова оказались в постели. И было так хорошо, что мне казалось — мы парим в облаках над землей, а над нами только голубое, прозрачное небо.

— Тебе хорошо? — прошептал Алан.

— Мне кажется, я летаю...

— Давай улетим вместе далеко-далеко, туда, где никто нас не найдет! — Алан так крепко обнял меня, что я едва не задохнулась.

— Хоть на край света, — прошептала я. — Если, конечно, ты меня не задушишь!

Алан рассмеялся.

— Да, уже второе покушение. Видишь, как со мной опасно?

— А я не боюсь! Люблю опасность!

— Знаешь, что я сказал соседке? — вдруг спросил он.

— Понятия не имею... Я не подслушивала!

— Я сказал, что ты теперь будешь жить здесь, со мной, всегда. И делать в этой квартире все, что захочешь!

Я вздрогнула — не ослышались ли я? Значит, все, что он говорил вчера, — правда? Неужели мы теперь будем вместе всю оставшуюся жизнь и не расстанемся никогда? Ну, конечно же, так и будет... Мне стало весело и легко, тревога рассеялась, захотелось смеяться, шутить.

— И она согласилась? — спросила я с нарочитым удивлением. — Не может быть!

— Плевать на нее! — воскликнул Алан. — Ты-то согласна? Не передумала? Ты не бросишь меня?

— А если брошу, что будешь делать?

— Найду тебя, притащу обратно и запру, чтобы не убежала! — произнес Алан, целуя меня.

— А ты, оказывается, собственник! Вот бы не подумала...

— Все мужики — собственники, ревнивцы и эгоисты, — усмехнулся Алан. — Не верь им, если говорят о свободных отношениях. Они все врут!

— Теперь буду знать, — улыбнулась я. — Спасибо за урок. Еще одна ступень в моем образовании. — И тут я случайно взглянула на старые настенные часы. — Ой, какой ужас! Мне срочно надо домой! Надо ехать! Даже звонить уже страшно!

Я выбралась из-под одеяла, торопливо оделась, поймала на себе взгляд Алана, смутилась.

— Ты очень красивая, — с чувством сказал он. — Одну тебя отпускать опасно! Я поеду с тобой. — Алан тоже быстро оделся. Перекинул через плечо большую пустую сумку.

— А это зачем? — удивилась я.

— Пригодится, — усмехнулся Алан.

Сначала мы ехали на каком-то трамвае, потом — в метро. По мере приближения к дому я все больше ощущала пронизывающую нервную дрожь. За свои восемнадцать лет я впервые вот так, без предупреждения, не пришла домой ночевать. О том, что творилось дома, мне даже и подумать было страшно. Примерно через час мы добрались до моего дома, остановились у подъезда.

— Спасибо, что проводил, — сказала я с обреченным видом. — Все, я пошла.

— Погоди, — Алан взял мою руку. — Я пойду с тобой.

— Ты что?! Зачем? — испугалась я.

— Затем, дорогая моя, что ты не пришла домой по моей вине. Ты провела ночь со мной, и теперь я за тебя отвечаю! Я что, не мужик?

Он распахнул дверь и решительно вошел в подъезд.

— Может, не надо? — тоскливо проныла я. — Только хуже будет!

— Отставить разговоры! — шутливо произнес Алан. — Вперед и вверх! Кстати, какой этаж?

— Шестой...

Мы вошли в лифт, молча поехали вверх, и, пока кабинка поднималась, Алан успел обнять меня и крепко поцеловать в губы. Мы вышли из лифта, подошли к двери моей квартиры, обитой коричневым дерматином, и я дрожащей рукой нажала на звонок. Сначала никто не открывал, а я продолжала звонить...

Мария услышала настойчивый телефонный звонок. Очнулась, растерянно поглядела на трубку. Наверное, кто-то звонил уже давно. А, должно быть, Таня! Мария схватила трубку, но услышала недовольный голос Федора:

— Мария! Моя жена еще у тебя?

— Как у меня? — взволнованно переспросила Мария. — Она давно уехала. Разве она тебе не звонила?

— Звонила. Сказала — выезжает. Но ее до сих пор нет! Интересно, куда она подевалась? Ты случайно не знаешь?

— Что за допрос? — рассердилась Мария. — Ты ей звонил на мобильный?

— Естественно, — сухо произнес Федор. — Молчит, как рыба в аквариуме. Я тут на ушах стою, жрать нечего, а она где-то гуляет!

— Отряхни пыль с ушей и встань на ноги! — ехидно произнесла Мария. — Твоя жена наверняка застряла в пробке. Мобильник мог разрядиться. Потерпи, скоро она появится.

— Я всю жизнь только и делаю, что терплю, — недовольно произнес Федор. — Деловая женщина, бизнес-леди! Современная семейка...

— А ты не думаешь, что с ней могло что-то случиться? — раздраженно сказала Мария. Она могла бы еще очень многое сказать Федору, но удержала себя, хоть и с трудом. Какой смысл? А Таньке будет неприятно.

— Если бы случилось, сообщили бы, — ответил он.

Ну и логика! А если не сообщают — можно не беспокоиться? Как же Марии хотелось сейчас заехать по смазливой физиономии этого чванливого бездельника! Жаль, что через трубку нельзя!

Мария посмотрела на часы. Ничего себе! Таня уехала два с половиной часа назад. От дачи до ее дома для ее машинки, даже если учесть, что середина дня и то, что Таня никогда не гоняет — и то слишком долго!

— Ладно, сиди, жди сообщений, а я поеду ее искать, — Мария со злостью отключила телефон. — Господи, хоть бы Танька действительно в пробке застряла, — думала она, стараясь отогнать дурное предчувствие. Конечно, пробка могла быть всегда и везде, и мобильник запросто мог разрядиться. Вроде бы здесь она его не заряжала... забыла, наверное, за разговором, да еще с вином... Но на душе становилось все тревожнее.

Мария выкатила машину из гаража, на всякий случай набрала номер сестры еще раз. Длинные гудки. Бесполезно. И вдруг в трубке раздался какой-то треск и незнакомый мужской голос прохрипел:

— Хватит сюда названивать! Всем, кому надо, уже позвонили!

— Что вы кричите? — одернула его Мария. — Если неправильно соединилось, так и скажите. Какой это номер?

— Да такой, какой вам надо, — ухмыльнулся мужчина. — Только вот хозяйка его никак подойти не может!

— Ничего не понимаю! Это какая-то ошибка! Я звоню своей сестре!

— Ну, конечно, Танечке! — голос в трубке гадостно хихикнул.

— А где она? — закричала Мария.

— Тут она, с нами.

— Кто вы такой? Почему говорите по ее телефону?

— Да вы не волнуйтесь, дамочка! Как денежки привезут, отпустим мы ее, в целости и сохранности! — Мужчина в трубке загоготал.

— Какие еще денежки? — в ужасе спросила Мария, все еще надеясь в душе, что это какой-то розыгрыш, и не желая принимать всерьез тот факт, что сестра попала в беду.

— Больно вы любопытная! — В голосе говорившего послышалась угроза. — Только в милицию не вздумайте звонить! И вообще — ни гу-гу, не то у сестрички вашей большие проблемы будут! Ладно, что-то я заболтался...

— Подождите, пожалуйста, — взмолилась Мария. — Скажите — где она? Я приеду и деньги привезу. Сколько нужно?

— Много. И без вас уже нашли!

Вдруг возле уха Марии раздался треск, в трубке что-то запищало, и связь прервалась. Она снова набрала номер, но телефон, конечно, уже был заблокирован.

Мария схватилась за голову. Господи, совсем недавно они с сестрой так мирно предавались воспоминаниям, обсуждали личные проблемы! Танин роман, о котором Мария узнала впервые, сложная дилемма, кого из мужчин выбрать. Последнее казалось самым драматичным и мучительным. Когда Таня сообщила о своем решении, Мария расстроилась. Но какими никчемными казались теперь все эти переживания! И даже ее собственная драма и неистребимая любовь к Алану! Чушь, все это было давно и быльем поросло! А сейчас, вот сейчас, внезапно случилось что-то по-настоящему страшное. Дикий телефонный разговор... Издевательский голос... Похоже, это была не шутка. Кто-то действительно по дороге захватил Таню в заложницы, стал требовать выкуп.

Мария стала лихорадочно соображать, пытаясь выстроить картину происшедшего. Как и почему Таня попала в беду? Останавливаться она нигде не собиралась. Но каким-то образом ее сумели остановить. На дешевую провокацию типа проколотого колеса сестра бы не поддалась, она — человек осторожный. Скорее всего, ее напугали, чем-то пригрозили, возможно, стали шантажировать... Бред какой-то, кошмар на улице Вязов! И ведь средь бела дня!

Перебирая в памяти имена всех своих знакомых, Мария прикидывала, к кому можно сейчас обратиться за помощью. Конечно, среди ее заказчиков есть и владельцы охранных фирм, и адвокаты, и высокопоставленные работники МВД. Она вернулась в дом, достала записную книжку, выписала несколько наиболее подходящих телефонов. И тут ее осенило: случайности быть не могло, такие машины, как у Тани, на дороге не останавливают. Это отпадает, почти наверняка отпадает. Выходит, кто-то специально поджидал ее. Но кто мог знать, в какое именно время и по какой дороге поедет Таня с дачи своей сестры? Похоже, никто, кроме Марии, банкира и Федора. Опять — бред. Ладно, поехали дальше. Если специально — то зачем? Кто-то знал, что она работает в банке, имеет доступ к деньгам? Нет, что-то не клеится, не та у нее должность, не те деньги.

Деньги, деньги... Этот тип, ответивший по Таниному телефону, сказал про деньги. Много денег, и их уже нашли. Где нашли? Что, если шантажисты сумели выйти на банкира? Это не сложно — в записной книжке мобильника наверняка есть его телефон. Да и сам он непрерывно Татьяне названивал! А если похитители что-то знали об их романе и решили сыграть на этом? Но кто и откуда мог знать об их связи? Кто-то из сотрудников? Бывшая жена? Или, может, тут замешан сам банкир? Но зачем ему такая провокация? А вот зачем: доказать Тане свою любовь и преданность. Ее похитили, потребовали выкуп. Он тут же примчится, отважный рыцарь, не пожалеет большую сумму ради любимой женщины и спасет ее от бандитов... В общем-то, возможная версия, но уж больно литературная, как в детективном романе. Реальные банкиры, скорее всего, в жизни так не поступают. Хотя... Что можно с уверенностью утверждать, имея в уравнении одни неизвестные? Что еще может быть?

Мария в отчаянии проигрывала в уме все возможные варианты, но ни один из них не могла принять окончательно. Да и не время сейчас было заниматься расследованием! Ведь надо что-то делать, невозможно сидеть просто так, сложа руки! Конечно, надо бы попробовать связаться как-то с ее банкиром, он должен что-то знать. А если нет? Если и он ничего не знает? Если вся эта версия — бред и блеф? Ну, тогда будем думать дальше...

Мария решительно взяла трубку и набрала рабочий номер сестры.

— Универсал-банк, — произнес вежливый женский голос.

— Добрый день, — сказала Мария, стараясь придать голосу как можно больше уверенности. — Я из префектуры. Мне очень надо переговорить с вашим директором, Сергеем... мм...

— Сергеем Александровичем? Перезвоните его секретарю.

— Пожалуйста, уточните номер.

Мария быстро записала продиктованный номер и тут же нажала нужные кнопки. Пришлось набирать несколько раз подряд — номер был занят. Наконец раздались длинные гудки, и трубку взял мужчина.

— Сергей Александрович? — спросила Мария со слабой надеждой, что банкир оказался на месте.

— К сожалению, Сергея Александровича нет, его срочно вызвали в управление. А кто его спрашивает?

— Я из префектуры, из строительного отдела, мы договаривались по поводу инвестиций, — плела Мария первое, что приходило в голову. — У меня для него важная информация. Вы не могли бы дать номер его сотового?

— Нет, не могу.

— Поймите, это очень важно! Меня зовут Мария Романовна... — уговаривала Мария, сделав ударение на своем отчестве. — Он просил сообщить...

— Хм... Подождите у телефона, я попробую с ним связаться.

«Господи, хоть бы получилось!» — молила Мария, слушая сначала тишину, потом какие-то отдаленные, неразборчивые слова. Наконец снова прозвучал голос секретаря:

— Алло! Вы слушаете? Оставьте свой номер. Сергей Александрович с вами свяжется, когда сможет.

Мария быстро продиктовала свои номера и отключилась. Это был максимум того, что она могла сейчас сделать. Теперь оставалось только ждать. Перезвонит он или нет? Догадается ли, что его добивается сестра Тани, или не сопоставит имя и отчество и отложит звонок до лучших времен? И где он сейчас на самом деле, этот таинственный Сергей Александрович, разбивший сердце ее несчастной сестре, — едет ли ей на выручку или действительно торчит в каком-то управлении?

Не прошло и пяти минут, как раздался звонок сотового. Мария схватила трубку — на дисплее определился совершенно незнакомый ей номер.

— Алло, я слушаю, — взволнованно произнесла она.

— Это Сергей. — Голос жесткий, деловой. — Что вы хотели?

— Я — сестра Татьяны...

— Я понял.

— Господи, спасибо, что позвонили! Вам известно, что с ней случилось?

— Да. Я еду к ней.

— Можно, я тоже приеду?

— Не стоит, — спокойно ответил Сергей. — Я должен сам разобраться, в чем дело.

— Но поймите, она — моя сестра, единственная сестра! Может быть, нужна помощь? — спросила Мария, понимая, что просто сидеть на месте и ждать она не в состоянии. — Прошу вас!

Секундная пауза. Наконец он ответил:

— Я буду там очень скоро. Надеюсь, ничего страшного. Что ж, подъезжайте, но будьте осторожнее. На всякий случай.

— Где это?

— Десятый километр... Там есть кафе, ждите нас там. Уверен, все закончится благополучно.

— Я выезжаю, — произнесла Мария. — Отсюда — не больше получаса!

— Все. Я приехал. Я вам перезвоню.

Связь отключилась. Мария торопливо выбежала из дома, заперла дверь. Села в машину, выехала с участка, свернула на шоссе и помчалась в сторону десятого километра. Через полчаса, а может быть, и раньше, все прояснится. Она увидит сестру. Только бы с ней ничего не сделали, не обидели, не причинили ей вреда! Только бы Танька была жива и здорова! Но интересно, почему этот банкир так спокоен? Или у него великолепная выдержка, или он знает больше, чем говорит. Нет, сейчас лучше не думать, не прогнозировать, не анализировать. Скорей бы доехать до этого проклятого десятого километра! Но где же они держат Таню? Мария представила себе жуткую картину — темный подвал в каком-то сарае, здоровенные бандюки с пистолетами... Опять бред, навязчивые кадры из жутких детективов и боевиков. Господи, скорей бы доехать!

Зазвонил телефон. Мария схватила трубку.

— Да.

— Мари, прости, что побеспокоил, — произнес Валентин. — Но у меня для тебя есть еще один сюрприз. Потрясающий!

— Я не могу говорить!

— Неужели тебе не интересно? — весело спросил он.

— Потом. Я жду звонка!

Мария нажала на кнопку отбоя и обругала себя, что не посмотрела на определитель. Никогда нельзя расслабляться, терять бдительность! А чем больше волнуешься, тем больше притягиваешь к себе тех, кто находится на твоей волне, и создаешь побочные эффекты. Она вообще забыла о существовании Валентина — призрак и призрак, черт с ним, а он вдруг взял и материализовался в трубке! Телефон зазвонил снова.

— Алло!

— Это Сергей. Все в порядке. Ждем вас в кафе!

— Слава богу!

— Передаю трубку.

— Маша, — закричала сестра срывающимся голосом. — Машенька, не волнуйся, все хорошо, только, пожалуйста, приезжай скорей!

— Иду на взлет! — сказала Мария и нажала на газ.

Мария издалека увидела машину сестры. Она действительно стояла у небольшого придорожного кафе и казалась совсем крошечной на фоне двух огромных джипов. Мария свернула с дороги, припарковала машину, вбежала в кафе. В зале было несколько человек — почему-то одни молодые мужчины, трезвые, с хорошей выправкой. Как будто какая-то спортивная команда собралась здесь перекусить. Мария поискала глазами, и тут увидела сестру — Таня сидела за столиком в углу зала, живая, невредимая, и старательно растирала по лицу слезы белоснежным платочком. Рядом с ней был мужчина лет сорока — сухощавый, темноволосый, с короткой стрижкой, в строгом костюме, белой рубашке. Ворот расстегнут, а галстук причудливой змейкой свисал со спинки стула. Он держал Таню за руку, улыбался и что-то тихо говорил ей. Мария направилась к ним.

— Маша! — закричала Таня сквозь слезы, увидев сестру. Вскочила, кинулась к ней. Они обнялись. Таня оглянулась, потащила сестру к столу. — Машенька, познакомься, это Сережа!

Сергей поднялся. Он был чуть выше среднего роста, но рядом с миниатюрной Таней выглядел довольно внушительно. Смуглое, а может быть, загорелое лицо, обветренные скулы, прямой нос, серые глаза из-под чуть нависших бровей смотрели зорко и внимательно. В нем чувствовалась спокойная уверенность, чем-то он напоминал

Клинта Иствуда, и у Марии проскользнула мысль, что этому банкиру больше пошли бы джинсы, кожаная куртка, ковбойская шляпа и кобура на поясе, из которой торчит рукоятка пистолета. Хотя, что касается пистолета... возможно, он и был, как-то чуть подозрительно оттопыривалась пола его пиджака. Сергей дружески пожал руку Марии, пододвинул ей стул.

— Маша, — сбивчиво заговорила Таня, — понимаешь... Это я, я сама виновата!

— В чем ты виновата? — удивленно спросила Мария.

— Я приняла неправильное решение! — Таня слабо улыбнулась, хлюпнула носом. — И вот, расплатилась за свою ошибку!

— Танюша, вот только мистики не надо... — ласково заговорила Мария. — Бог наказал, злая карма наехала...

Сергей вдруг рассмеялся, и в уголках его рта набежали морщинки — ну точно, как у Клинта Иствуда!

— Хорошее выражение! Надо взять на заметку! Не бандиты, не рэкет, не крыша, а злая карма!

— Да что вы надо мной смеетесь! — обиженно произнесла Таня. — Я чуть не погибла, а вы...

Сергей посмотрел на Таню. Мария на одно мгновение перехватила его взгляд и поняла — этот человек действительно любит ее сестру. А если такой человек любит, то ради своей любви он готов на все.

— Никто над тобой не смеется, родная моя, — сказал он тихо. — И хватит тебе плакать, все уже позади.

— А я вовсе и не плачу! — воскликнула Таня. —

Я же от собственной глупости, от упрямства чуть не погибла! — Тут она и сама хмыкнула.

Сергей сжал ее руку.

— Хватит каяться. Лучше расскажи сестре, что с тобой было и как мы красиво переиграли твою злую карму. Она ведь ждет, а ты ее терпение испытываешь.

— Прости, Маша, — Таня виновато поглядела на нее и начала сбивчиво рассказывать. — В общем, уехала я от тебя... Хорохорюсь сама перед собой, а на душе тоскливо. Потом Сережа позвонил... Я как услышала его голос — едва не расплакалась. Еду тихо, тащусь в правом ряду, едва за дорогой слежу. Вижу в зеркальце, едет за мной какая-то машина. Ну, едет себе и едет, мне-то что! Тут машина почему-то включила фары и стала мигать. Я подумала, надо уступить дорогу, хотя на шоссе было довольно-таки пусто. Взяла вправо, а там, на обочине, какая-то яма. Я ее не заметила и колесом долбанулась...

Мария слушала молча, испытующе поглядывая на Сергея. Но он тоже молчал, ни словом не перебивая Таньку, и по лицу его ничего нельзя было прочитать, кроме любви к ней.

— А тут, как назло, позвонил Федор, попросил по дороге купить хлеба, сахара, еще чего-то, а то они с детьми все подъели... В общем, какая-то чушь! — сказала сестрица с горькой усмешкой. — Ладно, говорю, куплю. И вдруг — удар сзади. Не сильный, но такой противный скрежет металла! Я закричала в трубку — погоди, тут в меня въехали! А в трубке уже гудки. Остановилась, естественно, открыла дверь, выскочила злая — ругаться собралась. Вдруг в нос чем-то шибануло, запах такой противный, голова закружилась, повело меня...

— Ничего себе! — охнула Мария.

— Да уж, — вздохнула Таня, — веселенькая история. Я и сообразить ничего не успела, как вырубилась. Дальше — в памяти провал. Очнулась в чужой машине, на заднем сиденье. Сколько времени прошло — не знаю. Кто за рулем впереди — не вижу, а рядом какой-то тип в маске, в перчатках, в руках мобильник. Жуть. Будто не я, а персонаж в кошмарном фильме каком-то! Думаю, может, снится мне это все? А тот в маске, который рядом, кнопки на мобильнике нажимает. В голове чуть прояснилось, гляжу — мобильник-то мой! Понимаю — вроде не сон. На всякий случай стараюсь виду не показать, что очнулась. Что я могу сделать? Драться с ними? В таком-то состоянии... Пытаюсь сообразить, что им нужно от меня. Террористы, что ли? В заложницы взяли? Вроде на террористов не похожи. Вдруг слышу — телефон мой у него в руках звонит. Господи, думаю, это ведь мне кто-то! Лишь бы он трубку не брал! А он, как назло, и взял. И тебе стал всякие гадости нести. Тут я не выдержала и закричала. Он сразу же мне — баллончик в нос! Ну, и опять я отключилась. Но теперь хоть знаю, что отключили меня этим проклятым баллончиком. Следующий раз очнулась уже в лесу, на поляне какой-то. Опять в машине, но вдруг до меня доходит, что машина уже другая, а я полулежу на переднем сиденье. Смотрю будто сквозь туман — и вижу рядом Сережу. Все, я выдохлась! Перекур!

— Может, не стоит пока курить? — с беспокойством спросил Сергей.

— Я в полном порядке! — заверила Танька и жадно затянулась сигаретой.

— Но как же вы Таню вызволили?

— Да очень просто, — сказал Сергей. — Я сразу по звонку понял, что никакие это не бандиты, не террористы. И сумму выкупа назвали смешную — десять тысяч. Ну, взял деньги, а заодно — группу поддержки. Приехали в назначенное место. Они нас увидели — и сразу с перепугу бежать. Ну, поймали их, поговорили. Два поддатых пацана. Трялись, прощения просили, на коленях перед Таней ползали. Тьфу!

— И что же вы с ними сделали?

— Да ничего, — усмехнулся Сергей. — Колеса спустили, ключи от машины в лес закинули и оставили их на дороге. Они уже не опасны.

— А вы не думаете, что их кто-то подослал?

— Нет, не похоже. Думаю, чистая случайность. Горе-вымогатели! Нашли у Тани в сумочке банковскую визитку. Решили покуражиться, деньгами разжиться, а вышел облом. — Сергей посмотрел на часы. — Ладно, давайте трогаться.

Он встал, подал Тане руку, и они все вместе пошли к выходу. Мария заметила, что «спортсмены» тоже поднялись, как по команде, из-за столика и двинулись вслед за ними.

На стоянке один из них сел за руль Таниной машинки, остальные в джип.

— Вы не волнуйтесь, Мария, — сказал Сергей на прощание, пожимая ей руку, — больше с Таней ничего никогда не случится!

— Хотелось бы надеяться, — ответила Мария.

— Это я вам гарантирую!

Сестры обнялись, Сергей усадил Таню в другой джип и сам сел за руль. Мария тоже подошла к своей машине, посмотрела, как неторопливо двинулись оба джипа в сторону Москвы, развернулась и поехала обратно на дачу. По дороге она то и дело поглядывала в зеркальце, не преследует ли ее какая-нибудь невзрачная машина. Потом вдруг рассмеялась — ну, у нее уже паранойя, кажется, — прибавила скорость и быстро помчалась к своему любимому домику.

Мария снова была одна в своем уединенном мире. Никто больше не подстерегал ее, не устраивал никаких сюрпризов. Впереди оставалось еще как минимум три свободных дня в тишине милого сердцу дома. И все же история, случившаяся с сестрой, не давала ей покоя, не выходила из головы. И сколько ни пыталась она отвлечься, мысли все время возвращались к роковому десятому километру. Слава богу, все закончилось благополучно, но в душе все равно осталось смутное беспокойство. Что-то в этой истории было не так, что-то не сходилось, а что именно, понять Мария никак не могла. Возможно, этот Танькин Клинт Иствуд чего-то недоговаривал? Так ли все было на самом деле? И как проверить, выяснить? Да никак! Конечно, банкир всем хорош: обаятельный, мужественный, сдержанный, решительный, в общем — настоящий супермен. Но, пожалуй, уж слишком хорош... Можно ли ему полностью доверять?

И тут, словно в ответ на размышления Марии, позвонила сестра.

— Маша, не волнуйся, у меня все хорошо. Чувствую себя прекрасно.

— Не врешь?

— Ты что! Детей мы забрали у мамы, Сережа с ними катается. Я ужин готовлю. А Федору я уже сказала, что больше к нему не вернусь.

— И как он это перенес?

— Ты представляешь — ни истерики, ни скандала. Думаю, даже с дивана не встал. А как ты?

— Стараюсь думать о вечном и возвышенном.

— Смотри, не вздумай больше переживать из-за меня! Ладно, пока, мои пришли. Созвонимся!

Мария подумала — как быстро все произошло и все решилось! Еще вчера Танька с упоением рассказывала о своей любви, потом ночью мучилась сомнениями и совестью, корила себя, жалела несчастного, беспомощного Федора, который просто пропадет без нее. К утру приняла решение принести в жертву свою любовь ради блага детей. Вроде как нельзя их оставлять без отца, нехорошо это. Раз уж выпала ей такая судьба, надо смиренно нести свой крест...

Мария очень хорошо представляла ход мыслей своей сестры. Приняв такое решение, она, естественно, впала в хандру, поскольку в своего Клинта Иствуда влюблена, а Федор ей осточертел. Но судьба не дремлет. Она вдруг решает все опять переиграть и... выступает в роли двух молодчиков, решивших попытать счастья и разжиться немного деньжатами за счет дамочки на иномарке. У них баллончик, маски — в общем, бутафория. Расчет на то, что дамочка испугается и какой-нибудь ее хахаль, тоже испугавшись, привезет хоть сколько-то денег. Оружия у молодчиков, естественно, нет, и дальше десяти тысяч долларов их фантазии не идут. Что ж, вполне возможно, даже логично.

Что было дальше? Временно отключив Таньку, они роются в ее сумочке, и как раз в это время звонит хахаль. То есть Сергей. Ребятки говорят с ним, но даже не знают, что он банкир, и просто пытаются взять хахаля на понт. Тот соглашается привезти деньги. Но, к несчастью для молодчиков, оказывается крутым. Горе-вымогатели делают в штаны и терпят полное поражение. Конечно, они уже отработали свою роль, судьбе они больше не нужны, и она их выбрасывает. Может быть, они действительно уже валяются в какой-нибудь мусорной яме?

От этой мысли у Марии пробежали мурашки по коже. Нет, убивать бы их, наверное, Сергей и его группа поддержки не стали... Хотя кто знает этого супермена? А в целом такой ход событий показался Марии вполне возможным. Может быть, и правда никто специально Таньку не выслеживал, все это — случайное совпадение. То есть преднамеренная ирония судьбы, решившей сыграть злую шутку со счастливым концом...

Глава 6

ЖИВОЕ ДЫХАНИЕ ЗЕМЛИ

Короткий отдых пролетел слишком быстро, и после истории с сестрой Мария окончательно прийти в себя так и не успела, нервы все еще были взвинчены. Ей было очень жалко Таньку, которой пришлось пережить такой ужас, в душе кипела злость на ее обидчиков. К счастью, никаких катастроф и катаклизмов больше не произошло, но от скверной истории осталось много вопросов и ощущение какой-то недосказанности, незавершенности. Беспокоило Марию и то, как сложится дальше так бурно закрутившаяся судьба Таньки. Будет ли она счастлива со своим Клинтом Иствудом? Сумеет ли он дать ей то, что она заслужила своей не очень удачливой и довольно-таки мученической жизнью?

Во вторник Мария позвонила на работу, узнала, что там никаких катаклизмов не случилось, и обещала приехать завтра. В среду утром она с сожалением покинула свой милый домик. По дороге подумала, что неплохо перебраться сюда совсем. Почему бы и не жить в поселке круглый год? Здесь было прекрасно не только летом. Зимой ощущались особая прелесть и комфорт, а дороги расчищали не хуже, чем в Москве, если даже не лучше. Сколько раз она любовалась: снег лежал белый, нетронутый, чистый — такой непривычно чистый, что слепило глаза, кусты, утонувшие в сугробах, казались затаившимися сказочными животными... В общем, тут всегда было хорошо. Ну, немножко раньше придется выезжать на работу! К тому же она ведь не обязана появляться в офисе с раннего утра!

Мысль о переезде уже не в первый раз приходила Марии в голову, но что-то ее останавливало. Может быть, для остроты и полноты ощущения нужны были контрасты? Или ей не хватало для общения с домом коротких вечеров? Уж если приезжать сюда, то хотя бы на несколько дней, и наслаждаться полноценно красотой и покоем. Бродить в другом измерении и общаться с прошлым, которое каким-то таинственным образом просочилось в дом и теперь, казалось, выползало из каждой щелки, из каждого угла. Конечно, между ее милым домиком и тем домом на пустыре ничего общего не было, но иногда вдруг Марии казалось, что она чувствует запахи именно того дома, ощущает его атмосферу. Тот дом давно снесли, но, может быть, его душа таинственным образом переселилась сюда?

Когда Мария в половине двенадцатого перешагнула порог офиса, там царило необычайное оживление. Небольшой столик для посетителей был накрыт, на нем стояла роскошная коробка шоколадных конфет, Влада, сверкая «стеклом и металлом» своего костюма, бегала с кипящим чайником, а на диване рядом с Каркушей и Дракулой сидел крупный, довольно симпатичный мужчина лет сорока пяти и явно веселил публику. Все дружно пили кофе, поглощали конфеты и смеялись. Даже молчаливый компьютерщик Кирилл, сидевший за рабочими чертежами, оживился, покинул свой компьютер и, присев на подлокотник дивана, неторопливо потягивал кофе и с явным интересом слушал довольно шумного и общительного гостя. По лицам своих сотрудников Мария сразу поняла, что этот человек успел их к себе расположить. При виде Марии гость замолчал, вскочил с места, оказавшись при этом довольно внушительных размеров, и произнес с трогательным, чуть виноватым видом:

— Мария, я так боялся опоздать, что приехал слишком рано!

Мария улыбнулась, сразу войдя в свою привычную роль, спросила:

— Вы Георгий, как я понимаю? — и протянула ему руку.

— Да, Георгий Малахов! — Он с удивительной легкостью при его габаритах подошел к ней, галантно взял протянутую руку и поцеловал. — Вы уж извините, я тут разговорился немного...

— Все замечательно! — Мария снова обворожительно улыбнулась. — Ровно в двенадцать мы с вами начнем обсуждать дела — я, вы уж тоже извините, человек пунктуальный, — а пока продолжайте чувствовать себя, как дома!

— А не сделать ли и вам чашечку кофе? — спросила хозяйку Влада голосом искусительницы.

Мария выразительно потянула носом и произнесла:

— Арабика, корица и, по-моему, мускатный орех... Наливай!

Дракула придвинул кресло, Влада поставила чашку, Мария села, достала сигарету, окинула взглядом уютную приемную, напоминающую оранжерею с экзотическими растениями, и сказала:

— А все-таки хорошо у нас!

— У вас прекрасно! — воскликнул Малахов, поднося ей зажигалку. — Я бывал во многих офисах, но такой красоты и таких замечательных людей нигде не встречал!

— Да просто вы сами доброжелательный человек с хорошим вкусом, — улыбнулась Влада. — Не все могут понять и оценить наш особый стиль.

— Вот так-то, — усмехнулась Мария. — Вижу, вы всех тут уже очаровали, Георгий! — Она погасила сигарету, отодвинула чашку и встала. — Даю вам еще пять минут на комплименты и анекдоты и жду в кабинете.

«Забавный мужик», — подумала Мария, когда ровно через пять минут Малахов постучал в дверь и осторожно приоткрыл ее.

— Входите, входите! Так чем же таким особенным вы хотели меня заинтересовать, Георгий?

— Да все очень просто, — сказал он, усаживаясь в кресло напротив Марии и приветливо глядя на нее. — Купил я участок, хочу построить дом, но сам я ничего в этом не понимаю. Я бизнесмен, у меня сфера грубая — экономика, торговля, а архитектура — сфера высокая, тонкая. И я даже влезать в нее не хочу! В общем, предложение у меня такое: я заказываю вам просто дом, а все остальное — на ваше усмотрение.

— Любопытно, — задумчиво произнесла Мария. — Вы хотите сказать, что предлагаете мне полную свободу творчества?

— Вот именно! — обрадовался Малахов. — Вы точно сформулировали.

— А вы уверены, что я сотворю для вас именно то, что вам понравится?

— Уверен, — улыбнулся Малахов.

— Но ведь дом — это не одежда, не машина даже, его не так легко поменять. И вам в нем жить.

— Конечно! Вот я и хочу, чтобы вы спроектировали мне такой дом, в котором я буду жить с удовольствием.

— Но у вас, наверное, есть семья? И члены вашей семьи тоже имеют право голоса, — осторожно предположила Мария.

— Не имеют! — засмеялся Малахов. — Я все решаю сам!

— Диктатура? — улыбнулась в ответ Мария.

— Вообще-то я в душе монархист, хотя и числюсь демократом.

— Глядя на вас, не подумаешь, что вы живете в противоречии с самим собой, — с улыбкой сказала Мария.

— Ну что вы, никаких противоречий! Во мне все гармонично уживается! — Малахов пристально посмотрел на нее и спросил: — Так как насчет моего предложения?

— Что говорить, предложение заманчивое, —

протянула Мария, мысленно уже давая волю фантазии. — А сумму, которую хотите потратить на дом, вы уже определили?

— Конечно, — ответил Малахов. — От миллиона и выше, в зависимости от вашей фантазии.

За все то время, что Мария работала в своей компании, такой заказчик был у нее впервые. И такое интересное и заманчивое предложение тоже было впервые! Настолько интересное и заманчивое, что даже не верилось. Конечно, впадать в эйфорию еще рано, в любой момент могут проступить какие-нибудь подводные камни... Но, что бы там ни было впереди, Мария мысленно уже сделала для Малахова исключение и готова была начать работать с ним прямо сейчас. Она уже много лет мечтала заняться свободным творчеством, в котором надеялась превзойти сама себя.

— Но все же, Георгий, у вас есть какие-то пожелания? Предпочтительный стиль, материал, этажность, что-то еще?

— Вы в этом лучше разбираетесь, — улыбнулся он. — Я вмешиваться не стану. Когда проект будет готов, вы мне все покажете и расскажете.

— А где находится ваш участок?

— В замечательном месте — лес, пруд... Мария, послушайте... — Малахов приблизился к ней, склонившись над столом, и произнес интригующим шепотом: — Да что рассказывать? Давайте лучше посмотрим!

— Конечно, это обязательно нужно сделать, — ответила Мария. — Мы можем созвониться в ближайшее время и...

— Послушайте, а поехали прямо сейчас! Это близко, часа полтора туда и обратно. Доставлю вас в лучшем виде.

— А вы — человек настойчивый, — улыбнулась Мария.

— Ну, вы извините, что я так сразу... Но правда — зачем откладывать? Вам ведь интересно поглядеть?

— Уговорили! — Мария поднялась из-за стола.

Проходя через приемную, она попросила Владу подготовить договор с господином Малаховым. Влада засияла и побежала к Каркуше.

Малахов усадил Марию в огромный джип, сам сел за руль и лихо тронулся с места. Она подумала: почему-то большинство бизнесменов любят очень большие автомобили. Наверное, они придают им дополнительную уверенность в себе.

По дороге Георгий пытался выяснить, какие дома нравятся самой Марии и что бы она хотела предложить ему на свой вкус. Она ответила, что ничего не может сказать, пока не увидит участок. Они действительно долетели минут за сорок. Малахов с гордостью демонстрировал окрестности на подъезде к своим владениям. Места действительно были роскошные, виды открывались необычайно красивые. Но по мере приближения к участку у Марии начало возникать какое-то неприятное ощущение, почти физическое, словно на нее наваливалась непонятная тяжесть, хотя в машине не было душно, работал кондиционер. Нет, это было что-то другое...

Малахов заметил, что она изменилась в лице, и обеспокоенно спросил:

— Вас укачало? Вам нехорошо?

— Нет, все в порядке, — рассеянно ответила Мария.

— Но я же вижу! Я должен помочь! — заботливо произнес Малахов. — Скажите, что с вами?

— Еще не знаю...

Малахов удивленно посмотрел на нее.

— Какая же вы загадочная... Просто ставите меня в тупик!

Мария улыбнулась.

— Из тупика всегда есть выход. Так где же ваш участок?

— Все, приехали! — Он остановился, вышел из машины, подал Марии руку. — Прошу, любуйтесь моей красотой! Надеюсь, на воздухе вам станет лучше.

Мария увидела огромную территорию, обнесенную забором и заросшую редкими деревьями и кустарником, и сразу заметила в растениях что-то нездоровое. Пожухлая зелень, деревья корявые, низкорослые. Она стала неторопливо обходить участок, чутко к чему-то прислушиваясь, приглядываясь. Щупала траву, трогала ветки кустов. Малахов шел следом и с недоумением и любопытством наблюдал за ней. Вдруг Мария остановилась, опустилась на землю, потом легла и замерла в неподвижной позе. Малахов испуганно бросился к ней, попытался поднять.

— Господи, Мария, что с вами? Вам совсем плохо?

Мария приложила палец к губам.

— Не волнуйтесь, со мной все нормально. Я слушаю пульс земли...

— Да? — оторопел Малахов. — А это как? В каком смысле?

— Подождите. Все объясню. Чуть позже...

Малахов стоял рядом и с невероятным удивлением наблюдал за ней. Пролежав неподвижно какое-то время, Мария поднялась, отряхнула руками костюм и уверенно заявила:

— Георгий, здесь нельзя строить дом!

— Как — нельзя? — поразился Малахов. — Но я уже купил участок! Заплатил за него большие деньги!

— Поступайте, как знаете, но я не стану проектировать дом в этом месте, — сказала Мария резко. — Земля все равно его не примет!

— Но почему? — окончательно растерялся Малахов.

— Вы слышали о геопатогенных зонах?

— Ну, что-то такое... довольно туманно... Поясните, пожалуйста.

Мария взяла Малахова под руку и медленно повела в сторону ворот.

— Представьте себе, Георгий, что земля — живой организм. У нее есть свои органы, артерии... Наверное, это звучит фантастично, но я думаю, у нее есть и чувства, и даже душа. Земля всегда подает нам сигналы, предупреждает об опасности, и если мы пренебрегаем этими сигналами...

— Но я ничего не чувствую! Никаких сигналов! — воскликнул Малахов. — Что за мистика?

— Это, к сожалению, не совсем мистика, — сказала Мария с грустью. — Конечно, налет мистики есть, но то, о чем я говорю, это еще и наука, Георгий. Это наука об энергоинформационном обмене. Называется она эниология, и занимаются ею отдельные энтузиасты. В древности зодчие этого слова, конечно, не знали, но где и как дома ставить, как организовывать пространство, представляли хорошо. Им, безусловно, было известно не только строение земли, но и энергетические и информационные свойства архитектуры, они понимали, как она воздействует на природу и человека. Эти знания считались сакральными, то есть божественными, передавались из поколения в поколение.

— Как интересно! — произнес Малахов. — И что же, они все, как вы, слушали пульс земли?

— Конечно, — улыбнулась Мария. — А в наше время, к сожалению, этими знаниями пренебрегают. Что творится у нас в архитектуре — сказать страшно! Целые кварталы в той же Москве строят в патогенных зонах!

— Да как же это возможно? — удивился Георгий. — Существует же какой-то санитарно-экологический надзор...

— В основном — на бумаге, — вздохнула Мария. — Часто все решают деньги.

— Ну, это почти везде! — воскликнул Малахов. — Кажется, я начинаю понимать...

— Тогда поймите главное: я не могу изменить систему застройки, но перед своими заказчиками я отвечаю! — У Марии загорелись глаза, в голосе зазвучали какие-то магические нотки. — Это — плохое место, оно не годится для дома. Жить тут нельзя. Раньше в народе такие места называли гиблыми. Я сразу это почувствовала, когда мы еще только подъезжали, но еще не была уверена, а теперь у меня не осталось никаких сомнений. Посмотрите, тут даже деревья больные!

— Ну, дождей давно не было, засохли малость... — не очень уверенно предположил Малахов, все еще пытаясь следовать привычному здравому смыслу и в то же время поддаваясь необычному воздействию своей собеседницы.

— Не в дождях дело! — убежденно сказала Мария. — Поймите, все это очень серьезно. Если вы не доверяете мне, можно привезти сюда экспертов, проверим приборами, у меня есть контакты с государственной комиссией по экологической экспертизе. Они сделают геологическое обоснование. Но я еще ни разу не ошибалась!

— Мария, я доверяю вам! — воскликнул Малахов. — Просто это так неожиданно... Я не думал, что здесь, под Москвой...

— И под Москвой, и в Москве, и где угодно! — сказала Мария. — Возможно, здесь на глубине какой-то разлом в земле, который дает излучение. Излучение довольно сильное. Если тут жить постоянно, оно унесет здоровье и ваше, и вашей семьи.

— У меня нет семьи, — вздохнул Малахов.

— Значит, болеть будете вы, и никто не сможет установить причину вашей болезни.

— Так что же мне делать? — растерянно спросил Малахов.

— Продайте участок и купите другой. Только продайте не под жилье, а под что угодно — под склад, автобазу... не знаю.

— Ну, хорошо, я подумаю. А скажите, если я решу продать эту землю и купить другую, вы поможете мне выбрать место?

Мария улыбнулась.

— Постараюсь, если найду время.

— Мария, послушайте, а вам стало плохо точно из-за этой, ну, патогенной зоны? — вдруг осенило Малахова. — Вы ее действительно почувствовали?

— Да, — спокойно ответила Мария.

— Откуда у вас такой дар? — смущенно спросил Малахов.

— А откуда любой дар? — Мария поглядела ему в глаза. — У человека что-то отбирают, а что-то дают взамен. У кого-то прекрасный музыкальный слух, но плохое зрение, у другого дар юмориста, но несчастливая личная судьба... За счет этого в мире в целом создается некое равновесие.

Малахов удивленно смотрел на Марию, и она казалась ему сейчас мудрой и всемогущей волшебницей, которой сама земля дает знания, власть и силу. Какая же удивительная женщина! И он произнес с восхищением:

— Не знаю, может, и так, но... вы — просто колдунья!

Мария рассмеялась.

— Хорошо, что не ведьма.

— Только не обижайтесь, пожалуйста! — Малахов взял ее руку и поднес к губам. — Я никогда не встречал людей, которые, как вы, чувствуют этот... пульс земли. Разве это не чудо?

— Уж не знаю, как насчет чуда, но для архитектора очень полезное качество! — ответила Мария, и мысли ее невольно снова понеслись в прошлое, к тому моменту ее жизни, который она всегда старалась обходить в своих воспоминаниях. Малахов, заговорив о ее особом даре, невольно затронул очень непростую и болезненную для нее тему. Ну что ж, может быть, пора перестать прятаться от самой себя, когда-нибудь надо пройти в своей памяти это «гиблое место», эту «патогенную зону», чтобы преодолеть давнюю душевную боль и изжить ее окончательно!

Почти все время пути обратно Мария молчала. Малахов попытался о чем-то заговорить, но по рассеянному взгляду и односложным ответам Марии понял, что ей сейчас не до него, и тактично прекратил свои попытки.

...Мы с Аланом вышли из лифта на шестом этаже, подошли к двери, обитой коричневым дерматином, я дрожащей рукой нажала на звонок. Сначала никто не открывал, а я продолжала звонить... Почему же никто не открывает?

Я вдруг страшно разволновалась, и тут услышала за дверью легкие шаги, звук открывающегося замка. Через минуту на пороге появилась мама, вид у нее был усталый, глаза опухшие. Я не знала, что сказать, мне стало совсем не по себе. Мама молча посмотрела на меня, на Алана и вдруг сказала:

— Что, адвоката привела?

Я опустила глаза. Мне было стыдно, неловко и страшно. И зачем Алан пошел со мной? Сама я как-нибудь все объяснила бы, меня поругали бы и простили, а так будет только хуже!

И тут Алан подошел к маме и произнес необычайно вежливо:

— Здравствуйте, Маргарита Николаевна! Меня зовут Алан. Это я — виновник вашей бессонной ночи.

Мама поглядела на него, как партизан на фашиста, и процедила сквозь зубы:

— Я догадалась. И теперь понимаю — не одной ночи!

Но Алана, как ни странно, ее слова и взгляд ничуть не смутили, и он заговорил с подкупающей, простодушной улыбкой:

— Вы можете выгнать меня, Маргарита Николаевна, спустить с лестницы, но сначала попробуйте все же меня выслушать!

Мама поглядела ему в лицо и помолчала, наверное, с минуту, за которую я бог знает что пережила и едва не лишилась чувств. Самое ужасное было, что на меня она вообще не смотрела, ко мне не обращалась, будто меня здесь и не было. Наконец она сухо сказала:

— Что ж, говорите.

Алан тоже глядел на маму, не отводя глаз, и произнес вкрадчиво:

— Дело в том, что я хочу украсть у вас дочь, — он перевел дыхание. — Да, я собираюсь похитить вашу дочь, Маргарита Николаевна, потому что люблю ее и жить без нее не могу!

Услышав это, я чуть не свалилась на пол, а мама вдруг горько усмехнулась и спокойно ответила:

— Представьте, Алан, я и это поняла. Иначе бы, думаю, вы не пришли. Тем более — с такой сумкой.

— Хотите — казните, хотите — милуйте! — воскликнул Алан. — Но если можете, простите меня, грешного! А, главное, Машу простите — во всем виноват я!

— Действительно, адвокат, — сказала мама. — Ладно, проходите, раз пришли, но не думайте, что я сразу запрыгаю от радости и брошусь вам в объятия! А с Машей мы позже поговорим.

Мама исчезла в коридоре, мы с Аланом остались вдвоем в прихожей.

— Раздевайся, пойдем, — произнесла я обреченным голосом.

— Не бойся, все будет хорошо, — прошептал Алан и поцеловал меня.

Я страшно смутилась. Мы были у меня дома, и

мама рядом. И вообще еще неизвестно, как все обернется!

Алан поставил на пол сумку, помог мне раздеться, и мы отправились в кухню. Молча и не очень ловко уселись за стол. Вид у меня, должно быть, был очень испуганный и виноватый, а Алан держался на удивление спокойно, словно ничего страшного и не произошло. Меня поражало, откуда у него такая потрясающая выдержка. Мама повернулась к нам, остановила взгляд на Алане:

— Кофе, чай?

— Если можно — кофе, — попросил Алан.

— А тебе, Маша? — спросила мама, в первый раз за все время обратившись ко мне.

— Тоже кофе, — прошептала я.

Мы молча выпили кофе, атмосфера была довольно-таки напряженная. Мама тоже выпила кофе, закурила и произнесла усталым голосом:

— Вы застигли меня врасплох. Прямо так, сразу, я ничего сказать не могу. Если у вас серьезно — потерпите, дайте прийти в себя и подумать.

— Очень серьезно, Маргарита Николаевна! — заверил Алан.

— А Маша, я так понимаю, согласна? — Мама взяла новую сигарету и закурила.

Я молча опустила глаза. Что я могла сказать? У меня же все написано на лбу, мама наверняка уже прочитала!

— Я бы не завел этот разговор без ее согласия, — ответил Алан спокойно.

Мы еще какое-то время посидели за столом, поговорили мирно о каких-то посторонних вещах, и напряжение чуть-чуть спало.

— Ну, что же, для первого знакомства — достаточно, — мама поднялась из-за стола.

Алан тоже сразу поднялся.

— Спасибо за кофе, Маргарита Николаевна.

— Не стоит.

Мы все втроем вышли в прихожую.

— Вы позволите вам позвонить? — спросил Алан.

— Да, конечно, звоните, — ответила мама. — Как видите, я Машу не запираю, и телефон от нее не прячу.

— Спасибо! — Алан улыбнулся. — А сумку можно оставить? Она вам не помешает?

Мама только рукой махнула.

— Оставляйте.

— До свидания.

Алан красивым жестом поднес ее руку к губам и поцеловал.

— Можно было и без этого обойтись, — усмехнулась мама. — С меня на работе хватает театра!

Я проводила Алана до двери. Он прошептал:

— Я позвоню.

Мы с мамой остались одни. Я с ужасом ждала обвинений, упреков, но мама только сказала тихим, усталым голосом:

— Разговаривать будем вечером, когда папа вернется. Я всю ночь не спала, только под утро задремала, даже твой звонок не сразу услышала. Пойду посплю, если получится. Тебе тоже советую поспать, а то ты неважно выглядишь.

Не дождавшись от меня ответа, мама ушла в спальню. Я тоже пошла в нашу с Танькой комнату, но спать мне не хотелось. Да и как можно было спать, не дождавшись вечернего разговора и решения родителей? Я достала из своего тайника портрет Алана, поставила перед собой и долго смотрела на него. А потом сама не заметила, как оказалась в своей кровати и, видно, провалилась в глубокий сон. Проснулась я ближе к вечеру, когда Танька вернулась из школы и, ничего не зная, с шумом ворвалась в комнату.

Вскоре вернулся с работы папа. У мамы в тот вечер спектакля не было, и мы все, вчетвером, собрались на кухне ужинать. Потом мама сказала нам с Танькой:

— Отправляйтесь к себе. Нам с папой надо поговорить.

Танька стрельнула в меня своими блюдцами, сразу сообразив, что причина разговора во мне. Мы покорно вышли и отправились в свою комнату. Танька, конечно, ждала объяснений, и я ей все рассказала. Почти все, не решилась только передать подробности проведенной с Аланом ночи. Она слушала меня, затаив дыхание, а потом спросила очень серьезно:

— У вас уже все было?

Я молча кивнула, не в силах больше что-то скрывать.

— Когда вы поженитесь? — продолжала выпытывать моя требовательная сестра.

— Не знаю, — вздохнула я. — Мы об этом еще не говорили... Да и вообще — зачем это? Штамп в паспорте — кому он нужен?

— Родителям нужен, — возразила Танька. — А я хочу, чтобы свадьба была. И чтобы у тебя было белое платье и фата. Тебе очень пойдет!

— Ладно, но это не главное. Мы любим друг друга, а все остальное не важно.

Танька пожала плечами, оставшись при своем мнении. Ей очень хотелось узнать, что говорят родители, но подслушать было невозможно — они ушли в дальнюю комнату и плотно закрыли за со-

135

бой дверь. Мы томились в ожидании и снова и снова обсуждали мою будущую жизнь. Примерно через час к нам зашел отец и позвал меня. Вид у него был озабоченный, но совсем не мрачный. Танька поглядела мне вслед и осталась одна — переживать.

Разговор, вопреки моим худшим ожиданиям, начался довольно спокойно и дружелюбно. Скандалы в нашей семье вообще были не приняты, но я боялась не скандала, а молчаливого осуждения и холодного отчуждения. Я любила своих родителей, и мне очень не хотелось идти на серьезный конфликт. А любой жесткий запрет сейчас неизбежно привел бы к конфликту. Вероятно, родители тоже понимали это. Мама отдохнула, пришла в себя, выглядела гораздо лучше, чем утром, и даже умудрялась подшучивать надо мной. Я же страшно нервничала и все ждала, какой мне вынесут вердикт.

— Маргошенька, тебе ведь понравился этот молодой человек? — вдруг ласково спросил папа, обращаясь не ко мне, а к маме.

— Даже не знаю, — сказала мама. — У меня какое-то двойственное чувство. Он умный, в меру интеллигентный, умеет себя держать, не трус, характер чувствуется... Но уж больно красив! Боюсь, даже слишком красив для нашей Машки!

— Да что же тут плохого? — улыбнулся папа. — Она у нас тоже не дурнушка.

— Мне что, обязательно надо жить с уродом? — возмутилась я.

— Никто не говорит, что с уродом, — усмехнулась мама. — Просто я почему-то всю жизнь не очень доверяю красивым мужикам. — Она покосилась на папу и добавила: — Твой отец — единственное исключение!

— Мама, а я доверяю Алану во всем! — тут же возразила я.

— Буду рада, если на этот раз ошибусь, — сказала мама.

— Как его зовут? — переспросил папа. — Алан?

— Алан... — прошептала я.

— Он — иностранец? — Папа посмотрел на меня.

— Не знаю, разве это важно? — ответила я. Я действительно не знала. Мне было все равно, кто он — русский, англичанин, татарин, грузин. Любовь для меня никогда не имела национальности, а уж первая и единственная, на всю жизнь, вообще существовала помимо любых предрассудков. — Мне с ним так интересно, я столько всего от него узнала! И он... он считает меня самой красивой, он гордится мной!

— Хотелось бы верить, — произнес папа. — В общем так, дочка. Мы не деспоты, не тираны. Ты уже совершеннолетняя. Если не можешь жить без своего Алана, силой держать мы тебя не будем. Мы так решили. Упрекать тебя, что раньше нас не познакомила, смысла не вижу. Что сделано, то сделано. За границей многие пары пробуют жить вместе, и если жизнь у них складывается, то заводят настоящую семью, детей, а если нет — расходятся и ищут другую пару. У нас, конечно, это не очень принято, но мы с мамой решили не уподобляться ханжам и примитивным моралистам. Попробуйте. Надеюсь, он собирается на тебе жениться?

Я не знала, что ответить. У нас с Аланом даже разговора на эту тему не было. Но ответить родителям, как Таньке, я не могла.

— Папа, но ты же сам сказал — попробуйте! Вот мы и попробуем. А потом, конечно, поженимся!

— А какие, кстати, у него условия? — спросил папа.

Я расписала комнату Алана, как могла, сильно приукрасив и преувеличив удобства. О соседке сказала, что она немолодая, приятная женщина, тихая, как мышь.

— Могли бы пожить и у нас, раз уж такое дело, — сказал папа. — У нас все-таки квартира отдельная, места в ней хватает. И телефон есть!

— Ромочка, пойми, им нужна романтика! — улыбнулась мама. — Самостоятельная жизнь с жасмином под окном! А вот что нет телефона — это скверно. Ты хоть понимаешь, Маша, что мы с отцом будем постоянно волноваться!

Я поклялась, что буду звонить каждый день — из института, из автоматов и вообще при каждом удобном случае. Только бы меня отпустили к Алану!

— Когда позвонит твой Алан, скажи ему — пусть приходит в субботу к нам на обед, — сказала мама. — Папа с ним познакомится, посмотрит на него. И тогда мы вынесем окончательный вердикт.

Я была счастлива, что все так обернулось, поскольку вердикт, как я поняла, родители уже вынесли. Просто мама, конечно, была немного шокирована нашим утренним появлением и не хотела так, сразу, сдавать позиции. Разговор закончился на удивление мирно, и я тут же побежала все докладывать Таньке.

В субботу Алан появился у нас в доме в парадном бархатном костюме и белой рубашке и был настолько красив, что мне невольно вспомнились мамины слова. И даже стало немного страшно. Но Алан был так нежен и ласков со мной, что возникшее ощущение тут же прошло. Он преподнес маме цветы, отцу бутылку хорошего коньяка, а Таньке «Алису в Стране чудес» в очень хорошем издании. Я же получила от него тайный поцелуй в прихожей.

Обед, как пишут в газетах, прошел в дружеской атмосфере. Папе Алан понравился, я сразу поняла это по его лицу. Танька от него была просто в восторге, пыталась с ним вести светскую беседу о литературе, на что Алан живо откликнулся и стал охотно высказывать свое мнение о ее любимых книгах. Мама сдержанно улыбалась и почти все время молчала. Примерно через два часа все вышли нас провожать. Алан взвалил на плечо свою огромную сумку, набитую моими шмотками, я поклялась еще раз, что обязательно буду звонить каждый день, и мы с ним вдвоем отправились в свою новую, неведомую и прекрасную жизнь.

Что было дальше? По ночам — безумная любовь и нежность, фантастические планы на будущее, нескончаемые разговоры об искусстве, а днем все тот же институт, изредка — походы в мастерские к друзьям. Как ни странно, у нас даже деньги какие-то были, Алан умудрялся еще где-то подрабатывать, так как считал теперь себя семейным человеком, обязанным заботиться о своей нежной половинке. Когда я спрашивала, как ему удается зарабатывать, он только отмахивался — не бери в голову, это моя проблема.

— А на что вообще живут художники? — продолжала я допытываться.

— По-разному, — ответил Алан. — Кто-то дворником работает, кто-то в булочной батоны грузит. А некоторым особенно повезло — книжки иллюстрируют.

— А ты? Книжки иллюстрируешь или батоны грузишь?

— Какая же ты любопытная! — Алан обнял меня и поцеловал. — Но если уж так хочешь знать — я портреты за деньги рисую. Правда, работа не постоянная, но прожить можно.

— А Арсений Сухарев? — почему-то вспомнила я.

— Арсений? Он старые иконы реставрирует. Работа кропотливая, копеечная, зато не противоречит его убеждениям. Он человек верующий.

То, что он сказал о Сухареве, мне тогда показалось странным. Ни в нашей семье, ни среди наших знакомых никто в бога не верил (во всяком случае, я так думала) и о религии никогда не говорили. В те годы это вообще было не очень принято. И вдруг — верующий человек, да еще художник.

— Наверное, поэтому у него и картины такие, — сказала я.

— Съездим как-нибудь к нему в гости, если хочешь, — предложил Алан. — Он за городом живет, но недалеко.

Я, конечно, согласилась и спросила, просто из любопытства, которое давно искушало меня:

— Алан, а что у него с Тамарой?

Алан посмотрел на меня каким-то непривычным, жестким взглядом и ответил довольно холодно:

— Понятия не имею. Меня не интересует чужая личная жизнь!

Я растерялась и расстроилась, не понимая, почему мой вопрос вызвал у него такую реакцию.

— Ты что сердишься? — спросила я. — Что я такого сказала?

— Ничего, — так же резковато ответил Алан. — Ровным счетом ничего! Просто я не люблю проявлений женского любопытства.

Его слова прозвучали очень обидно, будто меня уличили в каком-то унизительном пороке. Тут же я невольно снова вспомнила разговор с Аланом после выставки на Малой Грузинской. Это было в наш первый вечер в доме на пустыре — в сказочном королевстве Алана, которое стало теперь и моим королевством. И дом стал моим домом. Я попросила Алана показать мне его картины, и он сказал мне тогда примерно так:

— Боюсь, мои работы не произведут на тебя большого впечатления! Ты сейчас все еще под воздействием космических экспериментов Арсения Сухарева. А я человек ранимый, как все художники. И, представь себе, — ревнивый. Когда я слушал, с каким восторгом ты отзывалась о его картинах, меня всего изнутри просто разрывало!

Я рассмеялась.

— Так вот почему ты меня увел с выставки! Ты ему завидовал?

Алан тогда совсем не рассердился и стал уверять меня, что на самом деле очень рад, что мне понравился Арсений и его картины, а насчет ревности — это шутка. Господи, сколько же он тогда говорил мне красивых и добрых слов! Все было так прекрасно!..

И сейчас все тоже должно быть прекрасно.

Просто Алан устал, немного не в духе. Мне так не хотелось ссориться, и я решила, что и сейчас лучше обратить все в шутку.

— А может быть, ты просто ревнуешь меня к Арсению Сухареву? — произнесла я с лукавой улыбкой.

Но шутка моя оказалась не слишком удачной. Алан мрачно посмотрел на меня и сказал со злой ухмылкой:

— Ну и вопросики у тебя! А может быть, это ты ревнуешь меня к Тамаре?

Я вспыхнула, отвернулась, выбежала в прихожую, схватила пальто. Мне стало так скверно, что хотелось убежать куда угодно, забиться в какой-нибудь темный угол и там как следует выплакаться. Даже не сами слова, а тон просто сразил меня наповал! Алан догнал меня на крыльце, схватил за руку. Я вырвалась, бегом спустилась вниз. По щекам текли слезы. Я не хотела, чтобы он их видел. Этого еще не хватало! Я чувствовала, что он стоит у меня за спиной, но не оборачивалась. Он осторожно обнял меня, уткнулся головой в мое плечо и зашептал:

— Машенька, прости, ради бога, прости! Я дурак, грубый дурак! Ну, хочешь, ударь меня, плюнь мне в физиономию! Только не уходи!

Я невольно улыбнулась сквозь слезы, он подхватил меня на руки и понес обратно в дом. Потом он долго оправдывался, вовсю ругал свой несносный, вздорный характер и снова просил прощения. Я, конечно же, его простила. Разве могла я поступить иначе? Это была наша первая и единственная короткая ссора, первый едва уловимый сигнал, который сказал мне о том, что и в самой безоблачной и прекрасной жизни иногда бывают неприятные моменты...

А дальше? Все мелькает, несется куда-то... Опять — как один миг...

К Арсению мы так и не поехали, не сложилось как-то. Зато довольно часто заходили вместе ко мне домой, и Алан умудрился подружиться с моим отцом. А Танька была от него просто в неописуемом восторге. Пару раз, с разрешения родителей, мы таскали ее с собой на полуофициальные выставки знакомых художников. С нами ходил и Жора, и моя влюбчивая сестрица тут же увлеклась им до умопомрачения. Но их роману не суждено было состояться.

Соседка Алана ко мне понемногу привыкла и даже здоровалась. Она вообще оказалась не такой уж злой и противной, как я вначале себе ее представляла.

Наступило лето. Алан защитил диплом, его распределили на работу в проектную мастерскую. Но время еще оставалось, а у меня начались каникулы, и мы уехали отдыхать на море, в какой-то небольшой поселок в Крыму, недалеко от Гурзуфа.

Целыми днями мы плавали, валялись на пляже, и за две недели умудрились загореть до черноты. Я стала стройной, поджарой, похожей на мулатку или индуску, и когда проходила по пляжу в купальнике, многие мужчины, вероятно, провожали меня взглядом. Конечно, поглощенная своей любовью, я этого не замечала, но Алан однажды сказал:

— Пожалуй, тебя и на минуту оставлять нельзя! Могут украсть.

— И зачем девчонку красть, если можно так уговорить! — весело пропела я.

Алан улыбнулся.

— А ты изменилась. Смотрю на тебя и с трудом узнаю ту девочку, которую чуть не убил дверью.

— Еще бы! Та была толстая и белокожая, а эта — стройная негритянка.

— Ну-ка, иди сюда, негритянка! Пойдем тебя отмывать, чтобы снова стала беленькой!

Алан подхватил меня на руки и потащил в море. Мы барахтались у берега, брызгались, хохотали, а потом заплыли чуть дальше в море и стали заниматься любовью.

Через три недели мы вернулись в Москву, отъевшись дешевыми фруктами, счастливые и обалдевшие от любви и непривычного безделья. И снова началась привычная московская жизнь, в которой, по сути, ничего особенно не менялось, кроме того, что Алан теперь каждый день ходил на работу, возвращался по вечерам усталый и какой-то немного сникший. И он не очень охотно рассказывал мне о своей работе. Но ночи по-прежнему наполнялись безумной любовью, только разговоры об искусстве пришлось сильно сократить, поскольку Алану надо было рано утром вставать и ехать на работу.

Такой режим его явно угнетал, Алан совсем перестал заниматься живописью и мечтал только о том, чтобы скорее прошли три года обязаловки после распределения. В общем, если не считать этого, все было прекрасно. Целый год мы прожили, как один день, на одном дыхании, и мне казалось, что так будет всегда.

Но однажды я заметила, что Алан вдруг изменился, стал каким-то печальным, замкнутым. Меня это беспокоило, я спрашивала, что случилось. Он обнимал меня и говорил ласково:

— Все хорошо, Машенька, все хорошо.

Однако мне начало казаться, что в наших отношениях тоже что-то стало меняться. «Нет, нет, ничего ведь особенного между нами не произошло, — уговаривала я себя, — все хорошо». Действительно, внешне ничего не изменилось, мы продолжали жить вместе, куда-то ходили по вечерам. Но моя обостренная интуиция в какой-то момент подсказала: в нашей чудесной истории произошел какой-то сбой. Я никак не могла понять, чем это вызвано, просто заметила, что в восторженном взгляде Алана что-то едва заметно начало меняться. Вроде бы ничего не случилось, и все же... Это был первый тревожный сигнал. Мне с каждым днем становилось все тяжелее, и однажды я не выдержала и спросила:

— Алан, скажи честно, ты разлюбил меня?

— Машенька, солнышко! — воскликнул он, обнял меня, усадил на колени. — Как ты могла подумать?

— Но я же чувствую: ты смотришь на меня, а думаешь о чем-то другом!

— Дело тут не в тебе, — ответил он с горечью.

— А в чем? Скажи, что тебя гложет?

Он помолчал немного, а потом воскликнул:

— Я чахну в этой дурацкой конторе! Вместе с десятком других архитекторов я делаю какую-то дрянь!

— Не говори так! — расстроилась я. — Ты победил в конкурсе. О тебе даже статью написали!

— Ну и что? Никто мой проект не воплотит, а

про статью скоро забудут. Маша, я не могу жить в этом кошмаре! Мне по ночам снятся бездарные типовые коробки. Какой-то жуткий, фантастический лес из этих коробок... Мы загаживаем землю жутким жильем! И я ничего не могу сделать!

— Но должен быть выход, какой-то выход... — неуверенно возразила я.

— Выход один, — сказал он резко. — Все уезжают. В этой стране жить невозможно! Строить невозможно.

Я знала, что некоторые его друзья-художники уезжают за границу. Он говорил о них с явным сожалением и... скрытой завистью. И, вероятно, из-за этого все больше начинал тосковать.

— Ты бы хотел уехать? — испугалась я.

— Как, как я уеду? Я не еврей! Не диссидент!

— Ну, хочешь, переедем в какой-нибудь другой город? Маленький, провинциальный, где не строят ужасных типовых коробок, — предложила я.

— Это не выход, — возразил Алан, — там еще хуже. И потом — тебе еще учиться бог знает сколько!

Прошло еще какое-то время, и однажды Алан пришел совсем мрачный.

— Что случилось? — спросила я с тревогой.

— Жорка уезжает в Штаты! — с досадой сообщил Алан.

— Как уезжает?

— Да очень просто. Женился на еврейке, и они подали заявление на выезд в Израиль. А на самом деле — через Вену в Штаты. Так почти все делают. В общем, он со дня на день ждет разрешения на выезд. Так что в скором времени — печальные проводы.

Я почувствовала, что для Алана это — настоящий удар. Уезжал не просто один из знакомых, а однокурсник, близкий друг.

Случилось так, что проводы Жоры прошли без меня: утром я позвонила домой из института и узнала, что неожиданно заболела Танька. Мама очень боялась оставлять ее одну и умоляла меня приехать, потому что у нее в тот вечер был спектакль, где она играла без дублерши, а папу, как назло, отправили в командировку. Что мне оставалось делать? Конечно, после занятий я сразу поехала домой. Танька лежала в жару, бредила, градусник зашкаливало. Врач выписал лекарства, которые надо было давать по часам. В общем, я позвонила Жоре, все объяснила, попрощалась, пожелала счастливого пути и попросила передать Алану, что я буду ждать его у мамы. Ехать ночью одной в дом на пустыре мне не хотелось, да и сестренку оставлять в таком ужасном состоянии мне было страшно.

Только под утро, осторожно постучав в дверь, появился Алан — на удивление веселый и возбужденный. У Таньки к утру температура немного спала. Мы просидели у ее постели, дождались, пока мама проснется, и отправились к себе. По дороге Алан радостно сообщил мне, что, кажется, у нас появился выход: через какое-то время мы тоже сможем уехать. Не знаю, обрадовалась ли я, но, во всяком случае, очень удивилась — каким же это образом? Алан рассказал, что он у Жоры познакомился с одной американкой, которая очень сочувствует русским художникам и старается всячески им помочь.

— Она обещала помочь и нам отсюда выехать! — с радостью уверял меня Алан.

147

Я очень удивилась и стала расспрашивать, как же она нам поможет. Я прекрасно знала, как трудно выехать из страны и сколько усилий приложил и Жора со своей женой-еврейкой, чтобы добиться разрешения. Алан сказал, что разговор пока был предварительный, но в ближайшее время они снова встретятся, все обсудят и найдут какое-то решение. Я немного обиделась, что Алан собирается вести столь важные переговоры без меня. Он сказал, что обязательно и меня с той американкой познакомит и через какое-то время мы окажемся в свободной стране, вдали от всех запретов и всего маразма, который творится здесь. Надо только набраться терпения и не отказываться от помощи друзей. Для меня все это было туманно, я не понимала, чему Алан так радуется. В душе появилась какая-то смутная тревога, и я вдруг спросила:

— А какая она, эта американка?

Алан посмотрел на меня с недоумением.

— Обычная женщина. А почему ты спрашиваешь, Машенька?

— Просто так, интересно, — сказала я.

— Да ничего особенно интересного, — пробормотал Алан, — некрасивая, не очень молодая. — И он тут же перевел разговор на другую тему.

Мне показалось немного странным, что он не хочет ничего рассказывать о человеке, который вызвался помочь в таком трудном деле, но я не стала больше приставать к нему с расспросами.

С того дня Алана как подменили. У него снова появился живой блеск в глазах, мрачность и хандра исчезли. Правда, домой он теперь возвращался довольно поздно, и мне все чаще приходилось коротать вечера одной. Я иногда спрашивала его, как продвигаются дела с американкой и скоро ли он меня с ней познакомит, на что Алан отвечал, что все идет хорошо, и, конечно же, он познакомит меня с ней в ближайшее время.

Так продолжалось довольно долго, но однажды вечером Алан пришел очень серьезный и озабоченный и сказал, что нам надо поговорить. От этой его фразы у меня сжалось сердце. Интуиция подсказала, что разговор ничего хорошего мне не сулит. А Алан достал из портфеля бутылку вина, поставил на стол, закурил, посмотрел на меня пристально и заговорил напряженным голосом:

— Понимаешь ли, Маша, дело вот какое... Я очень тебя прошу, отнесись спокойно к тому, что я сейчас скажу... — Он открыл бутылку, разлил вино и, не чокаясь со мной, залпом выпил. — Ты знаешь, что жить здесь я просто не могу. Это для меня невыносимо!

— Да, я знаю... — прошептала я, чувствуя, как холодеют у меня кончики пальцев.

— В общем, мы перебрали все варианты... — Алан закурил новую сигарету, хотя обычно курил мало. — Единственный из них реальный — фиктивный брак.

Меня словно ударили.

— Что?! — закричала я. — Ты собираешься жениться на ней? На этой старой, уродливой тетке?

— Машенька! — Алан дотронулся до моей руки, но я тут же ее отдернула. — Я же сказал — фиктивный брак! При чем здесь — жениться? Это деловой контракт, пойми ты наконец! Конечно, процедура не самая приятная, но другого выхода просто нет!

— Значит, ты уедешь с ней в Америку, и мы с тобой расстанемся? — спросила я обреченно.

— Придется на какое-то время расстаться, — Алан виновато опустил глаза. — Но как только утрясу там все дела, сразу пришлю тебе вызов. Потерпи чуть-чуть, пожалуйста! Ты ведь можешь немного потерпеть ради нашего будущего?

— Сколько терпеть? Год, два, десять лет? — с вызовом спросила я.

— Маша, успокойся, пожалуйста, не надо так в штыки все воспринимать! Ты ведь любишь меня? Неужели ты хочешь, чтобы твой любимый мужчина зачах здесь?

Я отвернулась и замолчала. Алан постучал пальцами по столу, выпил еще вина и сказал:

— Если ты будешь так расстраиваться, я от всего откажусь. Не могу видеть, когда у тебя такой взгляд!

— Какой взгляд?! — закричала я. — Как у затравленной собачонки, брошенной в лесу? Нет уж, женись на своей старой мымре, лети с ней на край света! А я тут себе тоже какого-нибудь престарелого японского вельможу подыщу. Или африканского принца. Какая теперь разница!

Алан тяжело вздохнул, посмотрел на меня нехорошим, хмельным взглядом.

— Ты никак не хочешь меня понять.

— Да, я не могу тебя понять! Потому что то, что ты говоришь, это низость, грязь! Где твоя гордость, достоинство, самолюбие?!

— Ты еще и мораль мне читаешь? Как на комсомольском собрании? Столько сил я вложил, чтобы сделать из тебя человека, и вижу — все без толку. Нет, это невозможно! — Он вскочил из-за стола и нервно, слегка спотыкаясь, стал ходить по комнате.

Надо было встать, собрать вещи и уехать домой, к родителям. Но как я им все объясню? Если скажу правду, они расстроятся, начнут волноваться и, конечно, возненавидят Алана. А если стану что-нибудь придумывать, будет еще хуже: врать я никогда не умела, они уж точно все прочтут на моем лбу!

Я уронила голову на руки и от отчаяния, обиды и боли не могла даже шелохнуться. И тут Алан стал просить у меня прощения. Он говорил, какой он мерзавец и негодяй, и то умолял меня никогда не вспоминать об этом дурацком разговоре и простить его, то требовал забыть его навсегда, поскольку он меня недостоин. Язык у него заплетался — я впервые видела его пьяным. Я все так же молча сидела, ничего не отвечала, и в конце концов Алан тоже замолчал, лег на диван и мгновенно заснул.

В этот вечер мир передо мной перевернулся, и та оборотная сторона, которую я увидела, была мрачной, безысходной и страшной...

Заснула я только под утро, свернувшись в кресле, а когда проснулась, Алана уже не было. Все, что случилось вчера, казалось дурным сном. Но, к сожалению, это был не сон. Надо было собраться с мыслями, прийти в себя, понять, что делать дальше. Ясно было одно — моей счастливой жизни пришел конец. Но все мое существо не желало с этим мириться!

Немного успокоившись, я начала думать, что, может быть, тоже была не права. Почему я так разозлилась, устроила скандал? Ведь многие люди так поступают, чтобы выехать за границу. Если я действительно безумно люблю Алана, то почему не хочу чем-то пожертвовать ради него? Пусть какое-то время мы проживем в разлуке, но потом ведь все равно снова будем вместе. Если он позовет меня, я поеду за ним хоть в Америку, хоть в Израиль, хоть в самую черную Африку! Правда, мне трудно было представить, что я тоже могу уехать из Москвы навсегда. А как же мама, папа, Танька? Неужели может случиться так, что я их больше никогда не увижу?

Все эти сумбурные мысли отчаянно проносились в сознании, и я так и не могла понять, как должна поступить...

— Мария, мы приехали, — сказал Малахов, осторожно дотронувшись до ее руки.

Мария рассеянно посмотрела на него и подумала — как хорошо, что ее отвлекли. Нет, дальше вспоминать и проживать заново жизнь Маши стало слишком тяжело, почти невозможно. Пусть будет пауза. Она сразу взяла себя в руки, улыбнулась своей привычной светской улыбкой.

— Да, плохой из меня получился собеседник! Что-то я сначала размечталась, а потом, кажется, и вовсе задремала...

— Это на вас так патогенная зона подействовала. Вам бы отдохнуть сейчас... Может быть, поужинаем? Не составите мне компанию? — предложил Малахов.

— Спасибо, в другой раз. Есть дела на работе. — Мария протянула ему руку, подумав, что на неформальное общение с клиентом переходить еще рано, и сказала: — Звоните, как только решите с участком.

— Непременно позвоню!

Георгий Малахов в очередной раз с особым почтением поцеловал ей руку и, попрощавшись, отбыл переваривать полученные впечатления и информацию. А Мария своей уверенной легкой походкой направилась в мастерскую.

Глава 7

ИСПЫТАНИЯ СУДЬБОЙ

Когда Мария вернулась в офис, то с удивлением обнаружила, что в приемной на диване для гостей сидит незнакомый молодой человек с необычайно красивым и выразительным лицом и нервно сплетает длинными тонкими пальцами какой-то невидимый узор. Это было немного странно, поскольку без предварительной договоренности обычно в офис люди не приходили.

— Вы ко мне? — спросила Мария неожиданного посетителя.

— Да! — ответил тот энергично, буквально поедая Марию взглядом больших темных глаз.

А его в это время тоже поедала глазами Влада. Молодой человек поднялся, но Мария остановила его движением руки:

— Подождите немного, — и обратилась к сотрудникам: — А вы — в кабинет!

Каркуша подтолкнул Владу, тут нарисовался и Дракула, который только что вернулся с очередных переговоров. Мария пропустила всех, закрыла за собой дверь и строго спросила:

— Ну, и кто ж такой посмел явиться без приглашения в наш храм застывшей музыки? Злой дух, шпион, конкурент, демон, призрак или маньяк? Докладывайте-ка!

Мужчины сдержанно хмыкнули.

— Он говорит, что он архитектор, — смущенно пролепетала Влада.

— Ну, о себе любой может сказать всякое, — пробурчал Каркуша. — Еще не известно, кто он на самом деле. Ты документы проверила?

— Нет, — еще больше смутилась Влада.

— Ладно, шутки на время в сторону! Давно он сидит? — спросила Мария.

— Давно. Его зовут Родион, — Влада заморгала и опустила глаза.

— Так! — Мария оглядела сотрудников лукавым взглядом. — А фамилия — Раскольников? Хорошо, что среди нас нет старушек!

— Если надо, можем привести, — живо откликнулся Дракула. — Их полно на улице, выбор огромный!

— Он не назвал фамилию, — окончательно растерялась Влада.

По ее виду не трудно было догадаться, что Родион произвел на нее неизгладимое впечатление.

— Ладно, подождем со старушками, — улыбнулась Мария. — А этого Родиона тащите сюда. Ну, и денек! Влада, скажи ему — у меня не больше получаса. Закончу с ним, и по домам.

В этот день она уже порядком устала. Кроме того, надо было пораньше уехать с работы и встретиться с сестрой, чтобы посмотреть подарок, который она выбрала маме. Кстати, в субботу, на мамином дне рождения, произойдет очень важное событие: Танька собирается официально представить семье своего банкира. Конечно, сестра волнуется. Несмотря на то что Федор уже порядком всех достал своим активным сибаритством, к нему привыкли, притерпелись, он был свой, а Сергей пока для всех был чужаком, темной лошадкой, и неизвестно еще, сумеет ли он своим мужественным обаянием Клинта Иствуда завоевать общее расположение.

Пока Мария размышляла, дверь приоткрылась, и в кабинете в сопровождении Влады возник Родион. Влада оставила его и тут же выскользнула.

Молодой человек был худощав, среднего роста, в его красивом лице было что-то неуловимо восточное или цыганское — чуть раскосые, карие глаза, длинные черные брови, бархатистая смуглость, точеный нос с резко очерченным вырезом ноздрей, при этом — треугольный подбородок над тонкой шеей с выступающим кадыком. В руках у него была довольно большая папка, которую он нервно теребил пальцами. Мария тотчас отметила для себя, что заказчиком он, скорее всего, быть не может и денег на дом, судя по его виду и поведению, у него просто нет.

— Меня зовут Родион Трубочкин, — смиренно произнес молодой человек, буквально обжигая взглядом Марию.

Мария едва удержалась, чтобы не расхохотаться. К концу безумного дня нервы были напряжены и нуждались в разрядке, и невероятное сочетание имени, фамилии, внешности и голоса этого странного посетителя давали для нее прекрасный повод. Но Мария умела владеть собой и попавшую в рот смешинку легко проглотила. Она спросила Родиона с самой изысканной любезностью:

— Что привело вас ко мне?

— Мария! — воскликнул Родион. — Можно мне так вас называть?

— Меня все так называют, — сказала Мария. — Не смущайтесь, говорите.

Посетитель явно нервничал. Даже руки у него немного дрожали, и он все время стискивал пальцы, чтобы скрыть волнение.

— Даже не знаю, как начать... Я — архитектор, два года, как защитил диплом в МАРХИ. Я много слышал о вас, видел ваши проекты, и... в общем, я очень хотел бы работать с вами!

Мария посмотрела на Родиона Трубочкина с любопытством. Так вот что у этого мальчика на уме! Что ж, занятно.

— Показывайте, — сказала она, указав рукой на папку.

— Да? Правда? — смутился он.

— Конечно. Вы же принесли это с собой не просто так! Давайте посмотрим, а потом поговорим.

Родион положил на стол свою папку и стал извлекать из нее содержимое — большие листы бумаги с рисунками, эскизами, чертежами.

— Вот мои проекты: жилой комплекс, бизнес-центр... Коттедж — мой диплом. Это — премия на ежегодном конкурсе! Еще одна!

Премии сами по себе еще ни о чем не говорили, они далеко не всегда доставались лучшим. Правда, когда-то и карьера самой Марии началась с премии на одном из архитектурных конкурсов. Но то была особая история, в которой награда за победу в конкурсе оказалась совсем не главной.... Именно тогда, на торжественном вручении премии за лучший проект, Мария неожиданно увидела Алана... Увидела после их разлуки в первый и последний раз... Нет, нет, сейчас не надо об этом вспоминать, не надо растравлять себе душу...

К счастью, этот потенциальный охотник за старушками — юный красавчик Родион был совсем не похож на Алана, а скорее походил на ее Дракулу, но в более утонченном варианте, и его восточный налет был менее выраженным. С таким типом мужчин романы у Марии почему-то вообще никогда не возникали, зато дружеские отношения бывали надежными и прочными и сотрудничество, как правило, складывалось удачно.

Мария поочередно брала в руки листы, принесенные Родионом, и внимательно разглядывала. Проекты у этого Трубочкина оказались необычайно интересные, в них чувствовалась уверенность, смелость и одновременно — утонченность. Ничто не резало глаз, не раздражало, не создавало депрессивного ощущения, как частенько бывает, когда глядишь на многие современные здания. Да, этот парень явно талантлив.

— У вас что-нибудь построено? — спросила Мария.

— К сожалению, нет, — с грустью ответил Родион и снова стиснул пальцы.

— Ну, это, впрочем, не важно, — сказала Мария. — Мне и так все ясно.

— Да? — Родион испуганно посмотрел на нее.

— Конечно, — улыбнулась Мария. — Мне нравятся ваши работы. Вы — вполне профессионально сложившийся и талантливый архитектор. У вас хороший вкус, есть чувство меры. Вы не стремитесь к эпатажу, в то же время видна ваша индивидуальность.

— Спасибо, что так меня оценили! — Родион вдруг заметался по кабинету, размахивая руками и не зная, куда их деть, и из него посыпалось: — Понимаете, для меня строительство дома — это акт творения... Дом должен контрастировать с природой, но ни в коем случае не входить с ней в конфликт... Каждое здание — это как бы микромодель мироздания... — произносил он возбужденно. — Во всяком случае, именно так я это понимаю!

— Правильно понимаете, — спокойно сказала Мария, подумав, что когда-то сама рассуждала так же. — Но как вы себе представляете наше сотрудничество? Вы, вероятно, знаете, что я всегда работаю одна?

— Знаю, — ответил Родион. — Поверьте, я ни на что особенное не претендую. Но дайте мне шанс! Сделайте исключение! Я тоже одиночка, я пробовал работать в разных проектных бюро и не смог. Но у вас я готов на любую роль! Возьмите меня кем угодно — стажером, учеником, подмастерьем!

Ну вот, и этому надо сделать исключение. Просто напасть какая-то! До сих пор Марии даже в голову не приходила мысль о необходимости расширения штата, тем более — за счет архитекторов, но сейчас, при создавшейся запарке, она вдруг подумала: а чем черт не шутит! Может быть, в этом и есть какой-то смысл? На очереди была работа на четверых плановых заказчиков. С одним уже заключили договор, и Мария даже набросала несколько эскизов его коттеджа. Другой терпеливо ждал, когда его пригласят, но периодически звонил и напоминал о себе. Третий, кстати, как и Малахов, обратился в мастерскую по рекомендации Сапрыкина и теперь одолевал звонками чуть ли не каждый день, и именно сегодня его особенно прорвало. Видно, терпение пришло к концу, и очень уж ему захотелось поскорее увидеть собственный дом хотя бы в проекте. Четвертой была дама, владелица парфюмерной фабрики. К счастью, все эти заказчики казались не слишком капризными, хотя составить о них окончательное мнение можно было только во время строительства дома. Все скрытые Сциллы и Харибды заказчиков проявлялись, как правило, именно в период строительства и особенно — при оформлении интерьера. Заказчики, как уже говорилось, — особая песня, в которой слова хотя и повторяются часто, но к концу иногда обретают совсем неожиданное, а подчас даже абсурдное звучание. Особую тревогу у Марии вызывала дама, поскольку она занималась не только парфюмерией, но и, поддавшись всеобщей моде, страстно увлекалась фэн-шуй. А фэн-шуй, как известно, дело тонкое, и его китайская сущность далеко не всегда оправдывает себя на нашей российской территории...

Поэтому сейчас Мария и размышляла о том, стоит ли всех этих заказчиков, а также еще десяток неплановых, взваливать на себя. Может быть, сама судьба посылает Марии Родиона, одаренного мальчика со смешной фамилией, решив, что пора ей иметь помощника? А возможно, пришло время обзаводиться учениками, создавать свою школу? Начать с этого Пупочкина, то есть, извините, Трубочкина, потом подумать всерьез о преподавании в институте, куда ее уже давно звали... Нельзя же в конце концов всю жизнь все делать самой! А парень явно способный, тонко чувствующий. Хотя, судя по всему, ранимый, уж очень нервный, возможны скрытые комплексы. Но это — не самое страшное, гораздо хуже тупая самонадеянность...

— Интересно, а почему вы так уверены, Родион, что сможете работать со мной? — спросила Мария. — У меня довольно трудный характер, я очень требовательна, многие черты в людях просто не терплю.

— С вами интересно, — воскликнул Родион. — И у вас есть чему учиться! А больше мне ничего не надо!

— Какая покорность, однако, — Мария усмехнулась. — Ну, что ж, попробуем. Пожалуй, стоит рискнуть, а?

Родион пришел в восторг.

— Конечно, стоит! Я буду стараться, наизнанку вывернусь! Вы не пожалеете!

— Вот этого не надо! — рассмеялась Мария. — Наизнанку, пожалуйста, не выворачивайтесь, вы же не пиджак, не пальто. А уж пожалею я или нет — только время покажет.

— Вы всегда можете меня уволить, если я не подойду, — обреченно прошептал Трубочкин.

— Вот это — верное замечание, — Мария улыбнулась. — Проекты, пожалуй, оставьте, я их еще посмотрю в выходные. И приходите в понедельник.

— Спасибо! — воскликнул Родион и стал торопливо складывать в папку свои работы. — Вы даже не представляете, как вы осчастливили человека!

Мария вышла в приемную вместе с Родионом и сказала:

— Берем нового сотрудника на испытательный срок.

Влада томно вздохнула.

— Добро пожаловать в наш маленький дружный коллектив! — произнес Дракула и галантно протянул руку Родиону.

— Подготовить договор, Мария? — спросил Каркуша.

— Да, к понедельнику, — ответила она. — Всем удачно провести выходные!

Мария попрощалась с сотрудниками и, позвякивая ключами и держа под мышкой папку Трубочкина, направилась к машине.

День стоял теплый, приятный, время было еще не позднее. Мария села в машину и сама не заметила, как выехала на трассу. «Занятно, — подумала она, — я собиралась встретиться с сестрой, заночевать в городской квартире, но у моей машинки, похоже, есть свои соображения!» Что ж, раз уж так получилось, придется ей поехать в свой милый домик, не разворачиваться же на половине дороги. Приятный сюрприз для самой себя! И, в общем-то, место там самое подходящее, чтобы разобраться окончательно со своими ощущениями по поводу участка Малахова, неожиданно свалившегося на голову нового сотрудника. Да это и полезно после рабочей недели ощутить тишину и покой. Уж слишком много событий произошло за последнее время! Да и день выдался нелегкий, все-таки каждая встреча с патогенной зоной для нее — неизбежный стресс. Видно, поэтому домик и позвал ее, чтобы она смогла окончательно прийти в себя!

Мария позвонила Таньке, извинилась за свое растяпство и перенесла встречу на завтра. По счастью, это и сестре оказалось удобнее.

Машин на трассе было немного, Мария ехала почти с одинаковой скоростью в левом ряду, держа правую ногу на педали газа. Все-таки автома-

161

тическая коробка передач — замечательное изобретение! Нужно только следить за дорогой, и думай себе о чем угодно. Мимо мелькает привычный пейзаж, нескончаемая полоса леса вдоль дороги, кое-где — редкие постройки, и снова деревня — а тебя ничто не отвлекает, размышляй, мечтай... И постепенно Марии стало казаться, что едет она не за рулем своей машины, а на сиденье автобуса, и автобус этот катится совсем по другой дороге, в другом времени. Она увидела себя словно со стороны. Господи, это была Маша, опять — Маша!

Скорей бы доехать до дома, а то из-за таких наваждений можно ненароком сбиться с пути, въехать в какой-нибудь столб или вообще попасть в аварию! Сосредоточившись на дороге, Мария подумала, что пора уже привести себя в порядок: надо срочно разобраться с расшатавшимися нервами и, главное, с Машей — отвести ей в своей современной жизни и в своем сознании положенное место. А та юная Маша в последние дни превратилась в какой-то навязчивый призрак, то и дело возникающий ни с того ни с сего в самые неподходящие моменты...

До отъезда Алана оставались считаные дни. Он лихорадочно занимался сборами, без конца куда-то ездил, с кем-то встречался. Мы виделись какими-то урывками, разговоры наши обрывались на полуслове. В те короткие моменты, когда мы оказывались вместе, наша любовь вспыхивала с такой невероятной силой, что, казалось, от нее можно умереть. При этом я в отчаянии смотрела на календарь и обнаруживала, что этих считаных дней остается все меньше и меньше. Может быть, надо было устроить тогда настоящую истерику, умолять его остаться, не отпускать любой ценой — ласками, просьбами, угрозами, шантажом? Да, надо было заставить его остаться! Но я ничего этого не делала, я не хотела ломать ему судьбу, и я надеялась, что расстанемся мы просто на какое-то время. Алан так настойчиво уверял меня в этом, и мне самой так хотелось верить, что я верила... Но с каждым считаным днем жить становилось труднее, невыносимее, вера в недолгую разлуку застилалась сомнением, и как ни утешал меня Алан, как ни обещал скорую встречу в свободном мире, успокоиться я уже не могла.

Однажды, совершенно случайно, я узнала о его небольшом обмане, но не стала ничего говорить. На самом деле обман был большим, даже огромным, но по сравнению с предстоящим скорым отъездом Алана все виделось мне, как в микроскопе, все уже не имело значения, а ссориться с ним и портить отношения перед его отъездом страшно не хотелось. На душе и без того было скверно.

А обман был такой. Поскольку в доме всюду были разбросаны вещи, Алан не успевал их убирать в предотъездной суете, и я невольно натыкалась на какие-то бумаги, записки, рисунки. Мне даже в голову не приходило заглядывать в них, но однажды на видном месте я случайно увидела забытый Аланом паспорт. И тут словно кто-то двинул моей рукой — я открыла этот паспорт и замерла: в нем стоял штамп о регистрации брака, датированный днем еще до отъезда Жоры! Я подумала сначала: нет, это какая-то ошибка. Этого просто не может быть, ведь разговоры о фиктивном браке начались существенно позже. Но никакой ошибки не было. Выходило, что Алан уже достаточно давно формально женат на этой американке. Более того — в штампе значился ее год рождения — она, оказывается, всего на два года старше его. Вот так пожилая дама, занимающаяся благотворительной деятельностью в пользу русских художников! Почему же он ничего мне не сказал? Не хотел огорчать? Боялся моей беспочвенной ревности? Я бросила паспорт на пол, схватилась руками за голову и заплакала. Нервы и так уже не выдерживали напряжения мучительного ожидания конца, а тут еще и это... Все — ложь! Ради чего бы она ни была, ложь есть ложь, обман, вранье, и ничто другое!

В этот момент в комнату вошел Алан. Он остановился в дверях, молча посмотрел на меня. Я обернулась. На его лице играли желваки, глаза смотрели как-то нехорошо. Я испугалась.

— Ты трогала мои вещи?! — хрипло спросил он.

Я вскочила и закричала:

— Мне не нужны твои вещи! Все! Хватит!

Захлебываясь слезами, я стала лихорадочно собирать свое небольшое имущество и кидать в первую попавшуюся сумку. Мир не просто пошатнулся — он рушился и стремительно несся в пропасть.

Алан наклонился, поднял с пола свой паспорт и вдруг сказал с досадой:

— Какой же я идиот! Сам во всем виноват! — затем повернулся ко мне. — Машенька, куда же ты? Ну, прости меня, дурака, в последний раз прости! Не уходи...

— Ты обманул меня! — проговорила я с трудом. — Я так не могу! Я больше ни на секунду не останусь здесь!

— Пойми, я не хотел тебе говорить, не хотел тебя расстраивать. Да, я давно оформил фиктивный брак, но что это меняет? — Алан осторожно обнял меня, я вырвалась. Он снова схватил меня за плечи, развернул к себе, посмотрел мне в лицо. — Маша, если мы сейчас поссоримся, это будет надолго. Я не хочу так уезжать...

— А я не хочу, чтобы ты уезжал! — крикнула я. — Жить с твоей тенью не могу! Тебя уже нет со мной, ты там, там, там!

Он сел, усадил меня к себе на колени и стал отчаянно целовать. И у меня уже не было сил вырваться. Мы вместе стремительно понеслись в пропасть, цепляясь за обломки рушившегося мира. А дальше? Мы снова оказались в постели, на нашем драгоценном скрипучем диване на низких ножках. В каком-то безумном отчаянии мы дарили друг другу последние, прощальные ласки.

Через несколько дней были проводы, пришли какие-то из оставшихся друзей. Дым, разговоры... Я плохо помню, все было, как в тумане. Помню только ночь и бессмысленные обещания и клятвы. Мы любили друг друга, как никогда. Это было в последний раз...

Потом — дорога в аэропорт.

Нет, не так. Мы попрощались дома — Алан попросил меня не приезжать в Шереметьево. Это и ему, и мне было бы слишком тяжело. Там мы все равно не сможем быть вместе, все слишком строго, меня не пустят. Я пожелала ему счастливого пути. Он обещал связаться со мной, как только представится возможность. Просил меня пожить хоть немного в его доме — так ему будет легче мысленно общаться со мной оттуда...

Он ушел. Я упала ничком на диван. На наш диван! До отлета оставались какие-то часы... И тут словно пружина вытолкнула меня. Я вскочила. Я должна поехать! Пусть хоть мельком, хоть издалека я в последний раз увижу его!

Что было дальше? Автобус уныло катил в аэропорт. Я поехала тайком, никому ничего не сказав. Я прижалась к окну и смотрела невидящим взглядом на мелькавшие за окном деревья, машины. В аэропорту я с трудом нашла место регистрации на тот самый рейс. Посадка давно началась... Господи, а если Алан уже внутри, что, если я больше его не увижу? Меня охватил ужас. Я заметалась в толпе, ища его глазами. И тут — совсем близко! — вдруг увидела его. Он тащил большой чемодан и держал под руку молодую красивую женщину! Он с таким увлечением говорил с ней, что даже не заметил меня!

Помню выражение его лица. Это было то самое выражение, с которым он, совсем еще недавно, смотрел на меня. Да он же влюблен в нее! Значит, все было ложью, все! Но... Если он любил ее, то как же он мог любить и меня? А если он меня не любил, то зачем столько времени притворялся? Нет, он не притворялся, я это знала, чувствовала! Так изображать любовь невозможно! Когда же он меня разлюбил? Мог ли он меня разлюбить? Нет, такая любовь не проходит, это невозможно, невозможно, невозможно! Я ведь никогда, никогда не смогу разлюбить его!

Все это стремительно мелькало в моем растерянном сознании, мир рушился вокруг меня. Ясно было одно — я теряла Алана навсегда...

Что было дальше — помню плохо. Только короткие обрывки, фрагменты. Они мелькают, как старая, затертая кинопленка. Потом — стоп-кадры. Я сижу на скамейке в каком-то сквере. Почти темно, слабый свет фонаря. Мои руки вынимают из пачки таблетки. Много таблеток, целую пригоршню! Я засовываю их в рот, глотаю одну за другой. Таблетки застревают в горле, я начинаю ими давиться, кашляю, запиваю водой из стеклянной бутылки... Я сижу на скамейке одна, тупо смотрю перед собой. Мне становится плохо.

Дальше — туман. Не помню ничего...

Когда я очнулась, надо мной раскачивался белый потолок, и я сама словно раскачивалась на волнах. Все было где-то далеко, и я видела мир, словно сквозь толщу воды. Это было очень странное ощущение — будто я в невесомости. Но когда я попробовала приподняться, ощутила вдруг такую ужасную тяжесть во всем теле, такую слабость, что тут же снова рухнула на кровать. Где я? Я должна была умереть. Так, может быть, я уже умерла? Тогда почему мне так скверно? А, наверное, я в аду...

Но контуры ада постепенно проступали вокруг меня, и я увидела стены, отдаленное окно с белой занавеской, сквозь которую проступал тусклый свет. Нет, кажется, все-таки это еще жизнь.

Я не могла понять, что происходит, где я нахожусь, и даже не сразу сообразила, что я в больнице. Не знала, сколько прошло времени — день, месяц, год, вечность? Потом появилась девушка в белом халате, ласково мне улыбнулась, что-то сказала и, кажется, сделала мне укол. И я опять погрузилась в сон.

Следующее пробуждение было более ясным.

Я отчетливо понимала, что лежу в больничной палате. Рядом со мной, на тумбочке, стояли цветы и тарелка с красивыми, яркими фруктами. Я стала разглядывать их — цветное пятно на белом фоне. Крупные яблоки с красными боками, оранжевые мандарины, желто-зеленые груши. И цветы — густо-алые гвоздики! Я осторожно попробовала приподняться на локтях — и теперь уже не ощутила такой тяжести, как в первый раз. Голова еще кружилась, но уже получалось держать ее вертикально. Я осторожно поползла вверх, прислонилась спиной к высокой подушке... и вдруг увидела маму, а за ее спиной — папу. И тут меня охватило такое отчаяние, такой стыд, что я заплакала. Беззвучно, просто слезы ручьями полились из глаз. Мама подбежала ко мне, прижала к себе мою голову, стала гладить меня, целовать, шептать какие-то ласковые слова. А я все плакала и плакала, как последняя дура.

Прошло еще какое-то время. Помню, я была в палате одна и в первый раз попробовала встать с постели сама. Удалось, и я поплелась в туалет. Там висело небольшое зеркало. Я поглядела в него и ничего не поняла: на меня смотрело незнакомое, бледное, изможденное лицо с ввалившимися щеками и голубыми синяками вокруг непомерно больших глаз. Это полупрозрачное, некрасивое существо явно было не Машей, а кем-то другим. Я все смотрела в измученное, серо-зеленое лицо с потерянным взглядом и постепенно начинала понимать, что там, в зеркале, отражаюсь все-таки я. Надо было как-то к этому привыкнуть, но привыкнуть было очень трудно, почти невозможно. И тогда я сказала вслух, сама себе сказала:

— Маши больше нет. Маша умерла. Я — Мария!

Вот так, раз и навсегда, я похоронила веселую, яркую, нежно любящую, открытую, живую, искреннюю Машу и стала сживаться с еще незнакомой мне Марией. С ней оказалось не так просто — она была мрачная, замкнутая, молчаливая, костлявая, угловатая, но, как выяснилось позже, — с тайной гордыней в душе и необычайной скрытой силой характера. Мария по-прежнему не очень мне нравилась, и я быстро поняла, что над ее образом надо серьезно работать. Но сил у меня было еще слишком мало, и я решила не торопить события, а постепенно осваивать свою непривычную, новую роль.

Наступил день выписки. Я попросила принести мне любимые джинсы, и оказалось, что они висят на мне мешком. «Ничего, ушью», — подумала я. Родители забрали меня домой и, надо отдать им должное, не задавали никаких вопросов, ни словом меня не упрекнули и никаким намеком не напоминали мне о том, что случилось. Они ведь ничего не знали об отъезде Алана! Точнее, не знали от меня, а выяснили уже позже, от совершенно посторонних людей, пока я была в больнице. Но эта тема не затрагивалась в разговорах, все тщательно обходили ее стороной. Даже Танька умудрялась каким-то образом усмирять свое любопытство и ни о чем меня не расспрашивала, а только заполняла наши совместные вечера рассказами о своих очередных приключениях и увлечениях. Я слушала ее рассеянно и довольно быстро засыпала, поскольку была еще очень слаба и истощена. Душу мою грызла тоска. Я все равно, несмотря ни на что, любила Алана. Я не могла возненавидеть его, и любой отрицательный отзыв о нем вызвал бы в моей душе настоящую бурю. Родители, вероятно, это понимали и щадили мои чувства. И я была благодарна им за это.

Папа с мамой настаивали на том, чтобы я взяла академический отпуск, но я категорически отказалась терять целый год.

— Машенька, ну что ты так упираешься? Тебе ведь армия не грозит! — пытался уговорить меня отец.

— Мне грозит отставание в развитии, если я целый год буду бездельничать! — непреклонно заявила я.

Но возвращаться на свой курс, в свою группу, к людям, с которыми я совершенно потеряла внутреннюю связь, мне было страшно. Уж они-то точно будут одолевать меня косыми взглядами и шепотком за спиной. Одна только мысль о моей бывшей подружке Изольде Куликовой вызывала у меня отвращение. И тогда я приняла решение, неожиданное для всех и для самой себя — перейти на вечернее отделение и начать работать. Родители, конечно, приняли его в штыки, но они не понимали, что имеют дело уже не с Машей, а с Марией, женщиной решительной, волевой и целеустремленной. А она заявила, что ее решение непоколебимо. Родители посетовали и смирились. В доказательство своей правоты я стала упорно заниматься собой.

Я прекрасно понимала: раз уж мне заново дана жизнь, силы надо восстанавливать. По утрам я делала гимнастику, потом стала бегать, днем садилась за книги, в общем, организовала себе сама жесткий режим, и в результате уже через месяц восстановилась почти полностью. То, как я выглядела, конечно, меня еще не удовлетворяло, но в нынешнем моем виде были и свои плюсы. Существенная потеря в весе, о которой я раньше, будучи Машей, даже сохшей от любви, не могла и мечтать, очень меня устраивала. Мария должна быть стройной, изящной, невесомой. Так решила я и начала превращать свой недостаток в достоинство, упорно сражаясь с собственным уродством.

Конечно же, никому и в голову не приходило, что такая интересная девушка, какой была Маша, может считать себя уродкой. Но по отношению к Марии у меня были свои критерии. Теперь я часами, когда никто не видел, просиживала перед зеркалом, изобретая свой собственный, неповторимый имидж.

— Плохо быть дурой, — говорила я себе. — Еще хуже быть некрасивой дурой! А хуже всего быть глупой, некрасивой и невезучей. Мария будет самой красивой, умной и удачливой! У нее есть сила воли и желание доказать самой себе, что она не тряпка, которую можно легко выбросить. Этого не будет больше никогда! Марию никогда в жизни не бросит ни один мужчина!

В общем, я начала проектировать и выстраивать Марию с такой же тщательностью, как архитектор проектирует и выстраивает самое ответственное здание. Некоторую трудность в жизни создавали мои собственные медлительность и рассеянность, но и с ними я сумела успешно расправиться довольно скоро, заставив гордячку Марию заниматься йогой, аэробикой и ритмическими танцами.

Это была тяжелая работа, суровая борьба, которая продолжалась в течение нескольких лет и завершилась блистательной победой. Через какое-то время я настолько сжилась со своей новой ролью, настолько вросла в образ Марии, что он не только перестал меня тяготить и раздражать, казаться чужим, а превратился в мою сущность.

Я действительно превратилась в ту самую Марию Еловскую, которая к тридцати годам стала, по отзывам самых уважаемых людей, не только блестящим архитектором, но и одной из самых стильных и элегантных женщин в Москве и Московской области. Мужчины же, которым удавалось добиться моего расположения и стать моими любовниками, считали это не просто удачей и счастьем, но и особой честью. С каждым годом моя персона вызывала у окружающих все большее любопытство, восхищение и тайную зависть, вокруг которой плодились всевозможные слухи, рождались легенды и мифы.

Об одной из причин, может быть, самой главной, порождавшей вокруг меня такой нездоровый ажиотаж, стоит рассказать особо. Началось все с того, что мне вдруг стало нравиться просто бродить по городу — слушать, ловить, чувствовать его ритм, вглядываться в многообразие зданий, замечать какие-то детали, нюансы, на которые я раньше не обращала внимания. И во время таких, вроде бы бесцельных прогулок по улицам со мной стало происходить что-то странное, я вдруг начала испытывать новые, неведомые мне прежде ощущения. Я чувствовала, что от домов в некоторых частях города исходит какое-то особое излучение. Мне стало казаться, что дома обращаются ко мне, разговаривают со мной — я слышала их жалобы и стоны, чувствовала их боль. Они сообщали мне о своем плачевном, отчаянном состоянии, я трогала руками их шероховатые стены и обнаруживала в них скрытые трещины, признаки болезни и разрушения. Мне очень хотелось им помочь. Я думала о том, что люди, живущие в этих домах, даже не подозревают о бедственном состоянии своего жилья и никому вообще нет до этого никакого дела. Стоит себе дом и стоит, и если кто-то и замечает, что ему плохо, то только тогда, когда у него начинают трескаться стены, рушиться перекрытия или когда он вообще разваливается. А ведь этого, наверное, можно избежать, подумалось мне. Ведь можно же как-то это предотвратить!

Потом я стала обращать внимание, что больше всего подвержены болезни и разрушению дома в определенных местах и районах, и мне стало очень интересно, с чем это связано. Вскоре я обнаружила, что именно в этих местах меняется и мое состояние — я начинаю чувствовать себя плохо, а потом вдруг улавливаю какие-то тонкие вибрации, исходящие из глубин земли. Иногда мне даже казалось, что я не только чувствую, а вижу странные потоки или излучения, идущие от земли и некоторых домов, они имеют свою структуру, даже цвет.

Тогда я еще не знала о существовании геопатогенных зон и об огромном опыте архитекторов и строителей по определению этих зон, накопленном с древнейших времен. Но я поняла, что вижу и чувствую то, чего не видят другие и чего не видела раньше я сама, поняла, что у меня в моем втором рождении открылся какой-то новый, необычный дар. И решила: конечно же, этот дар должен служить моей профессии! Возможно, это мое новое качество и есть именно то, что отличает архитектора от других людей, а Природа, Судьба, Бог решили наградить им меня за мои страдания? Но больше всего, как ни покажется это бе-

зумным и странным, я была обязана своим даром
Алану. С ним я узнала любовь, прошла через жизнь
и смерть и в итоге, благодаря ему же, начала по-
новому понимать и обретать свою профессию, к
которой прежде относилась довольно поверхно-
стно и легкомысленно.

Мой необычный дар с каждым днем проявлялся все острее. Иногда мне казалось, что я не просто вижу и чувствую что-то необычное, а прони-
каю в другие сферы, за пределы той реальности, в
которой живу. Мне даже становилось страшно, но
я никому об этом не рассказывала. Мама с папой,
скорее всего, просто испугались бы за меня, а я их
и так уже достаточно напугала. Они решили бы,
что у меня галлюцинации, потащили бы к врачам,
а что тут могут сказать врачи? Посторонние люди
вообще не поняли бы моих ощущений, стали бы
смотреть на меня, как на сумасшедшую.

В общем, делиться своими неожиданными от-
крытиями я ни с кем не стала, пыталась осмыслить их и разобраться во всем сама, но ясного ответа не получала, и тогда, в такие моменты, мне
становилось труднее существовать в этом мире.
У меня всегда был смешанный темперамент, и если раньше во мне преобладал сангвиник, то теперь
все явственнее проявлялся некто странный — эта-
кий флегматичный холерик. В душе творилось
что-то невыносимое. Холерик рвался наружу, но
флегматик наваливался на него и тормозил изо
всех сил. Я все больше закрывалась, замыкалась в
себе, пряча от других то, что вижу и чувствую. Но
это, как выяснилось позже, только помогало тем
внутренним процессам, которые во мне происхо-
дили, углубляло их развитие и усиливало результат.

Кроме того, я понимала, что все то, что со мной случилось, имеет непосредственное отношение к архитектуре, и я стала изучать и исследовать заново ее историю. Я брала в библиотеке всевозможные книги по архитектуре, вглядывалась в фотографии древних зданий — античных храмов, египетских пирамид, разглядывала планы и чертежи. И те особенности и закономерности, которые я в них находила, постепенно открывали мне смысл происходящего со мной. В общем, пережитая мной личная драма постепенно стала превращать меня из потенциального механического проектировщика в настоящего, серьезного, мыслящего архитектора, понимающего, что здание — это не просто мертвая каменная глыба, а маленькая часть огромного живого организма, называемого планетой Земля.

Занятия на вечернем отделении, среди взрослых, серьезных и занятых людей, доставляли мне удовольствие. На лекциях я больше не спала, благополучно сдала сессию и, не теряя год, перешла на следующий курс. Вскоре я решила, что для полной независимости должна сама зарабатывать, и попросила отца устроить меня на работу. Он уже понял, что спорить со мной бесполезно, и отвел меня в проектную мастерскую к своим друзьям. Меня посадили на рабочие чертежи, и я стала осваивать довольно рутинную, но совершенно необходимую сторону своей профессии...

Пожалуй, это главное, что я могу сказать о Марии, в которую перевоплотилась Маша. В общем, через какое-то время я обрела себя, возродившись совсем в ином качестве: Теперь я для всех была Марией, и только родителям и Таньке разрешалось по-прежнему называть меня Машей...

По дороге зазвонил телефон и вернул Марию к реальности. Она не поленилась взглянуть на определитель и обнаружила номер Валентина. Интересно, что ему нужно? А, в общем, не очень интересно. Она уже не пыталась избегать его звонков — все было решено, все стало ясно, а детали не имели значения. Мобильный настойчиво продолжал звонить, и Мария спокойно сказала в трубку:

— Привет! У тебя что-то срочное?

— Здравствуй, Мари, — сказал Валентин нежным голосом как ни в чем не бывало. — Ты не забыла, что у меня через два дня премьера?

— Забыла, — честно ответила Мария, имея в виду не только премьеру, но и самого Валентина.

— Ты хоть в билет заглянула?

— Нет, — коротко произнесла она.

Надо сказать, что Мария, при всех ее недостатках, молчаливо отмечаемых другими, но редко называемых вслух и ясно осознаваемых ею самой, при всей своей скрытности и склонности к самоанализу была человеком необычайно правдивым. И в первую очередь — по отношению к самой себе. Ложь, даже в мелочах, была ей так же отвратительна, как уродство, дурной вкус, распущенность, леность, зависть. Большинство из этих довольно популярных в обществе пороков, не свойственных ей от рождения, вызывали у нее недоумение, тревогу и тайный, почти суеверный страх. Как все это может уживаться в человеке, не вызывая отвращения у него самого? С теми же недостатками, которые сумели проникнуть в ее существо, как хитрый компьютерный вирус, она боролась решительно и успешно.

— Значит, я правильно сделал, решив напомнить тебе, — с легкой обидой сказал Валентин.

— Подожди, через два дня, то есть в субботу? Нет, я не смогу прийти.

— Жаль, — ответил Валентин уже с явной обидой. — Смотри, и ты не пожалей! — произнес он изменившимся тоном.

— Постараюсь, — ответила Мария спокойно.

Она прекрасно знала, что концентрация негативной энергии, исходящей от человека, создает так называемые биопатогенные зоны, которые ничуть не менее вредны для здоровья людей, чем геопатогенные. И если вредных излучений земли еще можно как-то избежать, то уж от выбросов человеческой энергии, наполненной агрессией, не спрячешься никуда. И чтобы снять напряжение, она сказала примирительно:

— Не обижайся. В субботу у мамы день рождения, и я, естественно, буду у нее.

А про себя Мария подумала: вообще-то Валентин мог бы и сам об этом вспомнить! В прошлом году они вместе были на семейном обеде, даже подарок вместе покупали. У родителей он шутил, рассказывал смешные истории, ловко кого-то изображал, пародировал, вызывая всеобщий смех. В общем, всех обаял, даже строгую Таньку. А с Федором настолько спелся, что они начали бурно обсуждать современных культовых режиссеров, их перформансы, хеппининги и даже стали изобретать какие-то совместные проекты. Правда, дальше проектов дело, кажется, не продвинулось, но отношения у этой театральной парочки сложились самые теплые и дружеские.

— Что ж, желаю хорошо повеселиться! — произнес Валентин уже со злостью и скрытой угрозой, создавая вокруг себя ощутимую патогенную зону, и отключился.

Правда, немного разрядил атмосферу следующий звонок — едва Мария закончила разговор с Валентином, как позвонил Георгий Малахов. «Планы у него на понедельник изменились, что ли?» — подумала она, сразу узнав его голос.

— Мария, простите за беспокойство... — заговорил он.

— Прощаю.

— Я вас ни от чего не оторвал?

— Нет, от руля не оторвали! — засмеялась Мария. — И что у вас случилось?

— Ничего не случилось. Если не считать, что я уже нашел другой участок! — сообщил он радостно.

— Ничего себе! — удивилась Мария. — Уже? Так быстро?

— А зачем терять время зря? — произнес Малахов. — Но я не хочу больше попадать впросак, поэтому прежде, чем купить, очень прошу вас осмотреть участок вместе со мной.

Мария, которой Малахов был симпатичен, согласилась. Они договорились на понедельник: Малахов приедет в офис к двенадцати часам, заберет Марию с собой и отвезет куда-то по Калужскому шоссе. Но разговор на этом не закончился.

— Мария, — произнес Малахов торжественным голосом, — еще один момент, если позволите!

— Вам — позволю, — улыбнулась Мария.

— Понимаете, я набрался наглости и решил сделать вторую попытку пригласить вас завтра на ужин. Помните, вы сказали тогда — в другой раз? Так, может, этот другой раз уже наступил?

— Да, вижу, вы живете в режиме больших скоростей! — воскликнула Мария. — Спасибо, Георгий, но завтра я точно не могу, не обижайтесь. Просто у моей мамы день рождения, и, понимаете сами...

— Понимаю, конечно! — воскликнул Малахов. — Очень жаль. То есть не то, что у мамы день рождения...

— Да, да, я вас поняла, — рассмеялась Мария. И вдруг у нее мелькнула шальная мысль: а что, если прийти к родителям вместе с Георгием? Мужик он симпатичный, общительный, и Таньке с ее Клинтом Иствудом будет легче — Малахов, безусловно, переключит часть внимания на себя. — Знаете, а у меня встречное предложение, — сказала Мария: — Не хотите вместе со мной побывать на семейном обеде?

— Ну, это, наверное, неудобно? — немного смутился он.

— Вполне удобно. Подумайте. Если нет других возражений — не отказывайтесь. Мама печет потрясающие пироги!

— Не буду врать, что худею и сижу на диете! — весело произнес Малахов. — Против пирогов устоять не могу!

— Вот и хорошо!

Как только Мария закончила разговаривать с Малаховым, впереди показался поворот на дачный поселок. Вот она и доехала!

На сей раз, как и надеялась Мария, встреча с любимым домом обошлась без всяких сюрпризов. Да здравствуют редкие паузы и передышки в безумной нашей жизни!

Мария налила себе бокал любимого французского красного вина, опустилась в кресло и попыталась расслабиться. Но недавние события и встречи не выходили из головы. Перед глазами мелькали то Малахов, то его патогенный участок, то Родион Трубочкин со своими проектами... Мария собралась было просмотреть их еще раз прямо сейчас, но мысли снова перескочили на Малахова. Удивительно, как это он, всего за несколько часов, сумел найти себе новый участок. Кажется, у него очень оперативные риэлторы. Ладно, бог с ними, с риэлторами. А Малахов — молодец! Хорошо бы, новый участок оказался без дефектов. Ладно, надо заняться все-таки потенциальным учеником. За что же ему дали премию?

Мария раскрыла папку и разложила на столе ее содержимое. Ага, вот за этот торговый комплекс. Именно торговый комплекс! Надо же — такое совпадение: она сама получила первую премию как раз за торговый комплекс. Правда, ее проект был совсем другой, возможно, более резкий, вызывающий. Она тогда была просто одержима идеей взрывать пространство умопомрачительными формами, ей хотелось создавать в архитектуре особый ритм, который пробуждал бы в человеке активность, жажду деятельности. А у Родиона все было изящным, нежным, утонченным, созерцательным. И все же что-то общее между ними явно существовало. Может, это, и правда, судьба привела его? Она любит выкидывать странные штуки и имеет свои цели! Когда-то именно судьба «подарила» премию ей, в этом Мария не сомневалась. Конечно, та премия очень многое ей дала — помогла сделать карьеру, имя, а еще... еще благодаря премии Мария снова увидела Алана...

Я стояла на сцене и смотрела в зал, сжимая в руках маленькую бронзовую фигурку бога Птаха — покровителя ремесел и зодчества, а также одного из творцов Вселенной, и красивый диплом в тисненом золотом переплете. Это была моя первая премия, выигранная на архитектурном конкурсе! Первая во всех смыслах — я получала ее впервые в жизни, и мой проект был признан лучшим из лучших. Меня поздравляли, называли вслух мою фамилию, а я так волновалась, что просто не знала, куда деть руки, ноги, глаза. И мои глаза растерянно блуждали по залу, почти не различая лиц. Конечно, там было много знакомых, но сейчас мне было не до них. И вдруг мой взгляд остановился, словно меня ударило током. В первом ряду, прямо напротив меня, сидел... Алан.

Этого не могло быть, никоим образом не могло! Алан жил в Америке, не подавал о себе никаких вестей, и я давно примирилась с тем, что не увижу его никогда. Вероятно, какой-то человек случайно оказался на него похожим, или у меня от волнения начались галлюцинации... Я стиснула фигурку бога до боли в пальцах, но галлюцинация не исчезла. Больше того, этот человек в первом ряду с явным интересом смотрел на меня. Наши глаза встретились. О, этот взгляд — единственный в мире, неповторимый! Его никогда не спутаешь! Теперь я была точно уверена, что это Алан.

Я спустилась со сцены. Кто-то подходил, поздравлял меня, но я ничего не видела и не слышала. Я ждала и искала только одного человека...

Он подошел ко мне в коридоре и сказал:

— Ну, здравствуй, Маша!

Если бы я еще была Машей, я, наверное, умерла бы на месте. Но я давно стала Марией, а Мария, как известно, — женщина сильная. Я устояла на ногах и с самой приветливой улыбкой произнесла:

— Алан! Какими судьбами?

— Долго рассказывать. — Он попытался улыбнуться, но улыбка получилась какая-то вымученная, натянутая. Наверное, ему было не так-то легко разговаривать со мной. — Ты так изменилась! Знаешь, пока я не услышал твою фамилию, все сомневался — ты или нет...

— А ты совсем не изменился, — сказала я. И это была правда.

— Ну, что ты! Я постарел, седой уже.

— Тебе идет седина, — сказала я. И это тоже была правда.

— Неужели? — Алан задумчиво посмотрел на меня. — Может, уйдем отсюда? Что скажешь, Маша?

— Можно, — ответила я.

Он осторожно, словно боясь прикоснуться, взял меня под руку, и я не отдернула свою руку. Господи, как мне стало страшно! Так, будто я провалилась в дыру во времени, ушла в другую темпоральную реальность!

Потом мы сидели в каком-то ресторане. И пили шампанское. Алан все смотрел на меня и произносил красивые тосты за мой успех. Конечно, он ничего не знал о том, что случилось со мной после его отъезда. Он вообще не знал, как я жила без него все эти годы, как умудрилась выжить. И мы ни словом, ни намеком не обмолвились о нашем прошлом...

— Ты давно в Москве? — спросила я так, словно это вообще ничего не значило.

— Не очень.

— Когда поедешь обратно в Америку?

— Может, и не поеду. Теперь и здесь можно жить, проектировать, даже строить. Все изменилось.

— Да, все изменилось, — как эхо, повторила я. — Но у тебя там семья.

— Знаешь, я ведь развелся, — ответил он, будто говоря о чем-то обыденном. — В моей жизни тоже многое изменилось.

— Понятно...

— А ты замужем? — вдруг спросил Алан.

Надо было ответить сразу, легко, не фальшиво, и в то же время без всяких намеков, чисто, прозрачно. И я сказала:

— В данный момент — нет.

— А где живешь?

— Снимаю квартиру. Там у меня и мастерская, и дом...

Он снова посмотрел на меня, и я почувствовала, что держусь из последних сил. Для него, наверное, это была случайная встреча, а я все еще любила его. Какого черта он оказался в зале! За что мне такие мучения!

— В гости не пригласишь? — спросил он, наливая очередной бокал шампанского.

В моей несчастной голове, как в калейдоскопе, промелькнуло множество возможных ответов. Ни за что! Конечно, да! Всегда, в любое время дня и ночи! И что-то еще, что невозможно было выразить словами.

— Знаешь, вообще-то я не одна, — произнес мой ставший непослушным язык. Это была правда. Нет, полуправда. Не совсем правда. Совсем неправда! У меня был любовник, но он никогда не являлся без предупреждения, и сейчас мне было абсолютно наплевать на него.

— Извини! — воскликнул Алан.

— Да ничего, — ответила я, отчаянно пожалев о том, что сказала. Может быть, можно еще это исправить? Или не надо? Господи, как страшно! Как же мне страшно! И я спросила: — А ты?

— В данный момент — один, — усмехнулся Алан. — Творческая пауза.

— Знаешь, Алан, — сказал мой уже почти онемевший язык, впервые назвав его по имени. — Вообще-то, я тоже могу сделать творческую паузу...

Он вдруг улыбнулся, улыбнулся совсем так, как много лет назад, когда смотрел на меня.

— Ты имеешь в виду совместную паузу?

— А почему бы и нет? — азартно произнес вырвавшийся на свободу из темных глубин моей души бесноватый холерик.

И все понеслось в разверзшуюся черную дыру.... Там были страсть и безумие, там был такой накал чувства, который почти невозможно выдержать. Там было прошлое и настоящее, смешавшиеся в едином миге безвременья... Но там не было надежды. И не было будущего. Потому что все изменилось, все стало другим, и мы сами стали другими. Мы были совсем чужими в этой новой, изменившейся жизни. И прижимаясь щекой к груди Алана, я понимала: это — в последний раз!

— Прости меня, Маша, — сказал Алан, уходя.

— Я давно простила тебя...

— Мы еще увидимся?

— Наверное, нет.

— Наверное, ты права, — сказал он, целуя мою руку.

И снова навсегда ушел из моей жизни...

ЧАСТЬ 2

Глава 1

УЙМИТЕСЬ, СОМНЕНИЯ СТРАСТИ...

$\mathcal{B}$ Москве стояла дурная, бестолковая зима. Люди одурели от затянувшейся оттепели и мрачной депрессушной темноты, а потом вдруг ударил мороз — ударил в душу ледяным кошмаром, и всем показалось, что в город пришло царство снежной королевы. Но не той, которая распродает шубы, а самой настоящей, андерсеновской — жестокой и бездушной. Но это тоже длилось недолго, и снова на смену морозу пришла кислая слякоть, разъедающая сапоги несчастных пешеходов и покрышки автомобилей едкой и грязной снежной кашей.

А в мастерской Марии Еловской было уютно и тепло, и разнообразные нежные цветы, заполнявшие помещение, как в бурно цветущем саду, создавали ощущение радости и весны. Чего здесь только не было! В кабинете Марии прекрасно себя чувствовал антуриум с красными и розовыми восковыми цветами, похожими на раскрашенные листья, по стенам игриво и своенравно вился декоративный плющ, и даже куст розы умудрялся цвести почти круглый год. В приемной бурно зеленели всевозможные пальмы, аспарагусы, папоротники, создавая ощущение тропической сельвы, в которую вторгся яркий элемент урбанизма в образе Влады. Там же раскинулась плантация самых разнообразных кактусов, с которыми Влада особенно подружилась. А в комнате у Каркуши и Дракулы вовсю цвели самые что ни на есть капризные азалии и цикламены, а также драцена, юкка и ховея поражали своей изысканной красотой и самих обитателей мастерской, и посетителей.

На самом деле комнатными растениями в офисе занимался исключительно Каркуша, который в душе был страстным садоводом, на практике — искусным специалистом. Он никому не разрешал без своего контроля даже просто поливать своих питомцев. Каркуша всю жизнь мечтал выращивать экзотические цветы, но, по иронии судьбы, работал не в оранжерее, а в бухгалтерии. Его жена, которая тоже была бухгалтером и работала в коммерческом банке, терпеть не могла любые виды сельскохозяйственной деятельности, а также всякую живность, и бедный Каркуша оставил последние надежды даже на самый маленький садовый участок. Дома держать цветы ему тоже не разрешалось, так как его супругой они, естественно, относились к одному из видов живности, и поэтому Каркуша реализовывал свою страсть в офисе, где никто его не осуждал, не критиковал, а, наоборот, все восхищались его удивительным искусством. Растения поднимали настроение, вдохновляли на творческие подвиги, быстро поглощали любую негативную энергию, если таковая возникала, и ежедневно доставляли радость всему дружному коллективу.

Надо сказать, что во всем остальном семейная жизнь Карла Константиновича складывалась просто замечательно, его жена была женщиной доброй, интеллигентной, по-своему любила мужа, заботилась о нем, как могла, и потому до развода у них, несмотря на столь сильные разногласия по поводу хобби Каркуши, дело до сих пор не дошло. В мастерской все любили не только самого Каркушу, но и его цветы, и поэтому офис стал для него вторым домом. А может быть, и первым. Во всяком случае, Карл Константинович был вполне доволен жизнью и раздвоением личности не страдал.

За прошедшие четыре месяца Родион Трубочкин успешно прошел испытательный срок, тоже вполне прижился в мастерской, хотя и не был декоративным растением. Он не замочил ни одной старушки, зато спроектировал очень красивый коттедж для владелицы парфюмерной фабрики. Эту клиентку мудрая Мария решила передать ему, так как на женщин Родион производил особо сильное впечатление, и это впечатление вполне могло сгладить любые проблемы и острые углы, возникающие при строительстве. Конечно, у молодого гения Трубочкина было много странностей: он то впадал в задумчивость и меланхолию, то вдруг затевал долгие, пространные рассуждения об искусстве, излагая свои мысли витиеватым языком и требуя ответной реакции аудитории. Но с этими безобидными, в общем-то, чудачествами все легко мирились, поскольку они явно перекрывались его творческим фанатизмом, невероятной работоспособностью и абсолютной, исступленной преданностью Марии Еловской. Кроме того, Родион не слишком часто досаждал окружающим своим присутствием и монологами об искусстве, так как с разрешения Марии мог работать дома. Зато каждый раз, когда он появлялся, в его неизменной папке были отличные эскизы, идеи и разработки новых проектов. Мария выделила Родиону, чтобы тот не расслаблялся, еще одного, совсем нового клиента — процветающего банкира, приятеля Танькиного Клинта Иствуда, и Родион уже успел что-то наваять и для него.

Сам же Клинт Иствуд еще со дня рождения своей будущей тещи прочно утвердился в семье Еловских, совершенно вытеснив из памяти родственников уныло рефлектирующий призрак Федора, и очень подружился с Георгием Малаховым, познакомившись с ним все на том же дне рождения Маргариты Николаевны за приятной беседой, домашней наливкой и дивными пирогами. Танька все это время благополучно жила со своим банкиром в любви и радости, и единственной помехой в их счастье было то, что Сергей, он же Клинт Иствуд, никак не мог стать законным членом семьи Еловских — супругом Тани и зятем Маргариты Николаевны, поскольку Федор категорически отказывался дать развод. Мария была уверена, что основная причина упорства Федора располагается в чисто материальной сфере, и от Федора пробовали откупиться, но тот вдруг встал в позу и гордо отказался от денег, заявив, что любовь не продается. Как бы там ни было на самом деле, адвокату Сергея приходилось пока довольно туго.

Что же касается Георгия Малахова и его будущего дома — тут все шло замечательно. Старый участок был приспособлен под автобазу, а новый оказался на удивление удачным и благоприятным во всех отношениях. Проект дома Мария сделала на самом высоком уровне, в строгом классическом стиле, и строительство уже шло вовсю. Мария вместе с Георгием каждую неделю, иногда по два-три раза, ездила на стройку, и оба были довольны. Правда, Марию немного удивляло, что Георгий до сих пор не проявил никаких тайных пороков, присущих практически любому заказчику, и был настолько покладист, что легко принимал все ее предложения, поощрял все ее фантазии и каждой новой идее радовался, как ребенок.

Малахову очень нравилось наблюдать за процессом строительства, но он, как и обещал с самого начала, действительно ни во что не вмешивался, полностью предоставив Марии авторский надзор. Конечно, ему нравилось наблюдать и за самой Марией, чего он особенно и не скрывал, но вел себя при этом тактично, корректно и скромно — в постель не тащил, вообще не приставал и все свое восхищение проявлял с почтительной дистанции. Между тем отношения между ним и Марией сложились самые что ни на есть дружеские, по-человечески близкие, при которых они до сих пор продолжали обращаться друг к другу на «вы».

Эта их трогательная дружба очень всем нравилась и поощрялась в мастерской, Малахов давно стал здесь всеобщим любимцем, и даже мрачноватый Кирилл работал для него с особым старанием и вдохновением. Конечно же, Влада, Дракула и Каркуша в своих задушевных беседах прочили его в женихи Марии, но при ней об этом, естественно, никто даже заикнуться не смел, хорошо зная нрав своей начальницы. Правда, Мария и сама обо всем догадывалась. А вот в ее семье делались довольно недвусмысленные намеки по поводу Малахова. Мария относилась к этому спокойно, делала вид, что ничего не замечает, и всячески старалась предотвратить или хотя бы оттянуть момент неизбежного объяснения. Сколько она ни вслушивалась в свое сердце, оно тихо молчало. Конечно, Малахов был человеком замечательным, но Мария не любила его. Она все еще любила Алана...

В тот день, когда спокойное течение жизни взорвали новые события и страсти, Мария приехала в офис позже обычного, с утра уже побывав на строительстве особняка Малахова. Войдя в приемную, она сразу же, буквально с порога, встретилась взглядом с незнакомой, интересной женщиной довольно выразительной и благообразной наружности, которая удобно расположилась на гостевом диване с длинной сигаретой в длинных и красивых пальцах. Поскольку клиенткой она быть не могла — о встрече Мария ни с кем не договаривалась, а на жену Каркуши, подругу Дракулы или маму Влады, которых Мария знала в лицо, женщина явно не походила, Мария подумала, что она, возможно, просто знакомая кого-то из сотрудников и зашла по какому-то делу. Поэтому и направилась было к себе в кабинет. Но тут к ней подбежала Влада и стала торопливо объяснять:

— Мария, это госпожа Кассандра. Она дожидается вас по очень важному и срочному делу... Понимаете, я не смогла ей отказать...

— Вообще-то, я никому встречу не назначала, да и рабочий день уже кончается... — сказала Мария, удивленно пожав плечами, и подумала: что за важная персона явилась к ней без предупреждения? Да еще с таким, мягко говоря, своеобразным именем...

Влада сунула ей в руку визитку, Мария мельком взглянула: «Центр магии Кассандры Магнис. Консультации по любым жизненно важным вопросам, а также экстренная психологическая помощь в проблемных ситуациях». На визитке значились телефон и адрес электронной почты.

«Господи, вот оно что!» — подумала Мария с тоской. Теперь ясно, к каким высоким сферам принадлежит ее неожиданная посетительница! Магнис! Ни мало ни много — сам дух света! Большой привет из древнегреческих мифов Парацельсу и госпоже Блаватской! Как изысканно, интеллигентно! Звучит, конечно, красиво, но от скромности эта дама явно не умирает. На самом деле наверняка круг ее «экстренной помощи» — снятие порчи, сглаза, коррекция кармы и биополя, талисманы, обереги, лечение всех на свете болезней, предсказания всего, гадания на все, ясновидение... яснослышание! Что там еще? Заговоры, вуду, рейки, сеть магазинов «Путь к себе»? Всего сразу и не вспомнишь! Так кто же эта очередная властительница человеческих судеб с громким именем — ведьма, сектантка или дипломированный психолог, маскирующийся под белого мага?

Мария всегда немного недолюбливала эту публику с загадочным, проницательным взглядом и снисходительной улыбкой полубожества, которому ведомы тайны мироздания. Их нетрудно распознать и по специфическому внешнему виду. Дамы почти всегда одеты в черное или красное, носят украшения в виде таинственных знаков и пользуются броской косметикой. У них даже интонации голоса особенные — какие-то астрально-сексуальные. Но в то же время Мария не могла не отдавать должное необычайной популярности всех видов их деятельности среди большинства женского населения, а также, как ни странно, существенной части мужского...

Тут таинственная госпожа Кассандра поднялась с дивана и неторопливо двинулась к Марии. Надо сказать, что внешне она совсем не подходила под общий стереотип. В ней не было ничего цыганского или демонического, если не считать проницательного взгляда не очень больших глаз стального цвета. Строгий деловой костюм, светлая блузка, модная стрижка золотистых, вьющихся волос, небольшие золотые серёжки с бриллиантами, которые, возможно, что-то и ещё символизировали, кроме материального благополучия, но выглядели при этом скромно и элегантно.

— Да-да, я знаю, — глубоким, бархатным голосом произнесла Кассандра. — Простите меня за вторжение, но дело у меня действительно срочное. — Говорила она спокойно, держалась уверенно, с достоинством. — У вас тут такая чудесная энергетика! Растения подобраны просто удивительно!

— Благодарю, — Мария вежливо улыбнулась. — Это заслуга моих сотрудников. — Но все подробности происхождения экзотического сада, конечно же, Мария рассказывать не стала.

— Меня уже представили. — Белокурая колдунья улыбнулась и протянула Марии руку: — Можно просто Кассандра.

— В таком случае я — просто Мария. Кажется, был когда-то такой мексиканский сериальчик «Просто Мария»? — Мария приветливо ответила на её пожатие. — Просто Мария... очень забавно!

Кассандра рассмеялась.

— Вы ироничны. Именно такой я вас представляла!

Мария заметила, что Влада смотрит на нее с напряженной тревогой и делает глазами какие-то знаки, но не поняла, о чем мисс Хай-тек так старательно хочет ее предупредить.

— Вам кто-то обо мне рассказывал? — на всякий случай настороженно спросила Мария.

— Ну, конечно! — воскликнула Кассандра. — Мы живем в насыщенном информационном пространстве. Ваша компания не нуждается в рекламе. Люди ходят к вам в основном по личной рекомендации, впрочем, так же, как и к нам. Конечно, я могла бы сказать, что просмотрела вас в астральном плане, вошла в ваше поле, узнала о вас с помощью ясновидения... — прошептала Кассандра с таинственной улыбкой, — но не думаю, что это вызвало бы у вас большое доверие.

— Однако и вы ироничны, — произнесла Мария.

Обе женщины рассмеялись.

— Если у вас действительно что-то очень важное и срочное, я готова! — произнесла Мария. — Вас устроит тридцать минут?

— Ну, конечно, — мягким голосом ответила Кассандра.

— Так чем я могу быть полезна? — спросила Мария дружелюбно. — Можно догадаться без ясновидения, что, вероятно, речь пойдет о проекте?

— Конечно, конечно, Мария! — Кассандра смотрела на нее с явной симпатией и одобрением. — Я обращаюсь к вам в первую очередь как к специалисту, профессионалу. Уверена, мое предложение вас заинтересует.

— Пройдемте ко мне в кабинет, — произнесла Мария и под встревоженным взглядом Влады скрылась за дверью вместе с Кассандрой.

Влада пережила несколько минут настоящего отчаяния и бросилась в ту часть офиса, где обитали мужчины. Конечно, именно эта госпожа Кассандра ничего особенно плохого ни ей, ни Марии не сделала, но Влада была уверена — обязательно сделает!

Девушка терпеть не могла и очень боялась всевозможных экстрасенсов и колдунов, и у нее были для этого свои основания. Дело в том, что несколько лет назад у Влады был тяжелый, неудачный роман с женатым мужчиной, который обещал развестись, но в итоге ее обманул. Влада была влюблена до беспамятства, не знала, что делать, и в отчаянии бросилась по рекламе в контору, подобную той, что значилась в визитке Кассандры Магнис. Ее приняли с распростертыми объятиями в уютном офисе и, конечно, обещали помочь за определенную плату.

Все, что происходило дальше, было похоже на страшный сон. Владой занималась прорицательница, которая вполне соответствовала стереотипу — черная одежда, пышные формы, яркая косметика, демонический взгляд. Она пронзала то Владу, то фотографию ее любовника этим демоническим взглядом густо подведенных глаз, в котором следовало видеть необычайную силу проникновения в суть вещей и магического воздействия, вела душещипательные беседы со своей клиенткой и, конечно же, с фотографией. Каждое необходимое действие по возврату любимого по прейскуранту стоило относительно недорого, но почему-то за одним неизбежно следовало другое. Кроме порчи, сглаза и родового проклятия, у возлюбленного обнаружилось еще и подселение чьей-то неприкаянной души. Колдунья сокрушенно вздыхала, сетуя на особую сложность случая клиентки, мучилась, страдала, потела, всем своим видом демонстрируя напряженную работу воли и духа. В итоге возлюбленного так и не вернули, а, наоборот, отправили куда-то подальше, поскольку любое общение с ним, по мнению наставницы, представляло огромный риск для здоровья и жизни Влады. Они вместе радовались, что с помощью тайных знаний удалось вскрыть суть проблемы и избавить Владу от нависшей над ней смертельной опасности.

Но самым ужасным оказалось не это. Весь букет магических действий в целом неожиданно вылился в астрономическую сумму, Влада влезла в долги и с трудом расплатилась со своей мудрой наставницей. Девушка попробовала заикнуться, что, поскольку результат получился не совсем тот, о котором договаривались вначале, сумму следовало бы уменьшить. Но наставница мягким голосом стала убеждать ее, что работа проделана настолько огромная и сложная, что стоит она на самом деле в два раза дороже, фирма и так идет для своей клиентки на большие уступки. Спорить было бесполезно. Влада поняла, что ее попросту обобрали, как последнюю дурочку, и покинула магический центр с ощущением, что его сотрудники ничем не отличаются от уличных и рыночных цыганок, только условия здесь лучше, а деньги, соответственно, намного больше.

Влада была тогда студенткой и начала срочно

искать работу, чтобы как-то расплатиться с долгами. В результате своего печального опыта она возненавидела на всю оставшуюся жизнь не только всех ясновидящих и прорицателей, но и своего горе-возлюбленного, так что в каком-то смысле результат оказался положительным. Именно в этот кошмарный период ей случайно повезло — она попала на работу к Марии. В жизни снова наступила светлая полоса, но, конечно же, от стыда за свою глупость эту историю Влада никому на работе не рассказывала.

— Ребята! — закричала Влада, врываясь в небольшую комнату, где за одним столом Дракула задумчиво просматривал какой-то архитектурный сайт в Интернете, а за другим Каркуша изучал договоры с клиентами. — Вы тут сидите, как два монумента, а Мария уже увела эту ведьму к себе в кабинет!

Мужчины оторвались от своих занятий и оба удивленно посмотрели на взбудораженную секретаршу.

— Ну, и что такого? — спросил Даглар.

Влада всплеснула руками, наполнив комнату множеством бликов от своих сверкающих рукавов.

— Как что? Надо что-то делать!

— Да ничего не надо делать, — спокойно ответил Дракула. — Я вообще не понимаю, чем тебе эта симпатичная тетенька так не понравилась? Я склонен думать, что она — очень выгодная клиентка, а ты зря разводишь панику. А, Каркуша, что ты скажешь?

— Пока не знаю, — ответил мудрый бухгал-

тер. — Я посмотрю, как отреагируют на нее мои
цветочки, тогда смогу сделать точный вывод.

— Вы — черствые, бездушные зануды! — воскликнула Влада. — Наш шеф в опасности, а вы даже задницы со стульев поднять не хотите!

— О, женщина! Паникерша моя сладкая! —
Дракула поднялся, обнял Владу, с трудом дотянул-
ся до ее бархатистой щеки и нежно поцеловал. —
Ты хоть видела, на какой тачке эта оккультная ле-
ди подъехала?

— Ну, видела, — сказала Влада, немного оттаяв
в объятиях красавца Даглара.

— Не бояться ее надо, а сделать из нее дойную
коровушку, курочку-наседку, которая нам всем будет нести золотые яички и высиживать из них
«Лексусы» и «Мерседесы» себе! — сладко произнес
Дракула. — Ты что, нашего шефа не знаешь? Она у
нас дама деловая, ради бизнеса любую колдунью в
бараний рог или вороний, извините — в коровий
хвост скрутит. Так что не волнуйся, подруга, все
будет отлично!

— Наверное, Дракуша прав, — поддержал его
Каркуша, — но...

— О, мужчина! — воскликнул Даглар. — Что за
фамильярность в обращении к великому графу?!

— А как лучше говорить — Дракоша? — ехидно
спросил Каркуша. — И «скрутить клиента в драко-
ний хвост», а? Хорошо звучит...

Даглар воздел руки к потолку.

— О, примитивная ворона! Каркуша, что за
ужасные, мстительные речи?

— Речи самые что ни на есть разумные, — ухмыльнулся бухгалтер. — Просто ты не даешь мне
договорить, вредоносный вампир. Я хотел сказать, что, пока не осмотрю свои волшебные цве-

точки, окончательное мнение насчет этой очаровательной ведьмы высказать не смогу!

— Ну, ты даешь! — возмутилась Влада. — Смотри, как бы она твои цветочки не уморила своими флюидами!

Даглар усмехнулся:

— Ладно, пойдем, Каркуша, подежурим у шефа под дверью, а то наша Владушка дойдет до нервного срыва. Красивых девушек надо беречь! Или мы с тобой не рыцари, не тамплиеры, не крестоносцы?

— Крестоносцы были кровожадные, — проворчал Каркуша.

— При мне о кровожадности — ни слова! — Даглар сделал страшное лицо и сверкнул глазами.

— Не пугайте, ваше упырьское сиятельство! Я — ботаник, у меня, можно сказать, кровь зеленая. И ваших ядовитых клыков я не боюсь.

— Ты — зеленая ворона! — воскликнул Даглар. — Ты даже не кактус, а самая настоящая зеленая ворона с зеленым, змеиным сердцем!

Влада, слушая весь этот треп, немного развеселилась и пропела, смешно приплясывая и пародируя певицу Линду:

— Ты — ворона, я — ворона, ты — ворона, я — ворона...

Каркуша вылез из-за своего стола, взял Владу под ручку. Дракула подхватил ее с другой стороны, и все трое, пританцовывая, двинулись в приемную.

В это время Мария вполне мирно вела переговоры со своей новой заказчицей. Кассандра сидела в кресле напротив Марии, и сейчас она казалась совсем не той женщиной, которую Мария увидела в приемной. С ней произошла какая-то невероятная метаморфоза — не было даже никакого намека на бизнес-леди. Что за наваждение, черт возьми! Посетительница выглядела сейчас чуть ли ни пришелицей из какой-то другой эпохи, окутанной легким облачком тумана прожитых веков. Может быть, она и правда из тех «ясновидцев, которых, впрочем, как и очевидцев, во все века сжигали люди на кострах»? И самое странное, что она просто на глазах продолжала меняться.

— Хотите, я скажу, что вы подумали, увидев мою визитку? — произнесла Кассандра с загадочной улыбкой Джоконды, поглядев Марии прямо в глаза.

— Это имеет отношение к вашему важному делу? — спросила в ответ Мария, чувствуя, что от взгляда стальных глаз этой женщины у нее по коже бегут легкие мурашки и начинает слегка кружиться голова. Перед ней — колдунья! Натуральная колдунья, очаровательная средневековая ведьма, случайно избежавшая костра инквизиции!

— Конечно, — произнесла Кассандра, словно откуда-то издалека. — Вы думаете, что к вам пришла очередная шарлатанка, которая гребет лопатой деньги на чужом несчастье. Но поверьте, это не так.

— А как? — спросила Мария, все еще находясь во власти непонятного наваждения. Вот ведь разыгралось воображение! Нет, надо почаще ходить в церковь, или пора обратиться к психиатру...

— Вы же — умная женщина! — воскликнула Кассандра, снова обретая свой нормальный человеческий облик. — Неужели вы думаете, что, если бы мы занимались просто шарлатанством, к нам шло бы столько людей? Поверьте, Мария, мы знаем, как работать с людьми, понимаем их нужды и умеем им помочь.

— Наверное, так, — ответила Мария, стараясь не отводить глаз от пронизывающего взгляда этой женщины и всеми силами сохранять самообладание.

— Вот и хорошо. Вы все понимаете, — проговорила Кассандра и вдруг перешла на таинственный шепот: — Вы — наша, такая же, как мы! Поэтому я и пришла именно к вам, Мария!

Эта Кассандра действительно словно по книге читала историю Марии...

Успех, которого Мария добилась, многим казался невероятным, фантастическим. Причины такого невероятного успеха для некоторых людей оставались загадкой, возбуждали любопытство, потому о Еловской и ходили разные удивительные слухи. Некоторые экзальтированные дамы — жены, а большей частью любовницы заказчиков — таинственным шепотом сообщали своим приятельницам:

— Она — колдунья! Не иначе, сам дьявол ей помогает...

— Что за чушь, — с усмешкой отвечала более продвинутая подруга. — Не завидуй! У нее прекрасный вкус, она очень способная, целеустремленная, работящая...

— Таких в наше время много, — шептала экзальтированная дамочка. — Но не всем же так везет, как этой! Ты посмотри — у нее и квартира, и дача, и три автомобиля! И поклонники, и слава, и премии! А сама держится так — близко не подойдешь! У нее и подруг-то нет!

— Ну что ты! Она очень приятная в общении

женщина, а что не каждому бросается в объятия — это нормально и правильно, — возражала умудренная опытом подруга. — В отношениях с людьми надо соблюдать дистанцию.

— Ну, как же ты не поймешь! — восклицала собеседница. — Я же не говорю, что она гордячка или хамка. Тут совсем другое. Клянусь тебе своим «Мерседесом» — она ведьма. А взгляд-то какой! Посмотрит — мороз по коже, словно насквозь пронзит! А дом у нее, говорят — прямо замок Дракулы...

— Уж не знаю, как насчет замка, а вот что у нее работает настоящий Дракула — это всем известно!

Версия о колдовстве бурно обсуждалась за спиной у Марии, строились всевозможные предположения о ее тесном общении с нечистой силой, но, поскольку никаких доказательств не существовало и никто расписку о продаже дьяволу души госпожи Еловской глазами не видел и в руках не держал, предъявить ей соответствующее обвинение не представлялось возможным. Сама же Мария сплетнями о себе не интересовалась, косым взглядам и шепотку за спиной значения не придавала. И продолжала жить своей замкнутой жизнью и проектировать красивые, удобные дома, в которых так прекрасно чувствовали себя заказчики.

На самом же деле ее блестящая карьера была результатом многолетнего, упорного труда. Конечно, кроме труда имелись еще и определенные данные, талант, некий дар, полученный в награду за пережитые страдания, так что какая-то доля правды в фантастических сплетнях все-таки была...

Возможно, все эти сплетни и слухи доходили и до Кассандры. И она не столько увидела Марию насквозь или прочитала, как по книге, ее жизнь и судьбу, а просто была хорошо информирована.

— Я поняла, — тоже шепотом ответила Мария, пристально вглядываясь в свою собеседницу и уже почти избавившись от внезапно вспыхнувшего короткого наваждения.

Лицо Кассандры снова выглядело приветливым, приятным, даже красивым, и взгляд был теперь немного усталый, умный, ироничный. Странная игра то ли этой женщины, то ли собственного разыгравшегося воображения уже не пугала Марию, а даже немного развлекала. Она подумала: а эта Кассандра и правда умна и проницательна. Отбросив всякую мистику, Мария почувствовала в своей собеседнице вполне достойного и подходящего партнера. И уже почти приняла решение помочь этой неординарной даме и ее магическому центру. Разговор изменил направление, пошел в сугубо деловом ключе, каждая из собеседниц умела ценить и свое, и чужое время.

Кассандра тоже внимательно следила за выражением лица Марии и, видимо, хорошо улавливала перемены, происходящие в ней. Она заговорила с легкой печалью в голосе:

— Дело в том, что наш центр располагался в довольно удобном районе, имел неплохой офис в сталинской пятиэтажке и никуда не собирался переезжать. Но внезапно одной крупной строительной компании приглянулось место, где мы арендовали помещение. — Кассандра горько усмехнулась. — У каждого — свой бизнес! Я понимаю и не могу их осуждать.

— И как скоро вы должны освободить помещение? — спросила Мария деловым тоном, снова чувствуя привычную уверенность в себе.

— Решение уже принято, дом будут сносить буквально со дня на день, а также и соседние дома, — в тон ей ответила Кассандра. — Нам надо срочно подобрать помещение для нового офиса, затем, тоже срочно и, конечно, с вашей помощью, сделать дизайн-проект и, по возможности, подготовить это помещение для скорейшего переезда, чтобы не потерять клиентуру.

— То есть времени в запасе нет, — констатировала Мария.

— Именно так! Подумайте, назовите цену. Средств у нас достаточно, чтобы оплатить вашу работу по самому высшему разряду.

— Вы умеете убеждать! — улыбнулась Мария.

Она обещала определиться со своей занятостью и дать ответ не позднее ближайшей пятницы — то есть через день. Кассандра вежливо поблагодарила за участие и собралась уходить, оставив небольшой рекламный проспект своего центра с перечнем услуг.

— Это на случай, если вдруг понадобится кому-то из ваших знакомых!

Она обещала любому человеку, который обратится к ней от имени Марии Еловской, существенную скидку. Мария, в свою очередь, предложила Кассандре зайти в ее ателье и ознакомиться с новыми моделями, на которые тоже обещала сделать скидку знакомым Кассандры. Но Кассандра сказала:

— Отложим до следующей встречи, Мария! Сейчас надо решить основную задачу!

На этом они стали прощаться, проникшиеся явной симпатией друг к другу. Через минуту Мария вышла проводить Кассандру в приемную и обнаружила под дверью весь свой коллектив в полном составе, включая молчаливого Кирилла и даже Родиона Трубочкина, который держал под мышкой свою неизменную папку. Не успела она даже слово произнести, как Дракула элегантно подхватил под руку новую клиентку.

— Вы позволите? Как джентльмен, я просто обязан довести даму до машины!

Кассандра улыбнулась, и они вместе вышли из офиса.

— Пожалуй, я тоже поеду, — сказала Мария и вскоре отправилась следом за Кассандрой и Дракулой, оставив Владу в растерянности и недоумении.

— Мария, подождите! — раздался голос Родиона у нее за спиной.

Мария обернулась.

— Мария, я хотел бы поговорить! — взволнованно произнес Трубочкин.

— Конечно, мы обязательно поговорим, — сказала она, все еще находясь под впечатлением от беседы с госпожой Магнис.

— Но... нельзя ли сейчас? — робко спросил Родион.

— Сейчас? — Мария посмотрела на часы. — У тебя что-то срочное? Проблемы с заказчиками?

— Нет, не срочное, не проблемы. Наболевшее, — вздохнул молодой гений, поспешая за энергичными шагами начальницы.

— Болеть вредно! — Мария улыбнулась. — Садись в машину. Я немного спешу. Если не возражаешь — поговорим по дороге.

Родион с благодарным видом уселся на сиденье рядом с Марией, и они выехали на улицу.

— Так что и где у тебя наболело? — спросила Мария участливо.

— Вообще, это долгий рассказ... — смутился Родион. — Но таить в себе я больше не могу!

Мария ужаснулась — ничего себе предисловие! Не хватает только, чтобы он начал сейчас объясняться ей в любви! От одной этой мысли ее охватила тоска.

— Только не сердитесь, Мария, — прошептал Родион. — Я постараюсь не отнимать вашего драгоценного времени! Но меня это давно мучает...

Мария терпеливо ждала, когда же он наконец разродится своей главной темой, втайне надеясь, что это все-таки будет не признание в любви, а нечто другое.

— Понимаете, Мария, мне очень нравится работать с вами, я просто счастлив... Но я никак не могу смириться с одной противоречивой мыслью! Мы проектируем только для богатых, очень богатых людей! А эти люди, ну, как бы лучше сказать... эти люди, мне кажется, не понимают, что такое искусство... Они не могут по-настоящему оценить, что им достается!

«Так вот оно что! — с облегчением подумала Мария. — Наболевшие проблемы закомплексованного юного дарования!»

Она усмехнулась.

— Хочешь сказать, Родион, что мы мечем бисер перед свиньями?

— Ну, зачем так грубо? — воскликнул он. — Я не совсем это имел в виду...

— А по-моему, как раз это! Твоя проблема заключается в том, что ты хочешь заниматься искусством ради искусства, а мы работаем на заказ. — Мария улыбнулась, посмотрела на Родиона. — Скажу тебе, мой дорогой, что проблема эта вечная. И, заметь, она не только мучила, но и вдохновляла художников с очень давних времен! Разве не на заказ спроектировали Парфенон Иктин с Калликратом? И недурно, скажу тебе, получилось! А Питер Пауль Рубенс, например, был придворным художником Изабеллы Австрийской. Охотно работал на заказ для местных аристократов, а потом для французского королевского дома. И оставил, скажу тебе, неплохое наследство! Разве не так?

— Все так, — печально произнес Родион, нервно заламывая пальцы, — я понимаю... и ничего не могу возразить. Но это — классика, высокое искусство! И время было другое! Но когда касается лично тебя, совсем по-другому ощущаешь. Я же не для королевского дома проектирую, а для новых русских! Я должен под них подлаживаться, и меня это безумно огорчает. Потому что я не хочу идти на поводу их дурного вкуса! Их дикости и самодурства!

— Так не иди! И скажи спасибо, что эти новые русские существуют! — воскликнула Мария. — Если бы их не было, вся наша архитектура не продвинулась бы дальше хрущевок. И сидел бы ты где-нибудь в Моспроекте, забившись в угол, и ни о каком индивидуальном творчестве даже не мечтал бы. Весь мир работает на заказ! Даже Заха Хадид — может быть, величайший архитектор современности, добилась настоящего успеха именно с помощью заказчиков.

— Вы лучше, чем Заха Хадид! — прошептал Родион.

Мария рассмеялась.

— Это — субъективное мнение. Притцеровскую премию за достижения в архитектуре присудили все-таки ей, а не мне. — И добавила уже серьезно: — Не знаю, может быть, я не убедила тебя, но научись ценить, что дает тебе судьба. А посоветовать могу только вот что: не прогибайся под заказчиков, не сдавайся натиску их дикости, сопротивляйся их невежеству, если оно есть, помогай им развивать вкус, воспитывай у них эстетическое чувство!

Родион вздохнул.

— Вы абсолютно правы, Мария. Мне опять же нечего возразить! — До сих пор у него дрожали только руки, теперь задрожал и голос. — Если бы, если бы... я вас не встретил, если бы вы не оценили меня, не взяли под свое крыло, не знаю, что стало бы со мной! Я бы погиб без вас...

— Не впадай в крайности!

— Это — не крайность! Это правда! Вы, вы необыкновенная женщина! Вы — моя наставница и светлый ангел, вы путеводная звезда...

— Родион, я не люблю лесть! — остановила его Мария без всякой иронии в голосе, боясь обидеть экзальтированного юношу, и подумала: «Ну вот, началось!»

— А я... — прошептал Родион с придыханием, словно что-то сдавило ему горло, — я люблю вас! С первой встречи, с первого взгляда... Конечно, я не смею ни на что надеяться, но вы должны это знать!

— Ну вот, я узнала. Спасибо за откровенность, — спокойно сказала Мария. А про себя все же подумала: «Боже мой! Интуиция меня не обманула! Как жаль!» — Помолчала минутку и произнесла дружелюбно: — А теперь забудем последнюю часть нашего разговора, так, будто ее и не было. И вернемся к нашим заказчикам.

— Вы, конечно, забудете, — прошептал Родион, — а я — никогда...

— Не зарекайся. — Мария улыбнулась, ласково посмотрела на него. — Жизнь переменчива. Все меняется — каждую секунду, каждый миг, просто мы не всегда это замечаем.

— Я... я вам... совсем безразличен? — спросил Родион с отчаянием в голосе.

— Тема закрыта, — сказала Мария чуть более строго, стараясь удержать дистанцию и в то же время не вызвать какую-нибудь неожиданную реакцию у влюбленного неврастеника. — Кстати, как тебе наша новая заказчица, эта Кассандра? — спросила она, чтобы сменить тему.

— Вам правда интересно мое мнение? — прошептал Родион.

— Конечно! Не просто интересно — важно! Может быть, я предложу работать с ней именно тебе...

Родион энергично замотал головой.

— Спасибо за честь, Мария, но я, знаете ли, с ней работать не хотел бы!

— Хм, я тебя не неволю. Но почему? — с интересом спросила Мария.

— Она не такая, за какую себя выдает!

— Ты уверен? — спросила Мария.

— Не знаю, ничего не знаю! — пробормотал Родион. — Вам виднее! Наверное, это моя впечатлительность... Я и видел-то ее мельком... Но мне она не понравилась. С ней страшно, опасно...

— Ладно. Спасибо за искренность еще раз! — Мария улыбнулась. — Где тебя высадить? У метро удобно?

— Да, да, конечно, спасибо... Вот здесь...

Мария перестроилась в правый ряд и стала среди грязных сугробов искать лазейку для парковки.

— Завтра можешь поработать дома, а в пятницу приходи, — сказала она. — Часам к двенадцати.

— Обязательно приду, — заверил Родион. — Мария, простите! Пожалуйста, не сердитесь на меня!

— Я совсем не сержусь, даже не надейся! — Мария остановила машину. — Все. Беги. До пятницы!

Она посмотрела, как он, чуть сутулясь, словно сжавшись, пошел к метро. У входа обернулся, и Мария махнула ему рукой. Родион взмахнул в ответ обеими руками, словно расправляя крылья для полета, и исчез из виду.

Глава 2

ЭТОТ БЕЗУМНЫЙ, БЕЗУМНЫЙ ДЕНЬ

Бывает же так, что все происходит в какой-то один день! Особого затишья в мастерской почти никогда не бывало, но выпадали дни относительного покоя. А в эту пятницу творилось нечто невообразимое.

Мария приехала в офис рано утром и сразу включилась в какой-то безумный ритм. Телефон звонил непрерывно, и Влада только успевала положить раскалившуюся трубку, как приходилось снова подносить ее к уху. Звонили все плановые и неплановые заказчики, звонили партнеры из строительной компании, несколько раз звонил Дракула, который в этот день вел переговоры с одним солидным Домом моделей о совместном показе новых коллекций одежды, он почему-то считал своим долгом докладывать о результатах чуть ли не каждые полчаса. В общем, в офисе был настоящий дурдом, и к середине дня у всех сотрудников распухли головы, а Влада почти сорвала голос.

— Да что они все, как с цепи сорвались, — ворчала она себе под нос, — работать не дают!

Мария закрылась в кабинете и пыталась сосредоточиться на делах. На столе — кипа бумаг, и все их необходимо просмотреть, проверить, подписать именно сегодня! Договоры с заказчиками, сметы на проектирование, Каркушин бухгалтерский отчет, предложения о сотрудничестве каких-то новых, неизвестных строительных компаний, распечатка рабочих чертежей последнего коттеджа, ответ на запрос в комиссию по санитарно-экологической экспертизе.... Все важно, ничего не отбросишь! Кроме того, надо было принять окончательное решение насчет центра магии Кассандры Магнис. Со дня ее визита прошло уже два дня, и откладывать ответ до понедельника Марии было уже неудобно.

С бумагами, к счастью, оказалось не так уж сложно, но вот с магическим центром возникли проблемы... Во время разговора с Кассандрой — дамой довольно-таки симпатичной, остроумной и в меру экстравагантной, все казалось ясным и прозрачным, и сразу хотелось сказать — да, я берусь за эту работу. В конце концов какая разница, чем занимается заказчик? Это его личное дело! Главное, как говорится, чтобы человек был хороший. Марии заказывали проекты не только очень богатые, но и очень известные люди, она оформляла квартиры бизнесменам и политикам, проектировала коттеджи банкирам и звездам шоу-бизнеса. И большинство из них, по счастью, были вполне приличными людьми, хотя, конечно, в них частенько присутствовало то, что так взволновало Родиона. Мастерская Марии в большой степени благодаря этим заказчикам уже несколько лет назад стала одной из самых престижных в Москве. Проекты и дизайн Марии Еловской — это была марка для избранных, это было модно, стильно и качественно. Потому никого и не удивляло, что важные персоны обращались именно сюда. Вот и Кассандра Магнис обратилась. Будет какое-то разнообразие, с магами и колдуньями Мария еще не работала. Казалось, все складывается нормально, но потом у нее почему-то стали возникать сомнения. Да и Трубочкин подлил масла в огонь. И чем больше Мария думала о своей предстоящей работе с госпожой Магнис, которой почти дала согласие, тем больше ей хотелось этой работы любым способом избежать. Как ни мила и умна была сама Кассандра Магнис, то, чем она занималась, почему-то настораживало и симпатии не вызывало.

Мария стала анализировать причины своих ощущений и, по своей излюбленной привычке, вступила в диалог с мысленным оппонентом. Этот оппонент принимал облик то добродушного домовенка, то коварного и ехидного червя сомнения, а диалог выглядел примерно так.

— Кассандра Магнис занимается своим бизнесом, и этот магический бизнес, вероятно, ничуть не хуже, чем туристический, медицинский, информационный и прочий, — убеждала сама себя Мария.

— Скажешь тоже! — усмехался невидимый домовенок. — Это очень грязный бизнес! Колдовать — грех, а уж за деньги...

— Нельзя относиться предвзято к профессии заказчика! — спорила Мария.

— А к людям — можно? — вступал ехидный голос червя сомнения.

— Не понимаю, — отвечала Мария.

— Не прикидывайся, — ухмылялся червь, — все ты прекрасно понимаешь! Тебе самой не нравится, что они помогают только богатым и только за большие деньги.

— Но разве я не делаю то же самое? — откровенно спрашивала Мария.

— Ты строишь, а они разрушают! — шептал домовенок. — Они влезают в человека и разрушают душу. Была бы у меня душа — близко бы их не подпустил.

— Ну, ладно, ладно, — вздыхала Мария. — Согласна. Кажется, даже на себе испытала! Что еще?

— Ты внимательно посмотрела буклет? — едко спросил червь.

— Вроде бы внимательно, — сказала Мария.

— А вот и нет! — усмехнулся червь. — Пролистала и бросила! Погляди-ка еще!

Мария взяла буклет, который лежал на ее рабочем столе. Сделан он был вполне грамотно, даже красиво, но к буклету прилагались еще какие-то печатные листки, на которые Мария раньше почему-то не обратила внимания. Это оказался перечень услуг центра. Мария стала читать, и постепенно у нее глаза полезли на лоб. Спектр услуг, напечатанный мелким шрифтом, был непомерно велик. Выглядело все так, будто, используя так называемую белую магию, можно помочь людям практически во всех жизненно важных проблемах — вернуть в семью сбежавшего мужа или жену; устранить измены супругов; избавить человека от одиночества, снять привороты, вылечить от алкоголизма и наркомании, исцелить от пристрастий к азартным играм; повысить потенцию у мужчин и добиться привлекательности и реального омолаживания организма у обоих полов. Кстати, о полах — проблему совместимости полов здесь тоже решали легко. Интересно, каких полов — паркета с ламинатом или плитки с линолеумом? Кроме того, в Центре обещали вылечить абсолютно от всех болезней, ведомых и неведомых Гиппократу и Авиценне. За один сеанс обещали устранить головные боли любого происхождения у детей и взрослых, а также радикулиты, сердечные боли, боли в суставах, онемение конечностей, циррозы, гепатиты, холециститы, атеросклерозы сосудов сердца, головного мозга, конечностей; выровнять разную длину ног; восстановить структуру межпозвонковых дисков без операции, у детей излечить последствия черепно-мозговых травм и эпилепсию, ночное недержание мочи, сколиозы всех степеней, исправить осанку, увеличить рост.... В списке значились также опущение и загибы матки, болезненные месячные, боли неизвестного происхождения, бесплодие, миомы, мастопатии; нефриты, нефрозы, пиелонефриты; простатиты, аденомы предстательной железы... И почти у каждого пункта стояла в скобках скромная надпись — «по фото». Дальше следовал большой список юридических услуг, в котором, правда, ссылки на фото не было.

— Ну, как? Убедилась? — хмыкнул червь.

— Да погоди ты, дай дочитать! — одернула его Мария.

— Читай, читай, читательница! — пропищал домовенок.

Мария прочитала целиком довольно длинный список, и он вызвал откровенное ощущение какого-то хитрого обмана, ловко завуалированного фарса. Все это напоминало старый анекдот, услышанный еще в детстве, и очень хотелось сказать: «Не верю!» Особенно впечатлило и насторожило то место, где говорилось о помощи в бизнесе. Кроме отсрочки долгов для одних и скорого возврата денег для других, защиты от вымогателей, шантажистов, помощи в получении кредитов, в покупке и продаже жилья, автомобилей и прочих видов собственности, в списке особо выделялось новое направление — устранение конкурентов.

— Интересно, и как же их устраняют? — вопросил домовенок.

— Кажется, в этом Центре работают наемные киллеры! — с сарказмом произнес червь сомнения.

Это было уже не смешно. Возражать Мария не стала.

— И ты хочешь в этом участвовать? — прошептал домовенок. — Может, и тебе конкуренты стали мешать?

— Смотри — не вляпайся! — проскрипел червь.

— Я-то не вляпаюсь, — уверенно ответила Мария.

— Что-то ты о себе слишком возомнила! — взвизгнул червь. — Если к тебе черт с рогами придет, ты ему тоже не откажешь?

— Да, госпожа Магнис, похоже, на самом деле и есть черт с рогами. Очень опытный, высоококвалифицированный, обаятельный и умный черт! Да еще мистификатор!

Мария отбросила список, захлопнула буклет, вздохнула и вышла в приемную. Там происходило нечто странное. Каркуша с озабоченным видом метался по офису, что-то бурно обсуждая на ходу с Владой, Даглар о чем-то шептался с Родионом, называя его то и дело «младший брат мой», и только Кирилл с невозмутимым видом сидел за компьютером, но как будто ничего не чертил, а торопливо просматривал в Интернете какие-то сайты.

— Что здесь происходит? — удивленно спросила Мария.

Каркуша неожиданно заявил, что его любимые цветочки плохо себя чувствуют. Еще вчера, после тщательного осмотра, он обнаружил явно проявившиеся признаки болезни сразу у нескольких растений. Весь день он непрерывно возился с ними, практически забросив свою бухгалтерию, но цветочки, несмотря на все его старания, не хотели быстро выздоравливать. А сегодня с утра цикламенам, розам и даже кактусам стало совсем плохо!

— Разве ты сама не заметила? — удивился Каркуша.

— Нет, — тоже удивилась Мария.

Ярая противница всякой магии и колдовства, Влада не сомневалась в истинной причине болезни растений. Сочувствуя Каркуше, она всячески ему помогала, бегая за ним с лейкой и какими-то флаконами, и то и дело бросала на Марию недоуменный, обиженный и почти осуждающий взгляд.

А тут еще и Каркуша чуть ли не со слезами заявил:

— Придется завтра выходить на работу, иначе

215

мои цветочки безвременно погибнут в расцвете сил от дурного глаза! Они — существа чувствительные, не выносят негативную энергию!

— Ну вот, пригрели ведьму! — страстно произнесла Влада вслух свои затаенные мысли. — Теперь приходится расхлебывать!

Мария не знала, почему именно Влада так ненавидит всех представителей потусторонних и высших сил, но вполне ее понимала и ничуть не осуждала, поскольку и сама их не слишком-то любила. Правда, у Марии были на то свои причины. Благодаря своему особому дару и тонкой интуиции она почти всегда легко отличала редких настоящих провидцев и целителей от многочисленных шарлатанов, стремящихся на человеческих бедах заработать как можно больше денег, и эти шарлатаны вызывали у нее глубокую неприязнь. Только госпожу Магнис Мария почему-то не сумела сразу раскусить. Возможно, и у Влады были какие-то свои причины для ненависти, которыми она не хотела делиться?

Но, как бы там ни было, поощрять такие наглые выпады своей секретарши Мария считала неправильным и сказала с усмешкой:

— Ты же сама ее впустила!

— А что было делать? — всплеснула руками Влада. — Она меня загипнотизировала!

— Скажи еще — закодировала, зомбировала! — усмехнулась Мария.

Влада насупилась, и тут вдруг возник Кирилл, радостно закричав:

— Нашел! Ребята, я нашел!

— И что же ты нашел? — с интересом спросила Мария.

Кирилл ничуть не смутился и сообщил:

— Нашел средство от дурного глаза!

— С вами все ясно, — ехидно произнесла Мария. — Всех отправляю в Кащенко, на профилактику!

И тут раздался очередной звонок. На этот раз звонил из комиссии по независимой экологической экспертизе некто Степанов, с которым Мария виделась когда-то мельком. Звали его, кажется, Герасим Ильич. Везло же Марии в последнее время на оригинальные имена! Один, по воле классика, должен был охотиться за старушками, правда, фамилия спутала карты и сберегла старушек от напасти, второй, по предсказанию другого классика русской литературы, намеревался утопить несчастную Муму, но, поскольку работал профессиональным экологом, собачек не топил, а, напротив, берег фауну и флору.

— Что-нибудь случилось? — спросила Мария удивленно. — Какие-то проблемы с нашими объектами?

— Нет-нет, с вашими объектами — никаких проблем, — заверил ее спокойный голос Степанова. — Но вы сами нам очень, очень нужны! Надеюсь, вы не забыли, Мария, что обещали с нами сотрудничать?

— Я не забыла, Герасим Ильич, но вы долго не обращались ко мне.

— Справлялись своими силами, — сказал Степанов, — зря беспокоить не хотели. А теперь нужна ваша помощь. Могли бы мы встретиться в ближайшее время?

— Конечно, если это необходимо, — согласилась несколько озадаченная Мария.

— Это необходимо для всех, драгоценный наш лозоходец! — ответил собеседник.

Услышав про лозоходца, она сразу поняла, что Степанов имел в виду ее способность находить патогенные зоны. Что ж, в этом она всегда готова помочь! Ближайшим свободным днем у нее был вторник следующей недели, и Мария обещала приехать в комиссию во вторник с утра. Степанов посетовал: мол, во вторник поздновато, дело-то неотложное...

— Тогда ловите меня сами! — ответила Мария. — У меня запарка.

— Попробую поймать, — усмехнулся Степанов.

Закончив с комиссией, Мария снова собралась набрать телефон Кассандры, и тут у нее зазвонил мобильный.

— Да, что-то тут не чисто, — подумала Мария, — что-то будто нарочно отводит мой звонок.

Она решила больше не поддаваться на провокации судьбы, магов и кого бы то ни было, отключила мобильный и позвала Владу.

— Соедини меня с этой вашей любимой ведьмой, а то мне никак не дают ей позвонить!

Влада посмотрела на нее с немым вопросом и скрытой мольбой. Мария улыбнулась и погрозила:

— Кащенко не отменяется!

— Сейчас соединю, — прошептала Влада и отчаянно замотала головой, показывая на дверь. — Там — посетитель.

— Знаешь, мне сейчас плевать на всех посетителей! — рассердилась Мария. — Или немедленно соедини меня с госпожой Магнис, или я дозвонюсь ей сама и попрошу прислать бригаду целителей и чистильщиков для ваших дурных мозгов!

— Все, все! — Влада попятилась и буквально через минуту соединила Марию с центром магии.

218

— Мария, рада вас слышать! — произнесла Кассандра приветливым и немного томным голосом. — Надеюсь, вы не передумали с нами сотрудничать?

— К сожалению, передумала, — ответила Мария. — Все прикинула, просчитала, но по времени никак не получается. Вы уж меня простите, но... никак!

— Ни за что не прощу! — воскликнула Кассандра. — Давайте считать ваш ответ шуткой. Вы не должны отказываться! Я готова подождать до понедельника, а вы обдумайте все еще раз. Вы нам очень нужны, Мария.

— Кассандра, я все уже обдумала, — спокойно откликнулась Мария. — Мой ответ окончательный.

В трубке наступила тишина. Длилась она недолго, но в ней чувствовалось что-то неприятное, даже зловещее.

— Вы делаете ошибку, — заговорила Кассандра после паузы. — Серьезную ошибку. Нам необходимо встретиться еще раз!

— До свидания, — сказала Мария мягким голосом, не обращая внимания на скрытую угрозу в словах собеседницы.

— Если все-таки передумаете, звоните в понедельник, — сказала Кассандра.

— Всего вам наилучшего! — весело ответила Мария и мысленно добавила: — «До встречи в астрале, дорогая ведьма!»

Мария взяла сигарету и вышла в приемную.

К ней бросилась Влада, повернулся от компьютера Кирилл, с надеждой посмотрел Каркуша, сверкнул глазами Дракула, а Родион смущенно прятался за спины остальных и наблюдал, словно из засады.

— Итак, сообщаю — с центром магии мы не работаем. Я отказалась! — громко произнесла Мария.

Все заликовали. Влада обнялась с Каркушей, и даже на малоподвижном лице Кирилла вдруг засияла улыбка.

— Чего вы так радуетесь? — удивленно спросил Дракула. — Такое выгодное предложение! Они же деньги лопатой гребут!

— Как бы нас не загребли, — скептически заметил Кирилл.

— Мы все тебе объясним, Дракуша! — прошептала Влада.

— Насколько предложение было выгодным, мы очень скоро узнаем, — весело сказала Мария. — Думаю, в ближайшее время наш офис подвергнется атаке темных сил, так что будьте начеку и выставляйте защиту. А ты, Кирюша, средство от дурного глаза прибереги, может пригодиться!

И тут Мария увидела наконец посетителя, который, как и положено посетителям, сидел на гостевом диване. И был это не простой посетитель, а не кто иной, как Герасим Ильич Степанов собственной персоной. Мария поразилась. Откуда он взялся? Они говорили по телефону всего минут двадцать назад!

— Интересные у вас разговоры! — с улыбкой сказал Степанов, поднимаясь ей навстречу.

— Конечно, у нас и жизнь интересная, — ответила Мария. — Но как вы тут оказались так быстро?

— Вы же сами сказали — «ловите меня». Да не удивляйтесь! Я проезжал на машине мимо вашего офиса, набрал номер... Дай, думаю, сразу и загляну, раз вы на месте. Вот и поймал! И знаете — с твердым намерением немедленно вас похитить.

— Да, день сегодня действительно безумный! — произнесла Мария.

— Каков мир, таков и день, — ответил Степанов. — Так вы готовы к похищению?

— Наверное, у меня нет выбора, — улыбнулась Мария.

— Тогда поехали, — сказал Степанов. — Поговорим по дороге. Потом доставлю вас обратно. В целости и сохранности, надеюсь.

Чем-то этот Степанов напоминал ей Георгия Малахова — и манерой говорить, и даже внешним видом: такой же крупный, с открытым лицом, только возрастом немного постарше.

— А это надолго? — спросила Мария, чувствуя явную симпатию к защитнику прав природы.

— Точно сказать не могу. Многое зависит от вас.

— Тогда сделаем так, — быстро решила Мария: — Раз уж мне от вас не отвертеться, потом вы отвезете меня домой. — Дракула, — обратилась она к Даглару, протягивая ему ключи: — Тебе поручение. Отгони мою машину на стоянку. Не хочу мотаться по пробкам и возвращаться в офис.

— О, госпожа, ваша просьба — закон! — воскликнул Даглар, убирая в карман ключи. — Ваш драгоценный «рафик» будет ждать вас, надеюсь, тоже в целости и сохранности.

Зимой Мария ездила на джипе «RAV-4», который с любовной фамильярностью называли в офисе «рафиком». Хорошо, что не козлом!

Степанов уверенно взял Марию под руку и повел к выходу.

Пока они ехали по городу, Степанов начал обстоятельно вводить Марию в курс дела.

— Вы уж извините, Мария, что я вас так умыкнул, без предупреждения, — сказал он. — Но ситуация действительно серьезная!

— Я поняла, иначе бы с вами не поехала, — сказала Мария.

— Спасибо за понимание! А дело в том, — говорил он озабоченно, — что одна очень крупная и влиятельная строительная компания совместно с не менее влиятельными инвесторами выкупила большой участок земли под элитный жилой комплекс. А строить комплекс в этом месте, по всем показателям, не просто опасно — категорически нельзя!

Мария удивленно посмотрела на него.

— Тогда почему же они собираются строить?

— Вы сами прекрасно знаете, какая у нас в стране ситуация! — воскликнул Степанов. — Многие объекты до сих пор строят без заключения санитарно-экологической комиссии. В Подмосковье, например, вообще беспредел творится. Нет абсолютно никакого контроля! Со стороны санэпидстанций, в частности. Экологической экспертизы тоже никакой нет до сих пор. Мало того — поселки возникают и формируются без очистных сооружений. Каждый строит, как может, и редко у кого есть очистные сооружения хотя бы на свой дом, на собственный участок. А уж чтобы они были централизованные, на весь поселок, таких случаев вообще единицы!

— Но это — Подмосковье, — сказала Мария. — Знаю, там и сейчас ляпают что угодно. Строят вообще без проекта, каждый сам себе архитектор. И плодят диких уродов! Конечно, за взятку можно любое районное начальство уговорить подписать разрешение на этот кошмар! Но в Москве...

— А вы думаете, в Москве намного лучше? — усмехнулся Степанов. — Одна видимость! У нас вроде бы есть полномочия, государственная поддержка, но некоторые все равно умудряются нас обойти. Вот и эти хотели, видимо. Кому надо, заплатили сколько надо, и... Вы же сами сказали: за хорошую взятку можно получить все что угодно. Все действительно решают деньги! Но информация просочилась. К сожалению, слишком поздно, на участке уже начинают подготовительные работы, со дня на день будут сносить старые пятиэтажки. Тем не менее мы обследовали территорию, сделали геологическую подоснову, связались с диггерами. И пришли в ужас: в том месте глубокий разлом, старые коммуникации в аварийном состоянии. Везде такие пустоты, что только тронь — все может рухнуть! Вы же знаете: там, где могли простоять пятиэтажки, высотные дома почва не выдержит.

— Это любому архитектору ясно, — сказала Мария.

— К сожалению — не любому. Не все такие продвинутые, как вы!

— Вы меня не перехваливайте, — смутилась Мария.

— Да я не перехваливаю, говорю, что есть! — убежденно произнес Степанов. — Мы за вами давно наблюдаем, все ваши объекты тщательно обследовали. Домики что надо и стоят — лучше не придумаешь! И ориентация по сторонам света, и защитная зона вокруг... Растения вы тоже умеете подбирать. И про ваш бесценный дар мы наслышаны. Поэтому и решили предложить вам сотрудничество.

— Так вот оно что... — рассмеялась Мария. — Выходит, я давно у вас на крючке?

— А как же! — улыбнулся в ответ Степанов. — Сейчас столько всяких фэншуистов развелось... и биолокацией все, кому не лень, занимаются... Уж если у нас что в моду вошло — все туда, как раньше на демонстрацию! Только вместо транспарантов — реклама, а там на девяносто процентов — шарлатаны. Настоящий дар и знания — большая редкость!

— Спасибо, только вы меня смущаете, — сказала Мария. — Вдруг я не оправдаю ваши надежды?

— Еще как оправдаете! — воскликнул Степанов. — И давайте без эмоций. Дело есть дело. Вернемся к нашему комплексу. В общем, кроме этого старого жилого микрорайона, фирма захватывает еще большую территорию пустыря, совершенно не пригодную для строительства. Там поверхность строительной площадки переходит в оползень. Помните, как было со зданием Академии наук на Воробьевых горах?

— Да я на него, когда мимо проезжаю, всегда со страхом смотрю! — сказала Мария. — Того и гляди — сползет с горы на церквушку, на людей!

— То-то и оно! Но тогда вообще творилось беззаконие, и сколько геологи и экологи ни боролись за сохранение парка, сколько ни пытались сопротивляться строительству, этот кошмарный комплекс все равно воздвигли. Оползень как-то укрепили, но здание-то все равно потихоньку сползает! А когда позже обследовали территорию, такое мощное излучение обнаружили, что мало не покажется. Слухи об этом просочились, и всем уже известно. А что толку? Сносить же его не станут!

— Хотите сказать, Герасим Ильич, что с этим элитным комплексом будет то же самое? — спросила Мария.

— Как бы хуже не было! — сердито произнес Степанов. — Мы проверили место своими приборами. Они зафиксировали довольно мощное патогенное излучение. Конечно, наши приборы несовершенны — все это только разрабатывается, развивается, возможны ошибки, неточности. Но в целом ситуация все равно катастрофическая. — Степанов усмехнулся. — В общем, выходит, элитный комплекс над преисподней. Добро пожаловать в ад, господа покупатели квартир!

— Ну, и шуточки у вас! — произнесла Мария. И спросила: — А кто проектировал этот адский комплекс?

— Да комплекс-то не адский! — вздохнул Степанов. — Сам по себе проект хороший, грамотный. Только без учета привязки! Проект готов и разработан полностью, вся документация в порядке, кроме заключения нашей комиссии. Автор проекта — известный архитектор, совладелец строительной компании. Мы уже беседовали с ним. Но сами знаете, когда речь заходит о патогенных зонах, на тебя смотрят, как на сумасшедшего. Мол, мистика... Бермудский треугольник нашли... И где, в Москве! Может, тут еще и НЛО приземлились? Или ведьмы на шабаш собираются? В общем, скепсис жуткий! У нас это дело новое, с одной стороны — говорят, пишут, даже учебники выходят, а с другой — никто не хочет всерьез принимать, никто не верит! Все грамотные, умные! Мы, с их точки зрения, занимаемся каким-то

Слово эниология воспринимается чуть ли не как ругательство. И попробуй докажи, что это наука. И сколько мы ни приводили в качестве аргументации подтверждений наших соображений геофизиками, биологами, медиками — все без толку! Потому что на самом деле все решают деньги.

— Да, картина мрачная, — сказала Мария задумчиво и спросила с сомнением: — А почему вы все-таки решили пригласить меня, если и так имеете достаточно полную картину?

— Да я же вам сказал! — воскликнул Степанов. — В том-то и дело, что нам нужно окончательно убедиться, что мы не ошибаемся. Нужно, так сказать, последнее звено в цепи соединить, последний гвоздь забить!

— А вы уверены, Герасим Ильич, что я такой хороший эксперт? Что именно я сумею забить тот самый гвоздь? Я ведь всего лишь практик и тоже могу ошибаться. Наверное, есть лучшие лозоходцы, чем я.

— Лозоходцы у нас есть, и рамки, и приборы. Все есть! — произнес Степанов. — А вот вашей интуицией, к сожалению, наши эксперты не обладают. И доверять именно вам я очень склонен по многим причинам. Знаете, открою еще один секрет — меня в этом Жора окончательно убедил. Он рассказал, как вы обследовали его участок и спасли его от болезни и преждевременной смерти.

— Жора? Не Георгий ли Малахов? — удивилась Мария.

— Он самый!

— Так вы знакомы?

— Не просто знакомы, — улыбнулся Степанов. — Он — мой младший брат по матери.

— Так вот почему вы похожи! — воскликнула Мария. — Я сразу заметила, только мне в голову не пришло, что вы родственники. Вот ведь как тесен мир!

Говоря так, Мария еще не знала, насколько действительно мир окажется тесным, сконцентрировав на одной территории, вокруг одной геопатогенной зоны столько неожиданных факторов, которые касаются именно ее!

— Больше того, я его на вас и вывел, — признался Степанов. — А Сапрыкина мы оба знаем, вот он на него и сослался, чтобы меня не раскрывать.

Мария пытливо посмотрела на Степанова.

— Значит, решили мне проверку устроить?

— Ну, в какой-то степени. А главное — брату хотел помочь. Я для него не авторитет — вы же знаете, что нет пророка в своем отечестве, — а вы его убедили.

— Да, тесен мир... — задумчиво повторила Мария, глядя в окно машины. И вдруг заметила, что едут они по какому-то невероятно знакомому месту. Разговаривая со Степановым, она совсем не следила за дорогой и не сразу поняла, куда он везет ее. А тут что-то из пейзажа за окном зацепило, кольнуло, откуда-то повеяло прошлым. Кажется, где-то здесь стоял тот самый двухэтажный дом на пустыре, где она когда-то жила с Аланом. Нет, такого просто не может быть, это уж слишком!

Мария ни разу не была в этом месте с тех пор, как уехал Алан. Конечно, ее тянуло сюда, но слишком было больно и тяжело. Как же все изменилось за двадцать с лишним лет! Но район действительно тот. И уж не на том ли самом пустыре кто-то собрался строить элитный комплекс? Господи, опять — мистика, галлюцинация, бред! Безумные игры судьбы! Перекрестки времени!

Неужели они с Аланом жили в патогенной зоне? Может быть, именно поэтому ему было так плохо, так хотелось уехать? А окажись они в другом месте — все сложилось бы иначе? Все эти мысли стремительно и сумбурно пронеслись в голове Миарии.

— Приехали, — объявил Степанов, вырвав ее из плена прошлого.

Они остановились неподалеку от участка, обнесенного высоким забором, за которым виднелись пятиэтажки с темными окнами, окруженные различной строительной и разрушительной техникой. Выглядело все это довольно мрачно.

— Пошли на разведку, — сказал Степанов, помогая Марии выйти из машины.

Над территорией будущей стройки красовалась крупная надпись: «Строительство элитного жилого комплекса «Манхэттен». Рядом был написан номер телефона, по которому надо обращаться по вопросу покупки квартир и подземных гаражей.

— Странное название, — удивилась Мария. — Что за американизм?

— Да главный архитектор, говорят, долго в Америке жил. И сейчас часто туда летает, предприятие у него совместное, строит по американской технологии.

Мария почувствовала, как у нее что-то оборвалось внутри, сердце едва не вырвалось из груди. Наверное, именно так ощущают себя старые дома, когда их взрывают или разрушают ударами стенобитной машины.

— А как его фамилия? — чуть дрогнувшим голосом спросила Мария.

— Запамятовал. Уж извините, — сказал Степанов. — Ну, это мы легко узнаем, встречи с ним все равно не избежать. Возможно, вы его и знаете...

«Да, кажется, я действительно знаю его. Степанов попал в самую точку. Мир не просто тесен, похоже, он завязан в тугой узел, — подумала Мария. — При этом под ногами у тебя в любой момент может оказаться ловко спрятанный капкан или старая, давно забытая и проржавевшая мина... Вот и надпись — «опасная зона». Да уж опаснее не придумаешь! За что же такое ужасное испытание? Смогу ли я быть объективна? Не замутит ли, не собьет ли мои ощущения лозоходца мое личное переживание, память о прошлом?»

— С вами все в порядке? — участливо спросил Степанов.

— Да, я просто задумалась, — рассеянно ответила Мария.

Они двинулись прямо туда, где угрожающе виднелась надпись «опасная зона». Их попытался остановить какой-то человек в спецовке — то ли рабочий, то ли сторож, но Степанов сунул ему под нос свое удостоверение и решительно двинулся вперед, придерживая под руку Марию.

Когда они прошли в глубину огороженной территории, Мария сразу почувствовала то же самое, что было с ней на участке Малахова, только намного сильнее. И страшный, нарастающий шум в ушах — это кричали дома и стонала под ногами земля. Ощущение было жутковатое. Мария испытала его впервые давно, очень давно, когда как потерянная бродила по городу, вглядываясь в его скрытую жизнь, вслушиваясь в его напряженный ритм, но привыкнуть к этому никак не могла. Каждый раз ей казалось, что она — маленькая песчинка во власти каких-то непостижимых, космических сил.

Они обогнули одну из пятиэтажек с унылыми стенами из серого кирпича и опустевшими глазницами окон.

— Взрывать будут? — спросила Мария.

— Похоже на то, — ответил Степанов. — Работают они по самым современным и прогрессивным технологиям, как говорится — без шума и пыли. Только применяют их без царя в голове!

— Ну, без шума и пыли это вряд ли! — сказала Мария и тут увидела вдруг у подъезда дома наполовину отбитую вывеску, на которой отчетливо виднелась надпись: «Центр магии и целительства Кассандры Магнис».

Вот и еще сюрприз! Да, огромный мир оказался уж слишком тесен! Все, как в современной рекламе — три в одном! Может быть, и четыре, и пять? Сколько там «временны́х веревочек» сплелось в одном узле? Что еще ждет ее впереди? И Марии показалось, что тугой узел, в который завязан этот слишком тесный мир, стягивается петлей на ее шее...

— Ну и местечко... Чем тут только ни занимались! Страшно, аж жуть! — прошептала она, вцепившись в руку Степанова. — Действительно, как над преисподней! Сигналы идут отовсюду! Полный комплекс патогенов всех видов — гео, био, техно. Правильно такие места раньше называли гиблыми, они не для жизни.

— Так я и думал, — мрачно ответил Степанов.

— Только подземных гаражей здесь не хватало! — произнесла Мария. — Для водного транспорта Харона, по реке Стикс, в царство мертвых!

Степанов с улыбкой посмотрел на Марию. Но вдруг заметил, что выглядит она странно. В глазах нездоровый блеск. Она показалась ему особенно бледной, на лице, несмотря на мороз, выступили капельки пота.

— Можете идти дальше? — спросил он с тревогой. — Или вам нехорошо? Тогда давайте уедем.

— Нет. Я могу! Со мной все в порядке! — с мрачным азартом сказала Мария, решительно бросая вызов судьбе. — Здесь большая работа, надо обойти и осмотреть все. И этот пустырь над обрывом — тоже. — Она наклонилась, подняла с земли небольшую сломанную ветку, заканчивающуюся раздвоенной рогатиной, и воскликнула: — Вот то, что мне надо! Для точности воспользуемся древним прибором, раз уж вы меня окрестили лозоходцем. — И Мария подняла свое импровизированное орудие высоко над головой.

— Отважная женщина! Вы просто сама богиня Диана! — с восхищением произнес Степанов, глядя на нее.

— Значит, отправляемся на охоту! — возбужденно произнесла Мария. — А потом надо будет встретиться с президентом этой фирмы. И с архитектором комплекса. Кажется, мне будет что сказать ему...

— Кстати, вот ведь склероз! У меня же его визитка! — Степанов достал из бумажника небольшую глянцевую карточку и протянул Марии.

Она взяла ее, взглянула, скрывая липкий, отчаянный страх, ползущий изнутри, и все еще надеясь, что, может быть, произошла какая-то ошибка, невероятное, безумное совпадение, это окажется не он... Но факты были уж слишком красноречивые. И интуиция, черт бы ее побрал, не подвела и на сей раз. Конечно, автором проекта был Алан.

«Интересно, он сам выбрал место для своего элитного комплекса? — думала Мария, теребя в руке визитку. — Может быть, захотел воздвигнуть памятник своему прошлому и безумной и навсегда ушедшей любви?» Что бы там ни было, а встретиться с ним придется, и совершенно неизвестно, во что эта встреча выльется. И куда вообще понесет теперь ветер судьбы свой волшебный и печальный корабль, раздувая парус опрокинувшегося времени...

Глава 3

ЕЩЕ ОДНО ОТКРОВЕНИЕ
С ЛЮБИМЫМ ДОМОМ,
ИЛИ ТАЙНАЯ БЕСЕДА МАРИИ С САМОЙ СОБОЙ

«Нет, в городе оставаться невозможно! — думала Мария, несясь по ночному шоссе вдоль зимнего леса, покрытого тяжелыми хлопьями снега. — Хотя бы два выходных — но мои! И — никого, и — никому, и — ни с кем! И никаких воспоминаний, никаких рефлексий! Холодный разум включить на полную мощность и давить на него, как на педаль газа! И полный — вперед! Потому что надо что-то сделать, надо решить, найти пути. Надо разобраться в причинно-следственной связи всех последних событий. Возможно, я чего-то не заметила, не учла в системе пространственно-временных координат. И ведь это только начало! Что будет дальше? Нет, нет, без паники! Кипит мой разум возмущенный и в смертный бой идти готов! Но с кем — на бой? Вот ведь — обложили: Степанов, Малахов, патогены, разломы, оползни, пустыри, Алан, да еще и Кассандра...

Почему меня преследует давнее прошлое? И жизнь, как нарочно, неожиданно подсовывает это прошлое, которое словно специально затаилось в самых неподходящих местах. А может быть, как раз в подходящих? Может быть, я просто чего-то не понимаю?

Но что за странная пелена застилает взгляд? Господи, что это? Нет, просто ветер поднялся. И снег сыплет в лобовое стекло. Конечно, ему и положено быть — снегу! Все-таки зима, декабрь, скоро Новый год! Что он принесет — этот Новый год? А кругом — сплошное месиво, и кажется, не едешь, а летишь в густой белой мгле... Ну, вот и знакомый поворот, наконец! Кажется, доехала, еще немного, и скажу — ну, здравствуй, домик! А что он мне ответит? Что-нибудь, да ответит... И мигнет всеми фонариками, и растопит застывшую душу своим теплом...»

И вот я сижу, забравшись с ногами в кресло, и пью свое любимое красное вино.

За окном беснуется ветер, бросая лавины снега. Темно, только где-то горит фонарь, едва проглядывая сквозь снег. А в комнате тепло, в камине громко трещат поленья. Где-то по дому своими путями бродит соседский кот Бандит, который опять умудрился ко мне забраться, хотя все окна закрыты. А домовенок Тишка затаился до поры до времени, выжидая, когда можно будет подать о себе знак. Сегодня я признаюсь ему, что на самом деле я — Маша. То есть что Мария и Маша — одно лицо. Они настолько стали сливаться, что я уже почти не могу их различить!

Домовенок — это, наверное, голос моего сердца или души, червь — голос разума. Третье — я сама, моя профессия, мой облик, имидж, то есть форма — здание, дом.

Так что произошло? Случайность? Как бы не так! Все завязалось в узел, и узел стягивает шею. Вероятно, я куда-то вляпалась, несмотря на предостережения своих внутренних оппонентов. Или меня вляпали, и все неожиданно пришло в движение, за каждым поворотом — новый поворот, за каждым наворотом — новый наворот!

И только покажется — что-то я уловила, разглядела, поняла, таинственная система, в которой все связано каким-то непонятным мне образом, тут же выкидывает новый финт, сбивает с толку, и я начинаю чувствовать себя беспомощной песчинкой в ее фатальной игре. Мне надо найти пути в этом лабиринте, надо хотя бы попытаться развязать узел на собственной шее!

Итак, что мы имеем?

На столе передо мной лежит визитка главного архитектора российско-американской компании «Манхэттен» Алана Сильвестровича. Маленькая такая карточка, и буковки на ней мелкие, а цифры — покрупнее. Телефон служебный и мобильный. Это не воспоминания, это самая настоящая реальность, сегодняшний день. Надо взять и набрать номер. И повод для этого есть, и вопрос можно задать — как там у тебя дела с элитным комплексом на развалинах прошлого, где когда-то цвел жасмин? Ты решил воздвигнуть памятник нашей любви в патогенной зоне, над преисподней, которая разверзнется в любой момент и поглотит память об этой любви? Или у тебя другая причина?

Кстати, о жасмине — как он умудрялся тогда так бурно цвести? Может быть, двадцать пять лет назад в этом месте еще не было сплошной патогенной зоны? Может, произошло какое-то смещение, разлом увеличился, к нему добавились старые, прогнившие, полуразрушенные коллекторы, образовались свищи, и через них так и хлещет из недр земли тяжелой болезнью...

И вот что еще непонятно — как колдунья Кассандра не почувствовала излучения? Или она все-таки шарлатанка? Или, может быть, она питается негативной энергией и от нее получает магическую силу? Что ж, пора звонить.

В трубке — длинные гудки. Три, четыре, пять... «Может быть, никто не подойдет?» — думаю с тайной надеждой. И считаю — раз, два, три, четыре, пять, вышел зайчик погулять...

— Я вас слушаю, — произносит такой знакомый голос Алана после седьмого гудка.

— Здравствуй, Алан, — спокойно, насколько могу, говорю я. — Это Мария Еловская.

— Маша? Ты? Какими судьбами? — удивляется он. Но не пугается, не теряется. Все прошло, давно прошло.

— Извини, что беспокою, но надо поговорить. Разговор деловой, серьезный.

— Ты меня пугаешь! — смеется Алан. — Почему такой официальный тон? Мы ведь старые друзья.

— Потому и звоню, по старой дружбе. Когда мы можем встретиться? Чтобы поговорить не официально...

— До понедельника терпит?

— Вполне. Скажи, куда и во сколько приехать.

— Можешь ко мне в офис. Часам к двенадцати. А тему серьезного разговора ты не могла бы обозначить?

— Конечно. Это касается комплекса «Манхэттен».

— Любопытно, — произносит Алан. — Ты имеешь к этому какое-то отношение?

— Да.

— Кстати, а как ты узнала мой телефон? — вдруг спохватывается Алан.

— У меня твоя визитка. Мне дал ее господин Степанов.

— Степанов? Это кто? — спросил Алан нарочито недоуменным голосом.

Я сразу почувствовала эту нарочитость. Почему же он претворяется? Хочет показать, что ему наплевать на Степанова?

— Руководитель комиссии по санитарно-экологической экспертизе, — отчетливо выговорила я.

— А, да, вспомнил! У него еще имя такое смешное — Герасим! — засмеялся Алан. — Надеюсь, ты у него не в роли Муму?

Кажется, настала моя очередь усмехнуться.

— Нет. Но боюсь, в роли Муму можешь оказаться ты.

— Вот как? — произнес Алан. — Что-то я не понял.

— Шутка, — ответила я. — Адрес офиса на твоей визитке правильный?

— Да, — немного озадаченным голосом произнес Алан.

— Ладно, тогда до понедельника.

Я отключила связь. И налила себе еще вина. Будь здоров, Алан! Будь здоров, старый черт! И никаких рефлексий! А теперь надо позвонить Степанову...

— Герасим Ильич, добрый вечер.

— Мария? Что-нибудь случилось? — спрашивает он взволнованно.

— Ничего. Просто только что позвонила Сильвестровичу.

— Да? И что же?

— Вы же не случайно подсунули мне его визитку?

Степанов смеется.

— А с вами надо держать ухо востро!

— Спасибо за комплимент! В понедельник я встречаюсь с Сильвестровичем. В двенадцать. В его офисе.

— Хотите, чтобы я приехал?

— Просто ставлю вас в известность. Дело в том, что мы с ним очень давно знакомы, еще с института.

— Ну, в таком случае, думаю, мне приезжать не надо, — сказал Степанов.

— Я вам потом позвоню и все расскажу.

— Спасибо, Мария.

— Пока не за что...

После этих разговоров я долго не могла заснуть. Конечно же, я могла думать только о встрече с Аланом и проигрывала в уме возможные варианты этой встречи. С этим в конце концов и заснула...

С утра на другой день была суббота.

Утро в выходные начинается у Марии с полудня. С трудом она продрала глаза, встала с ощущением, что ее «колбасит». Что опять не так? Вроде бы вчера во всем разобралась... Надо срочно искать причину: она боится встречи с Аланом? Еще как! Сколько себя ни уговаривай, страшнее, наверное, нет ничего! Боится самой встречи? Естественно! Боится за него? Или за себя? Она ведь не может сильно осложнить его жизнь! Конечно, она боится, и за него, и за себя! Это тоже естественно. Значит, дело в ее собственном страхе?

Привет психоаналитикам! «Каков же диагноз?» Ответ: «Погляди в анамнез». Да, именно там — твой страх, твоя любовь...

Но разобраться со страхами Марии не удалось, потому что позвонила Танька и заявила, что они с Сергеем просто жаждут ее увидеть.

— Маша! Я так соскучилась! Можно мы к тебе приедем? — возбужденно говорила сестра в трубку.

А Марии так не хотелось ведь ни с кем говорить, общаться и даже видеться в ближайшие два дня! Но ей ничего не оставалось делать, как согласиться.

— Конечно, приезжайте! — сказала она приветливо.

— Тогда жди через час-полтора!

— А дети с вами? — на всякий случай спросила Мария.

— Нет, они осчастливили своим визитом бабушку и дедушку. Жалоб ни с какой стороны пока не поступало.

— Ладно, пойду готовиться к вашему приезду.

— Сидишь, небось, голодная? Что захватить? — спросила заботливая сестра.

— Все равно, что под руку подвернется. А лучше вообще ничего. Мне Зина обед оставила в морозилке, надо только разогреть.

— Ладно, пока, до встречи! — радостно сказала Танька.

Наверное, привезет целую корзину еды, как всегда. Ну и пусть. Пусть поступает, как хочет. «А хорошо, что они приедут!» — подумала вдруг Мария. И даже обрадовалась. Надо отвлечься от самокопания и решения глобальных проблем, а то так и крышу может снести. Не у дома, конечно, — у нее!

Ветер к полудню совсем утих, снег сыпаться перестал, выглянуло солнце. В поселке вовсю орудовали лопатами дворники, быстро ликвидируя последствия вчерашней метели. Кот Бандит бесследно исчез, домовенок надежно спрятался в недрах дома, и всюду стояла спокойная, почти первозданная тишина.

Татьяна с Сергеем вкатились на участок на новом джипе, еще более навороченном и гигантском, чем был предыдущий. Мария с удивлением увидела, как сестра ее выходит с водительской стороны, а Сергей спешил открыть ей дверцу. Оба выглядели веселыми, довольными и друг на друга смотрели влюбленными глазами. Потом Сергей, конечно же, вытащил из машины огромные сумки с едой, и все двинулись в дом. Танька прямо в прихожей, не успев раздеться, расцеловала сестру. Вдруг отстранилась, подозрительно на нее поглядела и спросила:

— Маша, у тебя ничего не случилось?

— Ничего. А что?

— Ладно, делаю вид, что поверила на слово!

Сергей опустил на пол сумки, поцеловал Марии руку и бодро спросил:

— Как тебе наша новая машинка?

— Зачем такая большая? — удивилась Мария. — Вы что, собираетесь на ней совершить кругосветное путешествие? Как Федор Конюхов, только по суше?

— Вообще-то, я подарил ее Тане, — с гордостью произнес Сергей. — А уж куда она на ней решится без меня ехать — даже и гадать не хочу! Думаю, на такой ездить безопасно, можно и без охраны. Во-первых, никто на дороге не пристанет, а во-вторых, если кто-то зацепит, Танюша даже не почувствует. И останется цела и невредима. Джипик-то бронированный!

Мария подумала, что летний инцидент с Таней, когда к ней привязались вымогатели, до сих пор, видно, не выходит у Сергея из головы, если он решил усадить свою возлюбленную на такую машину. Или что-то еще случилось, о чем ей не известно? Она вспомнила смешную, глазастую Танькину машинку, с которой они были даже чем-то похожи, и сказала:

— Любишь ты контрасты, Сережа. Ну, так бы уж посадил ее сразу на танк!

— На танке неудобно, комфортную модель еще не создали, — ответил Сергей с улыбкой Клинта Иствуда. — А то бы непременно посадил!

Таня, конечно, уже суетилась вокруг стола, создавая на нем необычайную роскошь и красоту. С невероятной скоростью на тарелках возникали бутерброды с икрой, рыбой, какие-то невероятные рулетики из ветчины, завернутые в салатные листья. Мария наблюдала за ловкими движениями сестры и вдруг решила задать вопрос, ответ на который все еще оставался для нее загадкой:

— Слушай, Сережа, — тихо спросила она, — а почему вы тогда все-таки этих малолетних рэкетиров в милицию не сдали?

— Мария, не сомневайся — мои методы эффективнее, — торопливо ответил Сергей, покосившись на Таню. — И потом... были еще кое-какие соображения... Ладно, оставим неприятную тему!

— Согласна, тема не самая приятная. И, наверное, тебе виднее, — сказала Мария, снова не удовлетворившись его ответом. Что-то все-таки было в этой истории темное, непонятное, так и не прояснившееся до конца. Вроде бы о ней уже забыли, но сейчас вдруг новый джип напомнил.

— Между прочим, у меня все готово! — заявила Танька. — Прошу к столу!

— Идем, идем! — Сергей посмотрел на Марию и спросил вдруг: — А что-то ты, мне кажется, немного озабоченная? Заработалась или какие-то проблемы мучают?

— Да есть одна проблема, — ответила Мария, сразу переключившись на свое, и ей вдруг захотелось, как в прежние времена, все рассказать сестре. И Сергей пусть послушает — он человек толковый, может, со стороны что-то увидит, чего она не заметила. — Расскажу за обедом, если, конечно, вам интересно.

— Рассказывай, рассказывай, — отозвалась Таня. — От меня не должно быть никаких секретов!

Мария зажгла свечи, в доме стало еще уютнее и красивее. Сергей разлил в бокалы вино.

— Давайте сначала за новую машину, — сказала Мария. — Чтобы легко преодолевала любые расстояния и преграды и радовала мою сестрицу!

Все выпили, Таня посмотрела на Марию и покачала головой.

— Спасибо, только ты не уходи от темы. Даже Сережа заметил — у тебя что-то не так. А я-то уж все по твоему лицу вижу!

— На лбу написано? — улыбнулась Мария.

— А как же ты думала? — воскликнула Танька. — Ну-ка, давай, выкладывай, а то надпись какая-то неразборчивая!

— Ладно, — сказала Мария. — Не буду вдаваться в подробности, а суть вот в чем. Меня давно приглашали сотрудничать в комиссию по санитарно-экологической экспертизе, и тут это сотрудничество реализовалось на практике. Ну, я вроде как независимый эксперт, консультант. В общем, ввязали меня, или сама ввязалась в очень сложную ситуацию. Речь идет об одном элитном жилом комплексе, который собираются строить.

Сергей с интересом посмотрел на Марию и спросил:

— А как тот комплекс называется? Если, конечно, это не тайна, не подлежащая разглашению.

— Для вас — не тайна, — сказала Мария. — Вы все равно далеки от этой сферы, так что могу сказать — комплекс называется «Манхэттен».

И Танька, и Сергей вдруг проявили необыкновенную заинтересованность. У обоих странно загорелись глаза, и Сергей спросил:

— А что, с этим комплексом какие-то проблемы?

— Еще какие! — простодушно ответила Мария. — Дело в том, что в том месте, где его спроектировали, вообще нельзя строить жилье. Катего-

рически нельзя! Место ужасное, жить там просто
противопоказано. Надо бороться, нельзя дать этому строительству развернуться! Пусть ищут другое место!

Мужественный и выдержанный Клинт Иствуд
неожиданно изменился в лице и чуть не подавил-
ся бутербродом с икрой. Танька тихонько охнула,
потом они странно переглянулись и оба молча
опустили глаза. Мария удивленно смотрела на
них, не понимая, чем вызвана такая странная и
бурная реакция. Можно подумать, что «Манхэттен» как-то их касается!

— Ребята, да что с вами? — спросила она.

— Ты можешь подробнее? — напряженно попросил Сергей, с трудом справившись с куском
бутерброда, застрявшим в горле, при помощи большого глотка вина.

И тут Мария почувствовала, что, кажется, неча-
янно задела еще какую-то нить в трудно постижи-
мой системе взаимосвязи явлений, событий, людей и бог знает чего еще. Она посмотрела на Сергея с нарастающим беспокойством и сказала:

— Могу. А это для тебя важно?

— Не просто важно, — ответил он. — Я все позже объясню. А ты рассказывай!

И Мария сжато, в общих чертах, поведала о
своей поездке с Герасимом Ильичом Степановым
на строительную площадку. Когда она в своем
рассказе дошла до того места, что главным архитектором комплекса является не кто иной, как
Алан Сильвестрович, ее сестрица так широко распахнула свои голубые глаза-блюдца, что в них, казалось, можно было бы утопить ее новый джип, и
чуть не сползла под стол. Сергей тут же подхватил

ее за локоть, причем его рука как-то странно подрагивала.

— Сережа! — прошептала Танька. — Господи... а этого и я не знала... Почему ты не сказал?

— Я не думал, что тебе интересно, — растерянно ответил Сергей. — Вы что, с ним знакомы?

— Да не просто знакомы! — воскликнула Танька и с тревогой посмотрела на сестру. — Маша! Это фатально!

— Да, кажется, еще звено в цепи замкнулось, — произнесла Мария.

— Что ты сказала? — переспросил Сергей.

— Этот комплекс инвестирует твой банк, да? — задала Мария вопрос, в ответе на который уже была уверена.

— Именно так, — ответил Сергей. — Наверное, нет смысла скрывать: я — один из инвесторов. То есть, если точнее, главный инвестор будущей стройки.

— Вот так узелочек — всех в него судьба завязала! — воскликнула Мария. — Учитывая только что поступившую информацию, давайте решать вместе, что нам со всем этим делать, как разобраться в жутковатой игре, в которую нас злодейка-судьба затянула!

— Да, задачка, — произнес Сергей.

— Задачка не из легких, — кивнула Мария. — А здорово все-таки, что вы приехали именно сегодня! Ведь я в понедельник встречаюсь с Аланом Сильвестровичем!

— Как? — изумилась Танька. — Ты в понедельник увидишься с Аланом?

— Представь себе — да. Я вчера звонила ему, и мы назначили встречу. В двенадцать, у него в офисе.

— И что ты ему скажешь? — настороженно спросила Танька.

— Теперь уж и не знаю. Надо думать заново.

Сергей задумчиво почесал в затылке, потом схватился за сигарету.

— Если все так, как ты рассказала, Мария, то я могу понести огромные убытки. Как бы нам, Танюша, не пришлось подыскивать новую работу...

— Может быть, еще не поздно как-то переиграть ситуацию? — с сочувствием спросила Мария.

— Боюсь, уже поздно, — вздохнул Сергей. — Договоры заключены. Деньги вложены. Участок выкуплен. И все же, я тоже очень рад, что все это выяснилось именно сегодня, в нашем узком кругу, а не какое-то время спустя. Может быть, скандал еще можно как-то предотвратить. Ладно, давайте думать...

— Ур-мяу! — внезапно раздалось где-то рядом.

Сергей вздрогнул от неожиданности, а сестры нервно расхохотались. Прямо перед ними на столе сидел большой черный Бандит и с видом благородного лорда вылизывал остатки черной икры.

— Это он говорит вам спасибо за угощение, — продолжала смеяться Мария.

— Ну, здравствуй, дорогой Бегемот, то есть Бандит — уж извини! — воскликнула Танька. — Может быть, ты нам что-нибудь посоветуешь?

— Уррр-мяу! — философски ответил кот, спрыгнул со стола и тут же исчез из поля зрения.

— Не хочет нам помогать, — обиженно произнесла Танька. — А мог бы, наглый, сытый бездельник! Он ведь точно знает!

— Скажи еще — он все это и затеял! — улыбнулась Мария. — Ладно, придется самим думать. Еще по глотку — и за дело!

— Что ж, как говорится, — за успех нашего безнадежного предприятия! — произнес Сергей, поднимая бокал. — И за удачную работу нашего маленького аналитического центра!

Все трое чокнулись, выпили и, взяв ручку и лист бумаги, Сергей начал вычерчивать на нем схему создавшейся ситуации, нанося на нее объекты, даты, имена и даже валютные суммы с большим количеством нулей. А Мария и Танька наперебой высказывали свои соображения. Так продолжалось до самого позднего вечера, а потом, с перерывом на ужин, до глубокой ночи. Заснули все трое уже под утро.

Глава 4

ДО ВСТРЕЧИ НАД ПРЕИСПОДНЕЙ!

В понедельник, ровно в одиннадцать сорок пять, Мария подъехала к хорошо отреставрированному старому особняку, в котором размещался офис компании «Манхэттен». Минут семь или десять она просидела в машине, собираясь с духом и выкурив две сигареты подряд. Как ни старалась она убедить себя, что предстоящая встреча в личном плане уже ничего для нее значит, получалось это не очень-то успешно. Еще вчера все было разобрано и разложено по полочкам, психоз и страх от предстоящей встречи совсем отступили, а сейчас, когда до нее оставались буквально считанные минуты, откуда-то возник вдруг червь сомнения, который стал коварно нашептывать:

— Зачем ты в это ввязалась? Не надо тебе было сюда ехать!

— Ну вот, началось! Только тебя не хватало!

— Конечно, именно меня и не хватало, — страстно шепнул червь. — Ты ведь ничего о нем не знаешь! Не знаешь даже, женат он или нет!

— Я не за этим иду к нему! — резко одернула его Мария.

— Да ладно себя обманывать! Ты просто нашла повод снова с ним встретиться...

— Заткнись! — отчаянно приказала Мария. И он заткнулся.

Мария достала зеркальце, поглядела на свое отражение озорным взглядом, подмигнула, осталась в целом довольна, сделала легкий штрих помадой по губам, накинула капюшон серо-голубой норковой шубки, натянула перчатки и вышла из машины. Еще через две минуты она протянула охраннику свое удостоверение, и он подтвердил, что встреча назначена и мистер Сильвестрович ждет госпожу Еловскую в своем кабинете.

— Вас проводить? — любезно предложил охранник.

— Нет, спасибо, — сказала Мария и уверенно пошла по широкой мраморной лестнице на второй этаж.

В приемной ее встретила секретарша, вполне соответствующая лучшим мировым стандартам. И сам офис, прямо скажем, был недурен. «Да, в плохом вкусе Алана не упрекнешь», — подумала Мария, дожидаясь, пока секретарша о ней доложит.

И почти сразу увидела, как дверь распахнулась, — на пороге появился Алан. Он был все так же хорош собой, как и прежде, а легкие морщинки на красивом мужественном лице только придавали ему особый шарм. Правда, он изменил прическу — волосы теперь были острижены довольно коротко, и необычайно элегантный костюм придавал его облику некую официальность, но держался Алан по-прежнему свободно, раскованно, словно играл на сцене, а не сидел в кабинете. Увидев Марию, он ничуть не смутился, на лице заиграла улыбка неподдельной радости. Прошли какие-то секунды, доли секунд, за которые время для Марии не просто остановилось, а стремительно покатилось назад. Жуткое ощущение, будто летишь в каком-то светящемся потоке! Пробившись через этот поток, Алан подошел к ней, поглядел с нежной, дружеской улыбкой в лицо и воскликнул:

— Машенька, как я рад тебя видеть! — взял ее руку, поднес к губам. — Ну, пойдем! — Он повернулся к секретарше: — Агнесс, пожалуйста, ни с кем меня не соединяйте как минимум в течение часа!

Секретарша понимающе кивнула, а Алан взял Марию под руку и повел к себе в кабинет.

— Боюсь, Алан, твоя радость может оказаться преждевременной, — изо всех сил стараясь сохранить самообладание, сказала Мария, когда Алан плотно закрыл дверь. — Разговор может получиться не самый приятный.

— Ну, Маша, зачем же так сразу? — улыбнулся Алан, усаживая Марию в удобное кресло. — Как разговор с такой прекрасной женщиной может быть неприятным? Даже если ты пришла, чтобы наговорить мне кучу гадостей, я выслушаю их с удовольствием! Смотрю на тебя и удивляюсь: как ты умудрилась так похорошеть за все эти годы!

— Работала над собой! — усмехнулась Мария.

Пока все шло по плану, но она чувствовала,

что ей потребуется очень много сил, чтобы выдержать с честью испытание, которое она сама себе устроила. Что ж, назвался... гвоздем — отступать некуда. Мария стала оглядывать кабинет, чтобы как-то оттянуть время, и сразу заметила на стене большие цветные фотографии очень красивого микрорайона. Вероятно, это и был проект того самого элитного комплекса «Манхэттен». Алан поймал ее взгляд.

— Ну, как тебе мой проект?

— Красивый, — сказала Мария, с любопытством разглядывая фотографии.

— И местечко неплохое, правда? — с улыбкой произнес Алан.

— А вот местечко как раз плохое, — ответила Мария, даже не пытаясь изобразить на лице улыбку. Она была бы сейчас неуместна. — О нем речь и пойдет.

— Да я уж понял, — усмехнулся Алан. — Раз ты связалась с этим Герасимом, ничего хорошего от тебя не жди! Только понять не могу, как ты оказалась в странной компании шаманов с полномочиями государственных чиновников? Ты ведь — умная женщина, замечательный архитектор. Зачем тебе это?

— Разве ты знаешь, какой я архитектор? — спокойно спросила Мария. — По моим беспомощным студенческим работам трудно было о чем-то судить.

— Ну, я видел кое-что из твоих проектов последних лет, — сказал Алан. — Честно говоря, ты и тут меня удивила — такая фантазия, и вкус безупречный. Я понял, что ты не просто способный, ты необычайно одаренный архитектор. Жаль, конечно, что ты зарываешь свой талант, работаешь в малых формах. Тебе бы еще и размах!

— А я люблю малые формы, в них больше возможностей для творческой свободы, — сказала Мария. — Когда я проектирую коттедж, я сама делаю все, от начала до конца, и сама за все отвечаю.

— Боишься потерять индивидуальность, затеряться в авторском коллективе? — Алан улыбнулся. — Сейчас время другое, ты можешь быть автором любого проекта, тоже от начала и до конца. И так же отвечать за высотку, как и за маленький коттедж.

— К чему ты это говоришь? — удивилась Мария. — Хочешь меня просветить? Или возразить мне?

— Ни то, ни другое, — Алан взял сигарету, и по его движению Мария поняла, что он тоже немного нервничает, хотя и прекрасно держится. — После твоего звонка я много думал о тебе... И знаешь, что мне пришло в голову?

— Пока не знаю, ты же еще не сказал, — ответила Мария, с трудом заставив себя улыбнуться. Ей вообще каждое слово, каждый жест давались с большим трудом. И внутри, в душе она произносила совсем другие слова, которые не должны были ни под каким видом пропечататься на ее лбу, потому что слова эти были о прошлом, об их чувствах, о нелепой и страшной разлуке, об измене и предательстве, которые она простила Алану много лет назад. Действительно простила, но — не забыла. И навсегда сама, по своей воле, отрезала себе путь обратно... Алан ни за что не должен догадаться, что происходит с ней, о чем она думает, что чувствует на самом деле! Надо собраться, сконцентрироваться, контролировать себя в каждое мгновение...

— Мне пришло в голову, что ты нашла меня в самый подходящий момент — мы могли бы поработать вместе! — вдруг произнес Алан.

— Это что — предложение? — с удивлением спросила Мария.

— Можешь считать, что так, — Алан улыбнулся. — Мне именно сейчас очень нужен талантливый, опытный архитектор, такой, которому я мог бы полностью доверять! Проще говоря, мне нужна ты.

От улыбки Алана и от его слов Марии становилось совсем не по себе. Она с ужасом понимала, что постепенно снова попадает под власть его обаяния, незаметно подчиняется его воле, что ей очень трудно ему противостоять и очень хочется согласиться на его неожиданное предложение — просто ради того, чтобы видеть его! Нет, так быть не должно! Не за этим она пришла сюда!

Мария достала сигарету. Алан поднес ей зажигалку.

— Я думал, ты бросила курить.

Она пожала плечами.

— Зачем?

— Ни в чем себе не отказываешь?

— Пожалуй, можно сказать и так...

— Так что ты по этому поводу думаешь? — спросил Алан, пытливо глядя на нее. — Не о курении, конечно, а о нашей совместной работе?

— Пока ничего не думаю, — сказала Мария. — У меня своя проектная мастерская, много заказов, дела идут неплохо.

«Господи, какую же чушь я говорю! — пронеслась своевременная мысль. — Надо ломать ситуацию, не оправдываться, будто я в чем-то провинилась, и брать инициативу в свои руки. А то все окажется зря!»

— Я знаю, — Алан осторожно дотронулся до ее руки. — Но ты все-таки подумай, Маша!

От его прикосновения руку словно обожгло, ток пробежал по всему телу. Господи, только этого не хватало!

— Хорошо, я подумаю, — ответила Мария. — Но позже. А сейчас давай поговорим о твоем элитном комплексе. Я ведь пришла к тебе именно для этого!

— Ну, хорошо, хорошо, внимательно слушаю тебя.

— Алан, — Мария наконец заставила себя поглядеть ему прямо в глаза, — в этом месте нельзя строить жилье! Лучше откажись сейчас, пока не началось строительство! Подбери другое место, в Москве при желании можно найти даже лучше...

— Но, Машенька, это какая-то нелепость! — удивленно воскликнул, перебивая ее, Алан. — Участок выкуплен, в проект вложены большие средства. Остановить процесс уже невозможно. А, главное, я не вижу причины отказываться!

Мария знала о вложенных средствах гораздо больше, чем мог предположить Алан, но решила пока не раскрывать свой источник информации и вообще не афишировать свои родственные отношения с главным инвестором элитного комплекса. Сергей с Аланом были не друзьями, не близкими людьми, а всего лишь — деловыми партнерами. И если сказать Алану, что Сергей — муж Таньки, Алан сможет истолковать визит Марии в каком-то другом ракурсе. Нет, такие детали пока ему знать ни к чему. Все, что им суждено узнать, когда придет время. А сейчас, как подсказала Марии интуиция, время еще не пришло.

— А разве разлом, оползень — не причина? — спросила она.

— Машенька! — произнес Алан. — Ты просто меня удивляешь! С помощью современных технологий все эти проблемы решаются. Неужели ты не знаешь, что такой грунт можно укрепить? Что глубина фундамента каждого дома закладывается из расчета особенностей данной местности?

— Я все это знаю, Алан, — произнесла Мария и решилась наконец перейти к главной теме. — Можно укрепить грунт, но нельзя полностью ликвидировать мощную патогенную зону — ее источник находится слишком глубоко в земле! И практически весь участок находится над излучением! Оно пробивает его всюду, и как ты ни расставляй там дома, они все равно окажутся под воздействием. А это значит, что люди начнут болеть, умирать. Это будет очень красивый, просто замечательный элитный комплекс... прямо над преисподней!

— Маша, дорогая, зачем так сгущать краски? — с недоумением произнес Алан. — Это же мистика! А ты всегда была здравомыслящим человеком.

— Я и сейчас здравомыслящий человек! — воскликнула Мария, поднялась, прошла по кабинету, остановилась напротив Алана. — Пойми, Алан, это не мистика, а реальность. Очень серьезная реальность. Я хотела предупредить тебя по старой нашей дружбе: у тебя будут большие проблемы с экологической экспертизой. Мы будем бороться! Потому что дома там строить нельзя, и люди там жить не должны!

Алан тоже поднялся.

— Какая ты стала воинственная! Просто борец за справедливость! Ну, хорошо, я посоветуюсь, разберусь с этим, — сказал он каким-то усталым голосом. — В любом случае спасибо, что предупредила.

— Я не воинственная, — усмехнулась Мария. — Если бы автором проекта был не ты и если бы место было другое, я не стала бы ходить и кому-то что-то доказывать! Просто высказала бы свое мнение как член комиссии, и все! — Она направилась к двери. — Ладно, не буду больше тебя задерживать. Но очень прошу тебя, Алан, не делай ошибку! Еще есть возможность все это остановить. Если я все-таки не убедила тебя — позвони Степанову, поговори с ним. Он порядочный, толковый человек.

Алан какое-то время смотрел ей в след, потом вдруг окликнул:

— Подожди!

Мария обернулась.

— Ты не можешь вот так уйти!

Она рассмеялась.

— А как? Через окно?

— Не смейся! Я не шучу! — Алан подошел к ней, взял за руки, развернул к себе и с внезапной печалью поглядел в глаза. — Ты же ничего не знаешь, Маша! Ты не знаешь, как я жил все эти годы... Что думал, чувствовал... Ты ведь узнала наш пустырь? Ты поняла, почему я выбрал именно это место, да? А помнишь жасмин под окном? Неужели тебе не хочется поговорить наконец о нас с тобой?

Это был удар под дых, взрыв на минном поле! Узел на шее затянулся, стало трудно дышать. Марии хотелось закричать: «Ты тоже не знаешь! Ты ничего, ничего не знаешь! Не знаешь, что было со мной! Не знаешь про больницу! Не знаешь, что я больше двадцати лет храню тот твой портрет, смотрю на него по ночам, даже говорю с ним! Не знаешь, что я одна, потому что никто, никто еще не смог тебя заменить! Что я до сих пор не встретила человека, равного тебе, и, наверное, уже никогда не встречу! И даже если это мое больное воображение, навязчивая идея, я ничего не могу изменить! Я слишком сильно любила тебя и люблю до сих пор! Но нас с тобой нет, давно нет!»

Она с трудом перевела дыхание и отчетливо произнесла:

— Нет, Алан! Не стоит ворошить прошлое. Я пойду.

— Ну, что ж, — усмехнулся Алан. — Тогда до встречи над преисподней. Ты так называешь теперь наш пустырь?

Боль от удара не прошла, но чуть-чуть стихла. Узел все еще стягивал шею, но Мария сумела мысленно ослабить его.

— Алан, дорогой, зачем так сгущать краски? — повторила она почти в точности его фразу. И улыбнулась.

А он смотрел на нее и думал: «Как же все-таки она хороша! И какой же пустой и бессмысленной станет теперь моя жизнь! Зачем же я, старый дурак, согласился увидеться с ней?»

Он вышел проводить Марию в приемную. Снова, как и при встрече, на глазах у секретарши поцеловал ей руку. В это время зазвонил телефон. Секретарша взяла трубку, посмотрела на Алана.

— Это вас. Тамара Александровна.

— Скажите, я сейчас перезвоню, — рассеянно произнес Алан, прошел с Марией в коридор, довел ее до мраморной лестницы и сказал: — Ты все-таки подумай над моим предложением. Телефон у тебя есть.

— Конечно, я подумаю, — ответила Мария и побежала вниз, не оглядываясь. Теперь ей хотелось как можно скорее вырваться отсюда, убежать подальше от того минного поля, на которое она ступила сама, без принуждения, без миноискателя, с незащищенной душой...

В лицо ударил морозный ветер, немного остудил внутренний жар. В сознании вдруг снова прозвучало имя — Тамара Александровна. Тамара... Какое знакомое имя. Неужели это та самая Тамара? Если это все же та Тамара — Мария помнила ее отлично, хотя и общалась мало, то в данном контексте это могло иметь какое-то значение. Перед глазами невольно возникла высокая, стройная, эффектная однокурсница Алана, которая в то время была предметом зависти юной Марии. Интересно, она это звонила или нет? И как выглядит она сейчас? И голос у секретарши был какой-то особенный, когда она произнесла «Тамара Александровна»! Так что же это, простое совпадение — или еще одно звено в цепи? Вполне можно допустить, что они с Аланом продолжают общаться или даже работают вместе. И если это — именно та Тамара, то она тоже имеет какое-то отношение и к элитному комплексу, и к компании «Манхэттен», и к самому Алану.

«Жизнь все время нас запутывает, хотя в то же время дает и подсказки. Но есть ли у меня в руках ключ к подсказкам? Вот ведь вопрос. Ладно, что за гадания! И мало ли на свете Тамар! — оборвала Мария себя. — А Алан все так же хорош, черт бы его побрал! Хитрый лис, демон с магнетическим взглядом... Но как хорошо все-таки, что я решилась на эту встречу! Стало не то что легче, но не так обидно за себя. Я ведь тоже на что-то гожусь, и я ему все-таки не безразлична, даже если он женат на самой Уме Турман, а в любовницах у него при этом сама Мисс Вселенная! Нет, он все равно не может меня забыть! Так пусть теперь немного помучается и хоть немного пожалеет об утраченном прошлом. И пусть напрягает свои мозги, решая, как поступить с патогенной зоной. А я постараюсь думать о чем угодно — только не о нем!»

Мария подошла к своей машине, и она показалась ей такой маленькой, незаметной по сравнению с новым Танькиным джипом. Маленькая Танька в огромной тачке... Забавно! А Сергей — классный мужик, но при этом все-таки темная лошадка. И, наверное, он не все, не до конца рассказал о своем участии в строительстве этого комплекса! Суммы назвал, вроде бы все карты раскрыл, а что-то все-таки утаил. Банкир — он и есть банкир! «Интересно, кстати, на какой машине ездит Алан? — подумала вдруг Мария. — Скорее всего, его возит шофер. По статусу вполне положено. Я бы тоже могла нанять шофера, но уж больно не люблю посторонних людей! Когда ты в машине одна, то чувствуешь себя гораздо свободнее! И пока все в порядке со зрением, реакцией и всем остальным, лучше уж сидеть за рулем самой. В Америке и Европе люди не перестают сами ездить за рулем вообще до гробовой доски — ходить уже не могут, а в машине чувствуют себя уверенно. Так что у меня все еще впереди!»

Мария села в машину и позвонила в свою мастерскую. Там ничего особенного не произошло. Влада сказала, что Каркушины цветочки понемногу оправляются, никаких особо важных звонков не было, что Дракула обхаживает очередную клиентку, Кирилл расчертил проект Родиона для подруги парфюмерши, а сам Родион потащился на какую-то выставку новых строительных материалов и придет на работу только завтра. Еще заходили девочки из ателье — попили кофейку, Каркуша выдал им зарплату, как и положено. В общем, все спокойно. Выслушав обстоятельный отчет Влады, Мария решила в офис сегодня не ехать.

— Буду завтра с утра, — сказала она своей верной секретарше. — Телефоны отключу после восьми.

— Все поняла, Мария! До завтра! — бодро произнесла Влада.

Закончив разговор, Мария выехала со стоянки и отправилась на свою городскую квартиру. Надо было сделать несколько конфиденциальных звонков, поразмыслить обо всем и попытаться заново разобраться в ситуации, учитывая все новые факты и всю новую информацию. Конечно, как всегда, хотелось поехать в любимый домик, но сегодня Мария решила этого не делать. Уж слишком ее достали за последние дни домовенок, червяк сомнения и даже кот Бандит. От изощренных высказываний двух первых и совершенно бессовестного поведения последнего голова шла кругом, и надо было хоть немного отдохнуть от них. А в первую очередь — от самой себя.

Когда Мария подошла к двери, то сразу услышала телефонный звонок, разносившийся по квартире. Она вбежала, схватила трубку.

— Вернулась? Жива? Слава богу! — раздался голос сестры.

Танька, естественно, с нетерпением ждала звонка и страшно беспокоилась.

— Вполне жива! — весело произнесла Мария.

— Ну, рассказывай! — потребовала нетерпеливая сестрица. — Как ты все это выдержала?

— Сказать честно — с трудом, — призналась Мария. — Мне кажется, я была не на высоте.

— Не наговаривай на себя, ты всегда на высоте! — убежденно произнесла Танька.

— Спасибо за веру и поддержку! Но меня гложут сомнения...

— Выкладывай, что еще за сомнения?

— Сил нет выкладывать! — устало произнесла Мария. — Все потом расскажу.

— Слушай, давай я к тебе приеду? — предложила Танька, которой очень трудно было сдержать свое любопытство.

— Нет, давай не сегодня, — не задумываясь, ответила Мария. — Пойми, мне надо немного успокоиться, отвлечься. Я и так на взводе. Сейчас выпью таблетку и завалюсь в постель.

Танька ухмыльнулась.

— И не надейся, что я дам тебе задрыхнуть, пока все не расскажешь!

— О, мой ужасный мучитель! — рассмеялась Мария. — Ладно, слушай!

Мария очень коротко пересказала ей свою беседу с Аланом, а подробности обещала сообщить при личной встрече. Таньку, конечно, краткое изложение не удовлетворило, ее интересовали именно подробности, но больше ничего добиться от Марии по телефону она не смогла.

— С тобой просто невозможно! — недовольно

заявила въедливая сестра. — Ты какая-то замороженная! Он что, совсем тебя загипнотизировал?

— Это с тобой невозможно! — воскликнула Мария. — Пытаешь меня, прямо как в детстве, а мне еще надо сделать несколько деловых звонков.

— Пытка — не попытка! — съязвила Танька.

— Да ладно тебе! Скажи лучше, что решил Сергей!

— О, а ты стала безнадежно деловая! — возмутилась Танька. — Просто кошмар какой-то!

— А ты зато вернулась в свое естественное состояние, — сказала Мария весело. — И это радует!

— Вот и радуйся этому, пока больше нечему. Сережа еще ничего не решил, — с легкой грустью произнесла Танька, — потому что, прежде чем принять окончательное решение, он должен с массой людей переговорить, проконсультироваться. Именно этим он сейчас и занимается. Конечно, он попытается выйти из игры, но большую часть денег все равно потеряет!

— Вот ведь нелепость какая! — с чувством произнесла Мария. — Неужели никакого выхода нет?

— Машенька, это не самое страшное, всех денег все равно не получишь! — сказала Танька. — Не переживай за нас! Как-нибудь выкрутимся. Мы и сейчас счастливые, и без денег будем счастливые. Любовь все победит!

— Дай бог, — сказала Мария.

Сестры попрощались, договорившись встретиться в ближайшие выходные, и Мария набрала номер Степанова.

— Рад вас слышать, Мария! — сказал он таким приветливым тоном, словно только и ждал ее звонка. — Ну что, сумели убедить Сильвестровича перенести комплекс в другое место?

— Вы что, ясновидящий, Герасим Ильич? — удивилась Мария. — Вы же не знали, о чем я собираюсь с ним разговаривать?

— Ясновидения тут не нужно, — усмехнулся Степанов. — И так все понятно. Вы же сами сказали, что знакомы с Сильвестровичем. Вы оба — архитекторы. Значит, и разговор у вас особый, дружеский, не официальный, так сказать. Ну, так удалось или нет?

— Пока нет, если честно, — призналась Мария, — но надеюсь, шанс еще есть. Он обещал подумать, посоветоваться. Вы же сами знаете, что не он один решает.

— Ну да, все решают деньги, это мы с вами уже обсуждали. Ладно, сколько времени дадим ему на размышления?

— Давайте хотя бы недельку.

— Ваша просьба — закон. Даем неделю на размышления. А у меня для вас еще работенка появилась.

— Да неужели? Что за активность такая! — воскликнула Мария. — Только отдохнуть собралась, а вы опять меня заставляете работать! Снова патогенная зона?

— При встрече все объясню, а пока отдыхайте.

Попрощавшись со Степановым, Мария почувствовала вдруг такую безумную усталость, что отключила телефоны раньше названного срока, легла на диван и тупо уставилась на экран телевизора. Там шла какая-то дурацкая передача типа ток-шоу на тему семейных отношений, и Марию просто замутило от глупости того, что в ней говорилось. Она стала переключать каналы и в конце концов незаметно задремала, зажимая в руках пульт. Сколько она проспала, точно ей не удалось бы сказать, но проснулась Мария от ощущения непонятной тревоги. И тогда услышала настойчивый, неприятный звук, словно кто-то подавал сигнал SOS. Прислушалась и поняла, что это звонит внутренний мобильный. Звонит где-то далеко, в прихожей, в оставленной там сумке. Это было настолько непривычно, странно и страшно, что Мария вскочила, бросилась на звук, выхватила вибрирующую трубку, испуганно касаясь ее, словно оголенного провода.

— Алло? Что случилось? — все еще сонным голосом пробормотала она.

— Мария, извините, ради бога, — взволнованно произнесла в трубке Влада. — Я вас разбудила? Простите.

— Да я уже проснулась! В чем дело, не томи? Не просто так ведь звонишь!

— Мария, у Сапрыкина дом сгорел! — выпалила Влада.

— Что? Как сгорел?

— Полностью. Дотла! — вздохнула Влада.

— Господи! Да что же это!

— Мы тут подумали и решили, что надо обязательно вам сообщить.

— Правильно сделали, — сказала Мария с горечью, совершенно проснувшись и ища на столе сигареты и зажигалку. — А подробности известны?

— Пока нет.

— Ну, хотя бы — при пожаре никто не пострадал? — осторожно спросила Мария на всякий случай. В голове промелькнула жуткая мысль — не хватало еще только человеческих жертв!

— Там не было никого, — ответила Влада. — Это точно известно. А все остальное господин Малахов обещал заехать и рассказать.

— Когда?

— Сегодня. Вот мы сидим тут и ждем. С минуты на минуту его ждем.

За окном было совсем темно. Мария посмотрела на часы. Нет, не ночь, всего половина шестого вечера.

— Ладно, если такое дело, я тоже сейчас приеду, — сказала она, подумав, что поехала бы в мастерскую даже ночью, получив такую информацию. — Через полчаса буду.

Торопливо собираясь, Мария пыталась успокоить себя: конечно, дом у Сапрыкина застрахован, основную сумму ему наверняка вернут, и где жить, у него есть. Но сам по себе факт! Дикий, ужасный! Сгорел дом, построенный по ее проекту! Дом, с которым ей почему-то было особенно трудно расстаться! Гораздо труднее, чем с тем же Валентином, о котором она очень быстро забыла. Да и сейчас вспомнила только потому, что окончательный разрыв с ним совпал с завершением строительства сапрыкинского дома... Сгорел дом, в который Мария вложила не только фантазию, профессиональный опыт, вкус, но и немалую часть своей души. Как же безумно, до отчаяния жаль этот необыкновенно красивый дом! Настолько жаль, словно вместе с ним что-то погибло в ней самой. Он стоял перед глазами Марии, как живой, и ей очень трудно было представить, что дома уже нет. Как бы ей хотелось, чтобы ужасное сообщение оказалось ошибкой, недоразумением, дурным сном! Всего несколько часов назад Мария встречалась с Аланом, и, казалось, важнее этого в жизни ничего не может быть. Но сейчас известие о сгоревшем доме все больше доходило до созна-

ния, причиняло боль, и даже мысли об Алане ото-
двинулись куда-то на задний план.

Может ли этот пожар быть случайностью?
Скорее всего — нет! И если честно, чего-то подобного, какого-то неожиданного удара из-за спины,
из засады, Мария интуитивно ожидала. Но все-таки не такого! Да, скверно, досадно, гадко! И жутко
обидно! Где бы взять хороший миноискатель? Хорошо бы обследовать все окружающее ее пространство, наверное. Мария не случайно сама так
навязчиво сравнивает сложившуюся вокруг нее
ситуацию с минным полем, на которое она ступила и по которому вынуждена идти только вперед.
Не дай бог, что-нибудь еще взорвется или сгорит...

В мастерской на столе дымились чашки с го-
рячим кофе, Малахов расположился на диване в
окружении Влады, Каркуши и Дракулы, напротив
них на стульях сидели Кирилл и Родион, и вид у
всех был такой, словно у них на глазах только что
разорвалась бомба. Вошла Мария, и все растерянно и, как показалось ей, немного виновато посмотрели на нее. Малахов поднялся, пошел навстречу.

— Здравствуйте, Мария. Вы уже знаете, да? —
заговорил он взволнованно. — Вы уж меня простите, что пришел с плохой вестью!

— Ну, а вы-то в чем виноваты, Георгий? — сказала Мария. — Сейчас мне все расскажете. Но сначала, Влада, пожалуйста — чашку горячего кофе!

Чашка кофе тут же появилась на столе. Мария
с удовольствием сделала глоток, достала сигарету
и спросила:

— Когда это случилось?

— Сегодня, в середине дня, — вздохнул Малахов. — Стасик с Анжелой туда приехали, когда пожар почти потушили, но от дома осталось немного. — Он оглядел сотрудников. — Ваши уже все слышали в общих чертах. Можно несколько слов с вами наедине?

— Конечно, — сказала Мария.

Она поднялась и под одобрительными взглядами всех, кроме Родиона, ревниво сверкнувшего глазами, прошла с Малаховым в кабинет.

— Вы там тоже были? — спросила Мария.

— Был. Картина, прямо скажем, безрадостная. Пожарные, милиция и обуглившийся каркас вашего прекрасного творения!

Мария посмотрела на Малахова и с горечью произнесла:

— Да, сгорел не просто дом, а дом, построенный для хороших людей, в который я вложила часть своей души. Для меня это печально вдвойне.

— Я понимаю, — с сочувствием покивал Малахов. — Но вы не расстраивайтесь, по вашим проектам построено так много красивых домов! Они украшают нашу землю! И мой чудесный коттедж тоже скоро будет готов. Сможете смотреть на него сколько угодно и радоваться!

— Спасибо, Георгий, — улыбнулась Мария, — вы так хорошо сказали! Конечно, каждый дом мне дорог по-своему, но хватит эмоций! Давайте теперь все подробности! Как это произошло?

Подробности оказались такими: сегодня днем охранники заметили на территории поселка дым, который шел от участка Сапрыкиных. Они сразу вызвали пожарных, но пока пожарные ехали, дом вспыхнул, как факел. Охранники, конечно, попытались что-то сделать, как сами они говорят, но было уже бесполезно. Внутри сгорело почти все, и вся деревянная часть дома тоже сгорела, остался фундамент и почерневшие каменные стены, стекла полопались, осколки разлетелись по всему участку. В общем, жуткая картина, но при этом довольно типичная. К сожалению, подобные вещи происходят в Подмосковье нередко.

— А как сами хозяева? — спросила Мария.

— Сапрыкины в шоке, — сказал Малахов. — Они как раз собирались встречать Новый год в своем доме, с большой компанией друзей. Готовились, придумывали всякие шутки, игры, сюрпризы! Кстати, Мария, они очень хотели пригласить и вас и просили меня выяснить, какие у вас планы на Новый год. — Малахов с грустью посмотрел на Марию. — Но теперь это, наверное, уже не имеет значения.

— Да, наверное, — вздохнула Мария. — Ну, да бог с ними — с моими планами!

— Жаль, конечно, что мой дом еще недостроен, а то бы я предложил Стасу с Анжелой отпраздновать Новый год в нем.

— Ну, если только следующий. — Мария попыталась улыбнуться и спросила: — А что же они будут делать? Не с Новым годом, а вообще?

— Они еще сами не знают, от шока не оправились, прошло-то всего несколько часов! Конечно, страховая компания деньги им выплатит, на этот счет никто не беспокоится, но что дальше делать — восстанавливать ли этот дом, строить ли новый или вообще продать участок и купить где-нибудь в другом месте, они, конечно, еще не решили. Вы об этом спросили, да?

— Да. Если надумают восстанавливать, я готова им помочь. Бесплатно, безвозмездно! — воскликнула Мария. — Лишь бы домик ожил заново! Все материалы по проекту у меня сохранились, это будет не так уж трудно.

— Спасибо, — сказал Малахов. — Не грустите! Наверное, у каждого дома, как и у человека, своя судьба, свой срок жизни... И сколько ему отпущено — только богу известно...

Он замолчал, и наступила какая-то необыкновенная, возвышенная тишина, наполненная особым смыслом. «Не зря Малахов с первого же появления стал в мастерской всеобщим любимцем, — подумала Мария. — Сегодня он был на высоте. Оказывается, он умеет не только развлекать публику, произносить комплименты, но и точно ощущать момент и находить подходящие и нужные для него слова. Какой замечательный человек! Надежный друг! И как жаль, что я, наверное, так и не смогу его полюбить...»

— А вы философ, Георгий! — произнесла она вслух с искренним восхищением.

Он неожиданно смутился.

— Ну, что вы, какой из меня философ! Я — простой мужик! Так, тянет иногда порассуждать. Наверное, как любого русского человека...

— Не скромничайте! — улыбнулась Мария. — У вас прекрасно получается! Но теперь вопрос уже не философский. Георгий, скажите, а что говорит о происшествии наша доблестная милиция? Какая-нибудь предварительная версия у них есть?

— Да какая версия! — усмехнулся Малахов. — Они допросили охранников, кого-то из жильцов, кто оказался на месте. Дело завели, а толку что? Уж если у нас убийства не раскрывают, то кто станет копаться в деле о пожаре? Не Госдума же сгорела, а частная собственность. Богатый человек пострадал — так ему и надо! А мы и без них можем предположить: это или случайность, или поджог. Третьего не дано.

— А что думает о пожаре ваш брат? Герасим Ильич уже в курсе? — спросила Мария.

— Вы и это знаете? — удивился Малахов. — То есть — что он мой брат?

— Что ж тут удивительного? Я с ним сотрудничаю по делам экологической комиссии. Пока на общественных началах. Но он недавно втянул меня в одну непростую ситуацию, скажем, как консультанта...

— По патогенным зонам, да?

Мария молча кинула.

— Конечно, — произнес Малахов, — вы для него — просто находка! Подарок судьбы!

— Не преувеличивайте, — усмехнулась Мария. — Не такой уж я подарок! В общем, разговорились по дороге. Он и признался, что именно он, а не Сапрыкин, порекомендовал вам меня как архитектора.

— Вот ведь темнила Герасим! — воскликнул Малахов. — Меня просил молчать, а сам проболтался!

— К слову пришлось, не осуждайте его.

— Да я не осуждаю! Но все равно — темнила! — разволновался Малахов. — Больше он вам ничего не рассказывал?

— О вас — нет, — сразу успокоила его Мария.

— А во что это он вас втянул, если не секрет? — подозрительно спросил Малахов.

— История довольно странная. И самое странное в ней то, что, как только я в нее ввязалась, вокруг меня сразу закрутились невероятные вещи.

Я пытаюсь разобраться, свести концы с концами, но чем больше получаю информации, тем больше запутываюсь. Ясно только одно — все события последних дней имеют какое-то отношение ко мне.

— У вас что-то случилось? — забеспокоился Малахов.

— В прямом смысле — нет, — ответила Мария. — То есть ничего не сгорело, не взорвалось, не обрушилось! Ну, а если не в прямом — за короткий промежуток времени произошло так много, что я едва успеваю перевести дыхание.

— Не хотите мне рассказать? — участливо спросил Малахов.

— Не знаю, может, и хочу, но позже. Тут слишком много всего замешано. Долго рассказывать.

— Я готов слушать вас хоть целые сутки! — страстно произнес Малахов, но тут у него зазвонил мобильный телефон. Коротко и односложно с кем-то переговорив, он произнес: — Простите, Мария, мне надо ехать.

— Конечно, я вас и так задержала!

— Господь с вами! Я же сказал — хоть целые сутки! — прошептал Малахов. И добавил смущенно: — И всю оставшуюся жизнь...

Он поцеловал ей руку и направился к двери. Мария вздохнула и пошла следом за ним.

— Помните, Мария, что бы ни случилось — не дай бог, конечно, — я всегда к вашим услугам! Звоните в любое время! — сказал на прощание Малахов.

— Спасибо, Георгий, я запомню, — ответила Мария.

Они вместе вышли в приемную. Сотрудники по-прежнему бурно о чем-то разговаривали, только Родиона не было видно — то ли уже ушел, то ли сидел в другой комнате за компьютером. При виде Марии и Малахова все почтительно притихли, но когда Малахов попрощался и вышел, снова оживились и заговорили наперебой.

— Какие могут быть сомнения! — воскликнул Дракула, продолжая обсуждаемую тему. — Конечно, это поджог!

— Ясен пень, как божий день, — мрачно произнес Каркуша. — Кто-то зуб имеет на нашего клиента, вот и сводит с ним счеты!

— Ребята, да что вы страсти нагоняете! — возразила Влада. — Ну почему обязательно поджог?

— Да потому, что в наших домах случайных пожаров не бывает, моя дорогая! — уверенно заявил Дракула. — Не того они качества, неразумная ты женщина, чтобы ни с того ни с сего самовозгораться!

— Сам ты вампир неразумный, — обиделась Влада. — Все бывает! И везде! И почему ни с того ни с сего? Домработница-растяпа газ забыла выключить... Пьяный дворник окурок бросил... Да мало ли что могло быть!

— Не было там ни дворников, ни домработниц, — не согласился Кирилл. — Ты же сама слышала, что говорил Георгий!

— Дорогие мои, — вступила в разговор Мария, — если кто-то действительно нарочно поджег коттедж, то, сдается мне, счеты он сводит не с Сапрыкиным, а со мной. Я-то уж точно кое-кому в последние дни насолила, и на меня, наверное, наточили не только зуб, а уже целую челюсть!

— Ты имеешь в виду эту колдунью? — высказал предположение Каркуша.

— Не только.

— А с нами наш высокочтимый босс поделиться не желает? Очень хотелось бы знать, кому еще может принадлежать столь агрессивная челюсть, — заговорил в своей манере Дракула. — Я готов выставить против нее все свои острые клыки! — И он улыбнулся своей роскошной белозубой улыбкой.

— Твои клыки пока побережем, могут еще пригодиться, а поделюсь я с вами немного позже, когда сама хоть немного разберусь. Конечно, шесть голов — хорошо, но в данный момент лучше одна моя. — Мария тоже наконец улыбнулась. — А за сим — разрешите откланяться...

Когда Мария вышла из офиса, Влада задумчиво оглянулась вокруг:

— Куда это наш Родион подевался?

Дракула покачал головой.

— Дорогая наша Владушка! Ты о моем братишке даже не мечтай! Разве не видишь? Он же по боссу сохнет, как листочек осенний!

Влада вспыхнула, а Каркуша хмыкнул.

— Прошу без намеков на мои цветочки!

— Цветочки твои всесезонные тут ни при чем. Это — образ. Понимать надо! — парировал Дракула.

— Да где уж мне, вороне! — ухмыльнулся Каркуша.

— С чего ты взял, что он сохнет? — накинулась на Дракулу Влада.

— Да разве ты сама не видишь, о, женщина, ослепленная неразумной страстью? — Дракула обнял Владу. — Братишка так и стреляет в нее глазками! А уж когда Гоша приходит — просто молнии пускает, испепелить соперника хочет! Но ты не печалься, Владушка, найдем мы тебе жениха хорошего.

Каркуша кивнул.

— Обязательно найдем!

В это время в куртке нараспашку мимо них к выходу промчался братишка, и взгляд у него действительно был слегка безумный. Влада даже рот раскрыла от удивления, а Дракула и Каркуша обменялись многозначительными ухмылками.

Родион выбежал на улицу, когда Мария прогревала машину, бросился к ней. Вид у него был странный, глаза лихорадочно горели.

— Ты что-то хочешь сказать, Родион? — спросила Мария, открыв дверцу.

— Да! — взволнованно проговорил он, усаживаясь рядом с ней. — Я знаю, почему это случилось, но не хотел говорить при всех.

Мария с любопытством посмотрела на него.

— И какая же версия у тебя?

— Это — знамение, — пробормотал Родион.

— В каком смысле? — удивилась Мария.

— В прямом. Помните наш разговор? Ну, когда вы подвозили меня до метро... — все больше волнуясь, продолжал Родион.

Мария на минуту задумалась.

— Ах, да, о том, что мы мечем бисер перед свиньями. Ты это имел в виду?

— Я не хотел так грубо, но смысл тот. Мир устроен слишком несправедливо! — Родион гневно сверкнул глазами. — Люди получают то, чего не заслуживают!

— Думаю, это вопрос спорный, — сказала Мария миролюбиво, стараясь усмирить гнев ярого борца за справедливость.

— Вопрос бесспорный! — убежденно произнес Родион. — И я обязан предупредить вас: заказчиков постигает божья кара. Они имеют слишком много и не умеют ценить то, что имеют. А мы... мы проектируем им прекрасные дома и провоцируем божий гнев. Мы не должны работать с такими заказчиками!

Мария смотрела в его безумные глаза и думала, что каким-то невероятным образом имя наложило отпечаток на характер этого молодого человека. И даже смешная фамилия не смягчила мощный импульс фатального имени!

— Мне кажется, Родион, ты занял ошибочную позицию. Твоя философия неверна, — сказала она мягко. — И мне бы очень не хотелось, чтобы ты ей следовал. Бог мудрее нас, и так он не карает!

— Простите меня, но я не мог не сказать... — прошептал Родион. — Я слишком ценю вас, чтобы скрывать истину, которая мне открылась.

«Господи, еще один ясновидящий! — с тоской констатировала Мария. — Но если Кассандра — умная, расчетливая и деловая, то наш Трубочкин — самый настоящий борец за идею, бескорыстный, одержимый, фанатичный». При этом Мария отчетливо понимала, что этот экзальтированный юноша не просто с большими странностями. Вполне возможно, что он действительно безумен! Очень опасный человеческий тип! Конечно, она сама решила оставить его в мастерской, возможно, привлеченная как раз его странностью и одержимостью, и старалась воспринимать как своего талантливого, перспективного ученика, толкового коллегу. И работал он хорошо, очень хорошо, интересно, но все же стоило бы, наверное, показать его психиатру. Вот ведь — новая проблема на ее бедную голову! Что ж, сама взвалила — самой и расхлебывать!

— Спасибо, Родион, — сказала Мария, — я подумаю о твоих словах. Но ты тоже, пожалуйста, подумай о том, что сказала я. И постарайся успокоиться. Займись проектом. Ради самого проекта, ради творчества в конце концов. Что бы ни происходило, что бы ни мучило нас внутри, мы не имеем морального права впадать в панику или агрессию, винить кого-то. А главное — от наших переживаний не должна страдать работа!

— Я понял, — еле слышно произнес Родион. — Я постараюсь...

— Вот и хорошо. — Мария вдруг притянула его к себе и чмокнула в щеку. — Все! Беги, работай!

Родион растерянно вышел из машины, потом безумным, восторженным взглядом долго глядел ей вслед, сразу позабыв о заказчиках, божьей каре и несправедливом устройстве мира. Теперь он мог думать только о прекрасной женщине, которая снилась ему по ночам, грезилась в самых невероятных фантазиях и впервые одарила его своим поцелуем...

Глава 5

СЛУЧАЙНО В ТИХОМ ПЕРЕУЛКЕ...

Следующий день в мастерской начался с того, что позвонил один из заказчиков — тот самый знакомый Сапрыкина, который еще летом постоянно трезвонил и требовал, чтобы ему как можно скорее спроектировали коттедж. Осенью с ним заключили договор, он заплатил аванс, и Мария сейчас занималась эскизным проектом его дома, но этап, который обычно проходил гораздо быстрее, на этот раз неоправданно затянулся. Заказчик оказался необычайно трудным, каким-то непостоянным, неуравновешенным, чуть ли не каждый день у него возникали новые, довольно-таки бредовые и трудно выполнимые идеи, и работать с ним становилось просто невыносимо. За несколько месяцев он сумел утомить всех! И настолько же, насколько все в мастерской любили Малахова, они невзлюбили другого сапрыкинского протеже. Никто даже не помнил толком, как звали этого заказчика, поскольку он давно получил прозвище Ядохимикат и никак иначе его за глаза не называли.

Каркуша убеждал, что надо выставить ему штрафные санкции за количество изменений в проекте, превышающее предусмотренное в договоре. Кирилл мрачно заявил, что пора нанимать киллера, чем привел с неописуемый восторг Родиона. Даглар предлагал сшить в их ателье для Ядохимиката специальную смирительную рубашку. Влада каждый раз, когда он звонил, откровенно врала ему, что Мария занята на переговорах и не может подойти к телефону. В общем, все изощрялись, как могли.

Мария же, стиснув зубы, вела с Ядохимикатом упорную психологическую борьбу, в которой отнюдь не собиралась соглашаться на поражение, даже на ничью, и однажды просто выдвинула ультиматум.

— Я не собираюсь позорить себя перед людьми, проектируя такую безвкусицу! Если вас не устраивает моя работа — давайте расторгнем договор!

Заказчик, почувствовав реальную угрозу, тут же присмирел, и после этого работа какое-то время шла более быстрыми темпами. Но Мария просто мечтала поскорее ее закончить и избавиться от Ядохимиката.

Так вот, этот самый Ядохимикат позвонил с утра и немного смущенно, что вообще было ему не свойственно, сообщил:

— Очень сожалею, Мария, но я вынужден отказаться от услуг лично вас и вашей мастерской.

Произойди это на месяц или два раньше, Мария несказанно обрадовалась бы. Но сейчас такое заявление ее насторожило.

— Вы можете объяснить причины? — холодно спросила она.

Ядохимикат, слегка запинаясь, объяснил свое решение тем, что у него неожиданно возникли финансовые проблемы и вообще изменились планы и он решил отложить строительство дома до лучших времен. Но Марии истинная причина его отказа была очевидна. Его испугал пожар! Ядохимикат оказался не просто капризным и вздорным человеком, а еще и трусом. Конечно, Мария о своих мыслях и выводах заказчику ничего не сказала, а только вежливо и сухо попросила заехать в ближайшее время, чтобы расторгнуть договор и решить финансовые вопросы. Он тут же согласился и сказал, что готов приехать хоть завтра.

После разговора с ним Мария не просто расстроилась, а почувствовала себя оскорбленной. Какой-то вздорный мужичонка, ради которого она расшибалась в лепешку, посмел выразить недоверие ей и ее сотрудникам! Всегда выдержанная, неуязвимая, Мария не хотела показывать сотрудникам свое состояние и объявила с веселым ехидством:

— Хитрый Ядохимикат расторгает наш контракт.

Сначала все радостно усмехнулись, но первая реакция тут же сменилась недоумением.

— Он сам так сказал? — спросила озадаченная Влада.

— Чего он испугался? Что его еще не построенный дом тоже сгорит, прямо в проекте? — возмущенно проговорил Дракула.

— Может, он суеверный, — предположила Влада.

— Мне плевать, какой он! — произнес Дракула. — Сначала истрепал нам нервы, довел всех до остервенения, а теперь — в кусты? Нет, подрывать престиж нашей фирмы ему никто не позволит!

— Нам нужны другие заказчики, — вдохновенно произнес Трубочкин, чувствуя, что представился случай оседлать любимого конька.

— Какие? — ехидно спросила Мария. — Нищие, бомжи? Будем строить за шиши из соломы шалаши?

Все захохотали. Родион потупил взор и промолчал.

— У нашего босса проснулся поэтический дар! — восхищенно воскликнул Дракула.

— От такой жизни не только стихами заговоришь, — улыбнулась Мария.

— Ничего, я его выставлю на деньги! Мало ему не покажется! Я его как липку обдеру! — потирая руки в предвкушении расправы над ненавистным клиентом, произнес Каркуша. — Чтоб другим неповадно было!

— Да ну его к чертям! — вдруг сказала Мария. — Мужик с возу — бабе легче!

Все опять рассмеялись. Кроме Родиона, конечно, который, наоборот, оставался необычайно серьезным. Но на самом деле легче не стало. Сам по себе отказ от услуг мастерской любого заказчика, даже самого противного и несносного, являлся неприятным прецедентом, который действительно мог дурно отразиться на ее престиже и вызвать сомнения в безукоризненности проектов Марии Еловской у других.

За этими не самыми приятными мыслями Марию застал следующий звонок, о котором ей сообщила Влада. На этот раз звонил Степанов.

— Здравствуйте, Мария Романовна, — заговорил он деловым и даже каким-то сухим тоном. — Назначена встреча с руководством компании «Манхэттен» и их инвесторами. — Он назвал день и время и спросил: — Вы могли бы присутствовать?

Марии не понравился его тон, и она спросила:

— Разве это необходимо? Я ведь официально не член комиссии...

— Этот вопрос мы решим, — так же сухо сообщил Степанов. — Подумайте и постарайтесь дать ответ завтра.

— Хорошо, я подумаю, — сказала Мария. — Но у меня сложно со временем и тоже есть свои проблемы. Я вам позвоню.

Разговор оставил неприятный осадок. «Да что он, этот Степанов, себе позволяет! — возмущалась про себя Мария. — Сначала взывает о помощи, рассыпается в комплиментах, ведет задушевные беседы, и я ложусь на амбразуру, подвергаю себя тяжелому испытанию, встречаюсь с Аланом. Более того — рассказываю ему, то есть Степанову, об этой встрече! А ведь могла бы вообще не говорить! И тут вдруг — какой-то холодный, чуть ли не приказной тон. Что изменилось? Тоже испугался пожара? Нет, это как-то уж слишком глупо, мелко, на него не похоже... А что, если Герасим Ильич просто меня использует? Использует не только мои способности, возможности, но и мои личные связи? Может быть, он что-то знал о моих отношениях с Аланом и именно поэтому так неожиданно обратился ко мне, когда возникла проблема с элитным комплексом? То есть получается, что не я сама решила поговорить с Аланом, а он специально, совершенно сознательно, подсунул мне визитку и тем самым толкнул меня на встречу с моим бывшим возлюбленным... Опять — сплошные вопросы, загадки! И никаких ответов! И снова я чувствую себя винтиком, беспомощной частичкой в какой-то игре. И вместо того, чтобы нормально работать, должна ломать себе голову над тем, как хоть немного овладеть ситуацией и перестать быть этим винтиком. Вот только... Сколько я ни пытаюсь разбираться сама собой, мне не удается понять, кто и зачем загнал меня на минное поле, да еще постоянно держит под прицелом! Господи, пробуди разум! Я уже во всем вижу результат взаимодействия различных частей какой-то таинственной системы, в которую вплетаются одно за другим все новые и новые звенья. Я чувствую, как продолжает стягиваться узел на моей шее! А может быть, все гораздо проще? И напрасно я впадаю в панику, поддаюсь дурацкому психозу? Нет никакой таинственной системы! А есть люди, у каждого из которых свой интерес, причем не какой-то мистический, а самый что ни на есть практический! Во-первых, всем нужны деньги! Бабки... бабло... капуста... зелень... Как их там еще называют? И все крутится вокруг этого. Алан проектирует элитный комплекс, потому что хочет заработать много денег. Допустим — плюс творческий момент. Сергей вкладывает деньги в тот же элитный комплекс, чтобы получить еще больше денег. Допустим, и ради своей возлюбленной. Чего хочет Степанов? Справедливости, сохранения здоровья людей и земли нашей матушки? Но ведь, конечно, тоже не бесплатно! А в чем суть программы Родиона? Разорить богатых. Ради чего опять же? Да чтобы самому утвердиться, выбраться из нищеты. Типичный синдром Раскольникова! А каждый заказчик, который строит дом, разве не рассматривает его еще и как вложение капитала? То есть тоже хочет приобрести. И, по возможности, не потерять. Но почему я попала в их круг, в поле их зрения? Почему я оказалась в центре каких-то непонятных мне событий, интриг? Да потому, что мне тоже нужны деньги! Я ведь тоже не работаю, как предлагает Родион, этот мнимый фанат бескорыстия, просто за интерес. И нет тут никакой мистики, есть элементарная логика! Так хватит паранойи, хватит валить все на какую-то мифическую систему, которая охотится за мной! Меня пытаются использовать люди, обычные люди, такие же, как и я сама. Нет никакого минного поля, и никто не держит меня под прицелом! А если и держит, то в самом буквальном смысле! Оглянись вокруг и подумай хорошенько, не наступила ли кому-то на хвост, совершенно этого не заметив. И если реально кому-то мешаешь, каким-нибудь конкурентам в конце концов, то ведь могут и замочить. Так что скажи спасибо, что еще башку не прострелили. А связь какая-то во всем происходящем, конечно же, есть! Мы все продолжаем бороться за свое место под солнцем. Поэтому в первую очередь — нужна информация!»

Мария взяла трубку и стала звонить банкиру Сергею. Интересно, что он знает о предстоящей встрече со Степановым? Но секретарша сказала, что Сергея Александровича нет на месте, а мобильный у него оказался заблокированным. Тогда Мария позвонила сестре.

— Наконец-то! — воскликнула Танька.

— Прости, у меня со вчерашнего вечера сплошные ЧП! — сказала Мария. — В общем, поэтому и звоню.

— Господи, да что еще случилось? — испуганно спросила Танька.

— Все расскажу при встрече.

— Так, может, не будем ждать выходных? — предложила Танька. — Что нам мешает встретиться сегодня?

— Пожалуй, пока ничего. А что у Сергея?

— Еще не знаю. С утра где-то мотается. Звонит сам и отключается, чтобы не доставали. А вчера приехал за полночь, свалился и заснул.

— Мне бы и с ним поговорить!

— Так приезжай к нам. У меня, между прочим, на ужин перепелки с орехами и черносливом!

— Ладно, попробую. И приехать, и твоих перепелок! — сказала Мария, внезапно ощутив острый голод. — А если Сергей опять приедет ночью?

— А со мной общаться ты уже не хочешь? — обиженно спросила Танька. — Одни дела на уме?

— Приеду, — сказала Мария. — С дороги позвоню.

До конца рабочего дня, к большому счастью, ничего ужасного больше не произошло. Мария медленно ехала по вечернему городу, то и дело застревала в пробках, раздражалась на тупых водителей и пыталась собраться с мыслями. Но мысли почему-то путались, сквозь нагромождение событий навязчиво проступали перепелиные грудки, лица одних людей мешались с именами других — в общем, получался какой-то бред, от которого хотелось поскорее избавиться. Но дорога, состоящая из сплошных пробок, избавления не приносила. Мария почувствовала непреодолимое желание немедленно вырваться на свободу из этого вынужденного окружения, осторожно перестроилась в правый ряд и свернула в первый попавшийся переулок, даже не взглянув на название.

«Ну, наконец, вырвалась! — облегченно вздохнула она, оказавшись в неожиданно пустынном и тихом переулке. — Как хорошо! Интересно, а куда это я заехала?» Мария огляделась — вдоль переулка стояли старые дома, машин было мало, по тротуару шли редкие прохожие. Шума города здесь почти не было слышно, словно его отгородили невидимой стеной. И вдруг возникло ощущение непривычной легкости, теплоты, даже радости. Ощущение было настолько приятным и сильным, что не могло оказаться простым результатом высвобождения из дорожной пробки. Мария поехала очень медленно, прислушиваясь к себе и вглядываясь в окружающее пространство, и неожиданно услышала перезвон колоколов. Он раздавался отнюдь не внутри нее, а где-то поблизости, вполне реально и явственно.

Мария остановилась, вышла из машины, и взгляд ее сразу остановился на небольшой церквушке на другой стороне переулка, обнесенной невысокой оградой и упакованной в строительные леса. Церквушка находилась на реставрации, была слабо освещена, но при этом излучала такой удивительный внутренний свет и так чудесно звучали ее колокола, что Мария стояла и как зачарованная глядела на нее и слушала. И вдруг поняла, что находится не просто в тихом и безлюдном месте, а в особо благоприятной, или, как называется на языке эниологии, — салюберогенной зоне. Эта зона передавала ей сигналы, сообщала о своем существовании, дополняя интуитивное открытие звоном колоколов. Конечно же, храмы почти всегда строили именно в таких местах! Их настоятели, истинно верующие люди, чистые душой, умели эти места находить и безошибочно определять. Так же, как древние архитекторы и строители. Это — известный факт. Наверное, сама земля помогала им сделать правильный выбор. В храме, построенном в таком месте и умело вписанном в пространство архитектором, создавалась особая атмосфера, в которой доходчивее и чище звучало чтение священных текстов и пение псалмов, а молитва обретала еще более глубокий смысл...

Насладившись созерцанием скромного и одновременно величественного чуда архитектуры, Мария вернулась в машину, но не смогла сразу уехать с этого места. Что-то удерживало ее, непреодолимо тянуло войти внутрь чудесной церквушки. А вдруг не заперто? Вдруг повезет? И Мария решила хоть взглянуть, что там, вдохнуть чудесную, чистую атмосферу, как глоток родниковой воды.

Она быстро перешла через дорогу, миновала ограду — ворота оказались не заперты. Остановилась у входа, осторожно дотронулась до кованой ручки резной деревянной двери, потянула на себя. И дверь неожиданно подалась, пропуская Марию в мерцающее пространство храма. Она вошла, огляделась, явственно ощущая окруживший ее какой-то особый, отрешенный от городской суеты покой, словно попала совершенно в другой мир, в другое измерение. Это было похоже на то, что она стремилась создать в своем любимом домике, но гораздо возвышеннее и сильнее. Вот так, случайно, просто проезжая мимо, она натолкнулась на чудо...

Внутри храма тоже шла реставрация — вдоль стен стояли леса. Но здесь было удивительно светло и тепло, несмотря на вечернее время и предновогодний холод. Свет распространялся неравномерно, создавая ощущение мерцания, а тепло шло от какого-то невидимого источника отопления. Мария обратила внимание, что пол в храме не каменный, а деревянный, выложенный красивым строгим узором. А прямо перед Марией светилась икона с изображением лика святого. Мария пригляделась и прочитала — новомученик Иоанн. Из глубины храма к Марии подошла невысокая женщина с приятным лицом в тонком шерстяном платке на голове и спросила приветливо:

— Вы что-то хотели, сестра?

— Я хотела посмотреть, если можно, — тихо ответила Мария. — Помолиться и свечку поставить...

— Пройдите, — предложила ей женщина, сделав гостеприимный жест рукой.

Мария, осторожно ступая по темным доскам пола, неторопливо подошла к иконе Богородицы с младенцем Христом на руках, зажгла и поставила свечу и тихо стала произносить молитву — свою молитву, которая рвалась из души. Она просила Пречистую Деву оградить от бед сестру, мать, отца, всех своих близких и помочь ей самой, прояснить затуманенный разум. Стоя перед иконой, Мария не видела, что наверху, на лесах, реставратор в рабочей одежде повернул голову в ее сторону и, не отрываясь, смотрит вниз, на нее...

Он увидел ее сразу, как только она вошла. Зоркий глаз художника издалека отметил что-то необычное в облике этой женщины. Замечательное — тонкое и чистое, просто иконописное — было у нее лицо. Такие лица встречаются редко.

Она зажгла свечу. Потом стояла перед иконой и молилась, а художник спустился немного ниже и наблюдал за ней.

Женщина встала на колени перед иконой, перекрестилась, потом поднялась, снова перекрестилась и направилась к выходу. Художник подумал — сейчас она уйдет, и он, может быть, уже никогда ее не увидит. И, наверное, это будет ошибкой, потому что такие лица встречаются редко, очень редко. И не могут они принадлежать пустым, завистливым или злым людям. За таким лицом должна скрываться большая и чистая душа, с него можно писать икону!

Он догнал ее, когда она уже собралась садиться в машину.

— Вы очень спешите? — окликнул художник женщину тихим, мягким голосом, опасаясь испугать.

Она все-таки вздрогнула, обернулась и увидела рядом высокого человека в темной куртке с капюшоном на голове. Очень приятное, худощавое лицо, глаза смотрят приветливо, доброжелательно... Этот человек был совсем не похож на какого-нибудь случайного искателя приключений, решившего завести легкое знакомство на улице, и Мария ответила:

— Не знаю. Наверное, да, спешу. Я все время спешу, но очень хочу остановиться!

— Это хорошо, — улыбнулся он.

— Нет, наверное, это плохо, — сказала она.

— Да что вы! — воскликнул он. — Останавливаться нужно, иначе можно проскочить поворот.

— Да? Как точно вы сказали! — удивилась Мария. — Я вот ехала, потом вдруг остановилась, взяла и свернула сюда. И тут оказалось так хорошо — такая церковь чудесная, и колокола звонят... Словно в другой мир попала.

— Вот видите, значит, я прав. — Он снова улыбнулся. — А я, между прочим, в церкви вас и увидел.

— Но разве вы были там? — растерянно спросила Мария, подумав, что этот человек может оказаться дьяконом или даже священником. Как странно. За что ей такая честь?

— А вы и не могли меня видеть, я на лесах был, наверху, — ответил он с улыбкой. — А вы уж подумали, что я священнослужитель?

— Если честно — подумала, — призналась Мария. — Но если вы находились на лесах, значит, вы все равно в этом храме работаете?

— Да. Фрески реставрирую.

— Слушайте, да что мы стоим на улице в такой холод? Садитесь в машину! — предложила Мария, села за руль и завела двигатель. — Сейчас быстро согреется. Или вы тоже спешите?

— Я никогда не спешу. Мне спешить некуда, — ответил реставратор, забираясь на сиденье.

Он скинул капюшон, и Марии его лицо показалось вдруг странно знакомым. Тонкие черты лица, почти иконописные, удивительно добрый и какой-то просветленный взгляд, длинные темные волосы с сединой. Он действительно был похож на священника. Где же она могла его видеть?

— Послушайте, — спросила Мария. — А мы с

вами раньше никогда не встречались? Что-то мне ваше лицо кажется знакомым...

Он внимательно посмотрел на Марию, прищурился.

— Вполне возможно. Наш мир — единое пространство.

— Нет, я просто уверена, что видела вас раньше! — убежденно сказала Мария.

— Извините, я не представился, — чуть повернулся к ней он. — Может быть, вам мое имя что-то напомнит? Меня зовут Арсений Сухарев.

— О, господи! — только и смогла произнести Мария. — У вас тогда была борода...

— Точно, была, но я давно ее сбрил, — согласился художник.

Да, судьба выкидывает в последнее время невероятные штуки! И дарит фантастические подарки!

Все вспомнилось, словно было вчера... Странные, неземные звуки и удивительные полотна, на которых под эту музыку словно происходит какое-то движение, они будто живут, меняются на глазах. Чудо, настоящее чудо! Маша замирает перед летящим в небе диковинным садом. Что это — космические цветы, цветущие метеориты? От картины и от музыки захватывает дух. Как зачарованная, она переходит от одного полотна к другому, читает странные названия — «Человек и космос», «Бог во мне», «Жизнь и смерть», «Нервы земли»... Ее охватывает острое, щемящее чувство, и перед ней открывается совсем другой, нездешний мир...

— Двадцатка. Малая Грузинская. Семьдесят девятый год! — воскликнула Мария.

— Вы там бывали? — с интересом спросил Арсений.

— Да! И я прекрасно помню ваши картины.

Они тогда потрясли меня! Я даже названия их запомнила и сразу стала вашей поклонницей.

Арсений удивленно посмотрел на Марию.

— Как странно! Если бы я увидел такую женщину, девушку, ну, хоть двадцать пять лет назад, то запомнил бы наверняка. Наверное, тогда вы были ребенком, поэтому я вас и не узнал.

Мария улыбнулась.

— Я не такая уж молодая и в те годы была уже не ребенком.

— Невероятно! — произнес Арсений. — Знаете, почему я сейчас пошел за вами? Меня как художника поразило ваше лицо. Хотя не стану скрывать — как мужчину тоже. Когда вы вышли из храма, я чуть с лесов не спрыгнул, так мне захотелось бежать за прекрасной незнакомкой. Но тогда бы я мог сломать ногу и уж точно бы вас не догнал. Неужели мы с вами были тогда знакомы, да?

— Ну, сказать так было бы преувеличением, — рассмеялась Мария. — Хотя, если честно, нас друг другу представили.

— Так скажите, кто это сделал? И кто же вы, моя прекрасная незнакомка? И почему мы ни разу с тех пор не виделись? — взволнованно произнес Арсений.

— С человеком, который нас познакомил, мы очень давно расстались, — сказала Мария. — А другого способа вас найти у меня не было. Да если честно, я и не пыталась искать.

— Господи, как же это странно! — произнес Арсений, наморщив лоб и пытаясь выловить из памяти о том времени облик девушки, похожей на свою теперешнюю собеседницу, но так и не смог. И признался смущенно: — А я вас совсем не помню! Как же так, понять не могу, у меня ведь неплохая зрительная память... Просто неловко, ей-богу!

— А вы не мучайтесь, — сказала Мария. — Я вам помогу. В тот день рядом с вами была Тамара...

Лицо Арсения вдруг подернулось легкой тенью, и он сказал с грустью:

— Да, она тогда часто бывала со мной...

— А я пришла с Аланом Сильвестровичем. Теперь вспомнили?

Арсений покачал головой, словно пытаясь что-то отогнать от себя, и проговорил растерянно:

— Вот так история... Я помню, с ним приходила очень милая девушка... Кажется, Маша, да?

— Маша, — подтвердила Мария.

— Она так хорошо, так искренне говорила о моих картинах! Ее слова меня тогда сильно тронули. Но она была совсем не похожа на вас! Просто не укладывается в голове, что это были именно вы. Такое чудесное преображение...

— Я сильно изменилась с тех пор, — призналась Мария. — И в каком-то смысле это действительно была не я, а другой человек. Так что — готова познакомиться с вами заново. Мария Еловская...

— Мария Еловская? — в очередной раз удивился Арсений. — Архитектор? Автор чудесных домиков в Подмосковье?

— Откуда вы знаете? — в свою очередь удивилась и Мария.

— Читал о вас в журналах. Видел проекты. Я ведь тоже архитектор по образованию, вот и интересуюсь, что происходит в нашей профессии.

— И вам нравятся мои домики?

Арсений с нескрываемым восхищением смотрел на Марию, и от его взгляда она вдруг почувствовала, как зазвучали какие-то давно забытые струны в ее душе.

— Да, теперь я, кажется, начинаю что-то понимать, — задумчиво произнес он. — Вас преобразил талант! Ваша красота так чиста и безукоризненна, потому что идет изнутри, из души. Это внутренний свет...

— Вы говорите обо мне, как о произведении искусства! — рассмеялась Мария.

— А вы и есть произведение искусства, — улыбнулся Арсений. — Произведение искусства, созданное сами Творцом!

Мария почувствовала, как к глазам подступают слезы. И даже не попыталась их сдержать. Они беззвучно закапали на воротник шубки.

— Что с вами? — с беспокойством спросил Арсений. — Я вас обидел?

Мария молча замотала головой, потом прошептала:

— Вы спасли меня...

И в это время зазвонил телефон. Мария сквозь слезы взглянула на определитель и увидела номер Таньки. Она совсем забыла, что торопилась к сестре! Потому что здесь, в тихом переулке, в прекрасном храме, потом за разговором с Арсением вся суета ее жизни отошла куда-то, растворилась, проблемы, которые терзали еще совсем недавно, показались пустыми и мелочными.

— Да, — сказала Мария, — я все помню и скоро приеду. Танька, милая, прости, что не позвонила!

— Что с твоим голосом? — испугалась сестра. — Ты плачешь? Опять что-то случилось?

— Ага... — прошептала Мария. — Со мной случилось нечто очень хорошее, впервые за много лет! — Она выключила телефон, посмотрела на Арсения. — Как жаль, мне надо ехать. Меня ведь ждет сестра, а я совсем забыла! Мне было так хорошо с вами...

— Мы снова увидимся? — спросил он.

— Конечно! — уверенно кивнула Мария. — Я могу завтра опять приехать сюда.

— А вдруг не приедете? — печально произнес Арсений. — Знаете, Маша, я, кажется, боюсь вас потерять.

— Вот мои телефоны... — Мария протянула ему визитку. — И вот — еще один номер. Даже если другие отключены, этот работает всегда. В любое время. И если захотите меня увидеть, можете звонить по нему. — Мария с обратной стороны карточки записала секретный номер своего «внутреннего мобильного». — Этот номер почти никто не знает, но вы должны знать, потому что... потому что признаюсь честно — и я теперь боюсь вас потерять!

— Спасибо, Машенька, — сказал Арсений ласково. — У меня тоже есть телефон, возьмите на всякий случай. Правда, дома я сейчас мало бываю. Почти все время в храме. Мы хотим скорее закончить. Настоятель отец Сергий — мой давний друг, тоже бывший художник, из нашей двадцатки. И прихожане ждут. Ну, поезжайте, Маша!

— Подождите, Арсений, посидите со мной еще минуту! — попросила Мария. — Как жаль расставаться!

— Мне тоже, но мы обязательно скоро увидимся. И с отцом Сергием я вас познакомлю. Он удивительный человек! Знаете, мы с ним даже иконы пишем для нашего храма...

— Покажете?

— Конечно, покажу!

— А картины вы тоже пишете? — спросила Мария. — Или теперь только иконы?

— Ну, отчего же — пишу, — ответил Арсений. — Как без этого жить? И ваш портрет обязательно напишу. Ну, все, поезжайте! Не огорчайте сестру! И сами не грустите!

Арсений вдруг осторожно обнял Марию, посмотрел ей в лицо и нежно и ласково поцеловал. Это был удивительный поцелуй, легкий, прекрасный, словно ангел коснулся ее губ. Мария едва удержалась, чтобы снова не расплакаться.

Он вышел из машины и направился к храму. Перейдя дорогу, обернулся, помахал Марии рукой. Она махнула в ответ, медленно тронулась с места и неторопливо двинулась в сторону еще недавно — для Марии недавно — забитой транспортом улицы. Но движение уже стихло — время пролетело незаметно, и было уже достаточно поздно. Мария взяла сигарету, собралась закурить, но вдруг передумала. Касаться сейчас губами какой-то сухой бумаги, которая могла стереть с них все еще ощущавшийся нежный, ни с чем не сравнимый, ангельский поцелуй? Нет, ей хотелось как можно дольше его сохранить...

— Ну, что у тебя стряслось? — с порога спросила Танька, пропуская Марию в прихожую. — Господи, да ты вся сияешь! Такой я тебя уже лет сто не видела!

— Ага, — сказала Мария, поглядев на себя в зеркало. — Я и сама такой себя не видела, наверное, вообще никогда в жизни.

— Расскажешь? — допытывалась Танька.

— Расскажу, — прошептала Мария. — Чуть позже, не сейчас.

— Опять — секреты? — возмутилась сестра.

— Да нет никакого секрета! Просто со мной случилось чудо. Можешь поверить?

— Глядя на тебя — могу!

— Представляешь, — растерянно начала Мария, — я сегодня встретила человека... встретила, наверное, единственного мужчину...

— Машка, так ты влюбилась!? — восторженно воскликнула Таня.

— Нет, это другое, больше... — задумчиво покачала головой Мария. — Понимаешь, он как личность ни в чем не уступает Алану и даже, наверное, превосходит его. Он лучше, чище, добрее! И я вдруг поняла, что снова могу полюбить...

— Какое счастье! — закричала Танька, бросилась на шею сестре, расцеловала ее. — Ну, пойдем, а то перепелки стынут. Ты ведь, наверное, голодная? Одними чувствами сыта не будешь!

Танька была в своем репертуаре — она уже суетилась вокруг стола.

— А где Сергей? — спросила Мария. — Разве мы его не будем ждать?

— Он приедет неизвестно когда. Ждать не будем. Перепелок много, всем хватит! — возбужденно тараторила Танька, расставляя на столе тарелки с закусками. — А ты останешься у нас ночевать. Согласна?

— Согласна, — вздохнула Мария.

— Помнишь, как в детстве мы по ночам шептались о наших любовных приключениях? Вот и сегодня пошепчемся! Согласна?

— Согласна, — повторила Мария. — С кем еще мне делиться своими радостями и горестями, как не с тобой! Слушай, а дети где? — спросила Мария, только сейчас заметив, что в доме стоит удивительная тишина.

Танька приблизилась к ней и выразительно прошептала:

— Они гостят у Сережиных родителей. Там такая дружба, что мы только удивляемся! Сережка их даже ревнует к деду с бабкой!

— Слушай, так это здорово! — обрадовалась за сестру Мария.

— Конечно, здорово, — согласилась Танька. — А вот и вино твое любимое! Французское, красное. — Танька водрузила на стол сразу две бутылки коллекционного французского вина.

— Куда столько! — воскликнула Мария. — Завтра на работу!

— Ну и что? Оно — разное! Это Шато, а это — Кот Дю Рон!

— С ума ты сошла! Это же бешеные деньги! Оставили бы на Новый год!

— Да ладно! — рассмеялась Танька. — На Новый год и так останется. И на твой день рождения — тоже. Ну, садись, поешь!

— Ага, сейчас. Только покурю...

— Ну, вот еще, потом покурим!

— Понимаешь, я так давно не курила, — смущенно сказала Мария. — Сначала в храме была, потом с ним разговаривала. Он не курит, и мне было неловко. А потом он вдруг меня поцеловал, и я боялась, что сигарета сотрет его поцелуй. Смешно, да?

— Ничего смешного не вижу, — отрубила Танька, открывая бутылку Шато роскошным фирменным штопором. — И считаю, что за это немедленно надо выпить!

Мария взяла в руки наполненный сестрой бокал, они чокнулись с хрустальным звоном. Вино оказалось великолепным, а уж перепелки — выше всяких похвал. Сестры еще наслаждались прекрасным ужином, как вдруг у Марии в сумочке зазвонил телефон.

— Алло!

— Ну, здравствуй, Маша, — вызывающе произнес в трубке незнакомый женский голос.

— Здравствуйте. А кто это? — спросила Мария.

— Это Тамара. Помнишь меня?

— Тамара? — удивленно переспросила Мария.

— Да, та самая Тамара. Надеюсь, вспомнила?

У Марии в сознании тут же пронеслась последняя встреча с Аланом, и звонок в приемной, и заискивающий голос секретарши. Значит, Тамара действительно оказалась именно та. Но что ей надо?

— Рада тебя слышать, — вежливо произнесла Мария. — И чем же я обязана твоему звонку?

— Еще не поняла? Так слушай. Оставь свои игры с «Манхэттеном»! Не твое это дело! — угрожающе сказала Тамара.

— Извини, но какое ты имеешь к этому отношение? — спросила Мария холодно.

— Самое прямое! — усмехнулась в трубке Тамара. — И Алана забудь! На этот раз у тебя ничего не получится! Я все равно тебе его не отдам! Поняла меня?

— Если честно — ничего не поняла, — призналась Мария.

— Не притворяйся!

— Я не притворяюсь. Просто не понимаю, почему такая агрессия? — сказала Мария с натянутой усмешкой. — Я на него покушаться и не думаю, во всяком случае, как на мужчину. А уж что делать с «Манхэттеном» — позволь мне самой решить!

— Не позволю! — жестко произнесла Тамара.

— Попробуй, — усмехнулась Мария. — А откуда ты узнала мой телефон?

— У Алана определился, когда ты ему звонила! Вот я и списала. Надеюсь, теперь все ясно?

— Не очень, — сухо ответила Мария. — Но я обдумаю то, что ты сказала.

— Только не слишком долго думай! — с откровенной злобой прошипела Тамара. И отключила связь.

Мария замерла с трубкой в руке.

— Что это за стерва тебе звонила? — с тревогой спросила Танька, видя, как изменилось лицо сестры.

— Это — Тамара, однокурсница Алана, — растерянно ответила Мария. — В последний раз я видела ее больше двадцати лет назад.

— Да что ей от тебя надо-то? — возмутилась Танька.

— Все тот же «Манхэттен». Ты сама слышала, — вздохнула Мария. — Похоже, на нем скрестились интересы всех, кого мы знаем, и даже тех, о ком еще не знаем!

— Ничего себе! — ужаснулась Танька. — Она что, угрожала тебе?

— Да, требовала, чтобы я оставила Алана.

— А кто она ему? Жена? Любовница?

— Кем она приходится ему сейчас — понятия не имею. Но кем-то, видно, приходится, — пожала плечами Мария. — Ладно, плевать! И на нее, и на Алана! Пусть она им подавится! Главное, что я, кажется, наконец свободна. Я больше не страдаю по нему. Потому что неожиданно прошла такой терапевтический сеанс, что мне теперь ничего не страшно. Все чушь, кроме любви!

— Так выпьем за любовь! — провозгласила Танька. — И за наших прекрасных мужчин!

Один из прекрасных мужчин, неподражаемый Клинт Иствуд, появился около полуночи. Вид у него был усталый, озабоченный, но глаза блестели радостно. Сестры к этому времени успели обсудить все свои проблемы, попробовав от души вина из обеих бутылок, но, конечно же, не спали. Сергей расцеловал Таньку, потом Марию. Танька тут же бросилась кормить своего возлюбленного, он сел за стол, снова налил всем вина и сказал усталым голосом:

— Девочки! Дорогие! Возможно, скоро мы станем нищими, но лучше быть нищими, но гордыми и честными, чем богатыми, но с грязной совестью! Так выпьем за это!

— Ну, ты загнул, Сережа! — произнесла Танька, поднимая свой бокал. — Может быть, объяснишь попроще?

— А можно сначала поесть? — виновато спросил Сергей. — Тут так прекрасно пахнет, а я, кажется, ничего не ел с самого утра. Или со вчерашнего вечера? Даже вспомнить не могу...

Сестры стали терпеливо ждать, пока заявивший о своем скором разорении банкир отведает перепелок. Но он, торопливо перекусив, взял сигарету, посмотрел на Таньку и спросил с печалью в голосе:

— Дорогая моя, скажи честно, ты не бросишь

297

меня, если я действительно стану банкротом и не смогу каждый год дарить тебе новый джип?

— Конечно, брошу! — рассмеялась Танька. — Не просто брошу, а брошусь тебе на шею!

Что она тут же и сделала. Сергей обнял ее, и вид у него при этом сделался такой счастливый, что Мария не удержалась и предложила:

— Сережа, мы тут пили за любовь... Давай еще раз, вместе с нами!

— Всегда готов! — весело откликнулся Сергей. — А теперь — слушайте. Сегодня все решилось! Заявляю... Как там говорится — в нетрезвом уме и неясной памяти? В общем, я выхожу из игры. Это окончательно и обжалованию не подлежит. Предлагаю за это выпить!

— Мы сегодня сопьемся, — засмеялась Мария.

— Не успеем, — рассмеялась и Танька. — Сегодня закончится через пять минут!

— Ребята, знаете, что я подумала? — сказала Мария. — Наверное, и я тоже выйду из игры.

— Из-за Тамары? — спросила Танька.

— Нет, из-за самой себя, — улыбнулась Мария. — Надоели мне все эти производственные проблемы! Хочется просто жить...

Сергей удивленно посмотрел на нее, но Танька выразительно ему подмигнула, и он тактично не стал ни о чем спрашивать. Они еще немного поговорили о веселых перспективах своей предстоящей нищенской жизни и отправились спать.

Но Мария в эту ночь никак не могла заснуть, снова и снова перебирая в памяти все подробности своей встречи с Арсением. И мечтала о том, чтобы скорее наступил вечер следующего дня, когда она сможет снова его увидеть...

Глава 6

УДАР В САМОЕ СЕРДЦЕ

На следующий день Мария появилась в офисе в двенадцать часов слегка заспанная, рассеянная и при этом необычайно красивая. Она с радостью думала о том, что сегодня, слава богу, пятница, впереди два выходных, можно будет съездить в любимый домик и, может быть, если очень повезет, пригласить туда Арсения. Но, поймав себя на такой крамольной мысли, она тут же себя одернула: не слишком ли она торопит события? Как-то неудобно, да и не такой он человек, чтобы сразу ехать в гости к женщине, с которой только вчера познакомился? И потом, он так занят в своем храме, что вряд ли сумеет выбрать время на легкомысленный, в общем-то, отдых. Но как же хочется оказаться с ним наедине, посидеть у растопленного камина, при горящих свечах, как хочется снова почувствовать на губах его нежный, ангельский поцелуй! И он ведь сам сказал, что боится ее потерять... Эта их встреча — точно знамение! «Мы ведь на самом деле связаны не одной случайной встречей, а целой эпохой! — думала Мария. — Мы познакомились не вчера, а целую вечность назад, и это что-то значит. Если судьба сводит нас второй раз, это даже очень много значит! Интересно, позвонит он сегодня? Но, даже если не позвонит, я все равно поеду туда, в ту церковь, где он работает. Потому что мне совершенно необходимо снова его увидеть! Как он сказал? Останавливаться нужно, иначе можно проскочить поворот. Какое же счастье, что этот поворот я не проскочила!»

— Мария, — с мрачным видом сообщила Влада, — еще один заказ ушел в отказ!

— Так, и кто на этот раз? — с удивительным спокойствием поинтересовалась Мария.

— Чертова подруга чертовой парфюмерши! — возмущенно произнесла Влада. — Она решила строить дом не под Москвой, а под Барселоной!

— Да пусть себе строит, — в отличие от Влады невозмутимо отреагировала Мария.

— Уважаемый босс! — заговорил Дракула. — Ваше спокойствие, конечно, вселяет надежду, но у нас за последнюю неделю не появилось ни одного нового заказа. Вас это совсем не настораживает?

— Не знаю, — сказала Мария, лениво потягиваясь. — Мы давно не давали рекламу. Займись, а?

— Какая реклама! — всплеснул руками Дракула. — О чем ты говоришь, Мария! Мы уже три года живем без всякой рекламы! К нам записываются в очередь!

— Так что же, очередь рассосалась? — удивилась Мария.

— Не совсем, но все очередники почему-то молчат, — произнес он недовольным голосом. — До сих пор от новых заказчиков отбоя не было, а теперь их как корова языком слизнула. Ядохимикат их всех потравил, что ли? Или Сапрыкин вместе с домом спалил?

— Значит, надо напомнить им о себе!

— Унижаться? — возмутился Дракула. — Если мы будем гоняться за заказчиками, все сразу поймут, что у нас дела не так уж хороши. Дадим рекламу — будет еще хуже. Конкуренты только того и ждут.

— А дела, правда, нехороши? — насторожилась Мария.

Дракула мрачно посмотрел на нее и заявил:

— Не надо было ведьмочке отказывать, вот что я тебе скажу!

— С тобой ясно, — усмехнулась Мария. — Она тебя околдовала! А ты что скажешь, Каркуша?

— Насчет ведьмы — не знаю. Лично меня она не околдовала, это точно. Цветочки мои вполне оправились, и, может, не в ней было дело...

— А я уверена — в ней! — возбужденно встряла Влада.

— Чушь, — вступил в спор, выглянув из-за компьютера, молчавший до сих пор Кирилл. — Нам гадят конкуренты. Пронюхали про пожар, раздули, и теперь под этот соус, точнее — золу, сманивают заказчиков.

— Логично, — согласилась Мария. — Надо отработать версию. — Она подошла к Даглару, взяла за руку, с нежностью заглянула в глаза. — Займешься конкурентами, Дракулушка?

Дракула тотчас растаял, поскольку ни один настоящий мужчина — а Даглар считал себя именно таковым — не мог устоять перед этим взглядом Марии.

— Почту за честь, босс! — воскликнул он, целуя боссу руку.

— Вот и хорошо, с этим вопросом решили, — Мария постепенно входила в свою привычную роль. — А как там у нас на финансовом фронте, Каркуша?

— Плату за аренду увеличили, — проворчал тот. — Со следующего месяца — на целую штуку. И требуют за год вперед, жлобы ненасытные! Придется где-то сокращать расходы.

— Подумай — где, — сказала Мария.

— Нам надо вместе думать! А у тебя такой пофигистский вид, будто ты выиграла миллион, — произнес Каркуша то ли с осуждением, то ли с восхищением.

— Больше, — улыбнулась Мария. — Но не деньгами.

— А чем же? — с недоумением спросил бухгалтер.

Мария приложила палец к губам, прошептала:

— Это — великая тайна! — После чего она ушла в свой кабинет.

Но не успела она расположиться за столом и не успели сотрудники обсудить, что вдруг такое загадочное и странное случилось с их боссом, как в офисе раздался звонок. Через минуту Влада сообщила, что на проводе господин Степанов. О, боже — Степанов! Мария совсем о нем забыла! Обещала ведь позвонить, но начисто вылетело из головы. Как нехорошо!

— Здравствуйте, Герасим Ильич! — приветливо сказала она.

— Добрый день, Мария. Извините, я сразу к делу. Вы приняли решение?

— Да. Я не смогу участвовать в этой встрече, — сообщила Мария с удивительной легкостью и сама удивилась, как быстро пришло решение.

— Не ожидал от вас, — с упреком в голосе произнес Степанов. — Есть причины? На вас кто-то оказывает давление, вам угрожают?

— Нет, Герасим Ильич, — не задумываясь, ответила Мария, не желая посвящать его в неожиданный звонок Тамары. — Просто я очень занята в данный момент делами сугубо личными. Могу я себе это позволить, как вы считаете?

— Естественно, можете! — Степанов почти не скрывал раздражения. Помолчал и добавил уже мягче: — Но впереди еще неделя. Подумайте. Я не вправе, конечно, требовать от вас, но ваш человеческий долг...

Вот ведь, теперь о долге заговорил! Сказал бы еще — гражданский! К совести взывает! А сам чего хочет — подставить Марию, за ее счет отыграться?

— Я не сомневаюсь, вы справитесь и без меня, — спокойно перебила его Мария так, словно и не заметила его неприятного тона.

— Что ж, извините, что побеспокоил! — сухо произнес Степанов, и разговор на этом закончился.

«Правильно ли я поступила? — тут же подумала Мария. — Еще недавно я готова была сражаться, не сомневалась, что пойду до конца, а сейчас на уме ничего, кроме романтики. А вдруг действительно комплекс построят? Тогда это будет и на моей совести и упрек Степанова окажется справедливым. Но не хочется мне больше ни во что лезть! Даже не от страха за мою компанию, от которой чуть-чуть отвернулась удача. Уверена — это временное, и не стоит впадать в панику. Просто не хочется, противно! И Алана не хочется видеть — наверное, впервые в жизни. Причем не из-за дурацкого Тамариного звонка, а просто потому, что он наконец стал мне безразличен... Что же тогда получается? Я ввязалась в эту историю с «Манхэттеном» только из-за него? Ради его спасения? Нет, не так. Я ведь не сразу узнала, что это его проект. И сначала во мне действительно говорила именно та самая пресловутая гражданская совесть. Она и сейчас не совсем молчит, господин Степанов! Но даже если я пойду на эту встречу, если все-таки соглашусь, то что и кому я смогу доказать? Что будет значить мой голос? Кто я такая в конце концов? Не государственный чиновник, не депутат, не банкир, а какая-то сумасшедшая архитекторша. Неужели Степанов этого не понимает? Не может не понимать! Нет, он определенно хочет меня подставить, сделать из меня камикадзе. В итоге я окажусь крайней. Играть роль Муму, которую собирается утопить Герасим Степанов, я определенно не хочу! И не буду! Но кто же все-таки стал нам вредить?» Мария взяла чистый лист и написала на нем в столбик слова: «конкуренты», Кассандра, Алан, Тамара и поставила рядом с каждым знак вопроса. И вдруг неожиданно вспомнила про Родиона. А что если этот гениальный безумец решил взять на себя миссию карающего меча божьего? С него ведь станется! От одной этой мысли Марию бросило в жар. Нет, не может быть! Это — слишком, это — перебор! Опять она фантазирует. А если такое предположение вовсе не фантазия? Мария вскочила с места, вышла в приемную и строго спросила:

— А где наш Родион? Что-то я второй день его не вижу!

— Он на объекте, — тут же ответила Влада.

— На каком?

— Сказал, что у парфюмерши.

— Свяжи-ка меня с ним!

Через несколько минут Влада сообщила извиняющимся тоном:

— Мария, у него мобильный заблокирован.

— А дома этого бездельника случайно нет?

— Звонила. Домашний тоже не отвечает.

Ну вот, только этого не хватало! Как же можно было так надолго выпустить своего подопечного из поля зрения... А вдруг он действительно что-то натворит? И виновата будет она, Мария. Господи, хоть бы он объявился! Хоть бы ничего не случилось! Вот ведь, размечталась о счастливых выходных! Нет, оставлять без присмотра никого нельзя! Она одна за все отвечает — и за проекты, и за своих сотрудников. «Ты в ответе за тех, кого приручил!» — вот так. И даже если у нее возникают проблемы, никто не должен это чувствовать...

И тут невеселые размышления Марии прервала Влада.

— Трубочкин появился, — страстно прошептала она, заглянув в дверь.

— Тащи его сюда! — воскликнула Мария, с трудом сдерживая радость.

Он появился перед Марией, боясь поднять глаза.

— Что происходит, Родион? — строго спросила Мария.

— Я был на стройке, — пробормотал он.

— Почему не работает телефон? — продолжала выпытывать Мария.

— Стыдно сказать... у меня деньги кончились... — признался Родион.

Мария достала из сумочки стодолларовую бумажку, протянула ему.

— Это аванс. Немедленно положи на счет и не смей больше никогда отключать телефон. Или я тебя уволю!

Трубочкин задрожал, как осиновый лист, спрятал деньги и наконец решился посмотреть на Марию. Он слишком любил, просто обожал эту женщину, готов был на все ради нее. Но чем же он так ее рассердил, Родион понять не мог.

— Если вы меня уволите, то... это...

— Да не уволю, — смягчилась Мария. — Я пошутила. Чтобы ты не расслаблялся. Все! За работу! И чтобы все время был на связи! Понял?

Он молча кивнул. Вид у него был такой несчастный, что Мария невольно пожалела его и улыбнулась.

— Ладно, иди. Все нормально.

Родион осторожно вышел из кабинета. От улыбки Марии на душе стало немного легче, и он снова стал с благоговением вспоминать ее единственный прощальный поцелуй, память о котором всегда хранилась на его смуглой щеке...

А Мария, оставшись в кабинете одна, с грустью подумала, что прошло уже больше половины дня, а Арсений так и не позвонил... Больше ждать она не могла и стала торопливо собираться. Выйдя в приемную и прочитав на лицах своих сотрудников немой вопрос и явную озабоченность, Мария решила, что пора разрядить обстановку, снять напряжение.

— Значит, так, мои дорогие, — начала она. — Вижу по вашим лицам, что у всех что-то накопилось и все хотят высказаться. Назначаю на понедельник общую оперативку! Явка, а также кофе и конфеты строго обязательны! Ответственная — мисс Хай-тек!

— Давно пора... — пробурчал Дракула, просто раздираемый проблемами будущего мастерской, которое еще недавно казалось совсем безоблачным.

— Пора — не пора, иду со двора! — сказала Мария весело и с нетерпением шагнула к двери.

И в это время у нее зазвонил внутренний мобильный. Она вздрогнула, схватила трубку.

— Да!

— Здравствуйте, Маша. Это Арсений!

—Да! Здравствуйте! — Лицо Марии расплылось в улыбке. Она оглянулась — сотрудники испуганно смотрели на нее. Для них звонок этого телефона звучал как сигнал SOS. — Нет, нет, ничего не случилось, — прикрыв микрофон рукой, проговорила она. — Все хорошо! — И выбежала за дверь.

—Арсений! Как замечательно, что вы позвонили!

—Я сейчас не в храме. Боялся, вы приедете и меня не застанете.

—Я как раз собиралась... Значит, сегодня мы не увидимся? Ой, что-то слышно плохо! Вы куда-то исчезаете!

—Да я на складе, в подвале! Наверное, не получится. Не знаю, когда освобожусь. Боюсь, будет поздно.

—Да что вы, не поздно!

—Давайте лучше завтра...

—Можно и завтра. Не хотите за город съездить? — решилась предложить Мария. — У меня там домик, это недалеко.

—Заманчиво...

—Могу за вами заехать!

—Да я сам приеду. Транспорт найдется. Скажите адрес.

—Вы пишете?

—Да!

Мария начала диктовать адрес.

—Вот связь скверная. Повторите...

—Теперь слышите?

—Сейчас слышу. Все, записал.

—Найти очень легко, но я могу вас встретить.

—Не стоит. Не хочу, чтобы вы где-то ждали! Я найду.

— А когда приедете?

— Постараюсь не поздно. Я сегодня отработаю, побольше сделаю и завтрашний день освобожу!

— Это замечательно! Буду вас ждать!

— Я вам еще позвоню!

В трубке раздался треск, и связь прервалась. Мария с дурацким выражением на лице прижала трубку к щеке. Казалось, даже от нее исходит тепло, и в ней все еще продолжает звучать ласковый голос Арсения...

Отъехав от мастерской, Мария первым делом помчалась по магазинам. Конечно, «мчалась» она относительно, поскольку время было самое пробочное, но душа ее, преодолевая пространство и время, просто неслась навстречу завтрашнему дню. «Что бы такое купить? — думала Мария, разглядывая витрину в супермаркете. — Я даже не спросила, что он любит! Сейчас нахватаю мяса, а вдруг он вегетарианец? Наверное, надо побольше фруктов, каких-нибудь ягод. Жаль, что зима, все не такое вкусное! Зелень, салат, помидоры — это наверняка надо. Зина, конечно, обед в морозилке оставила, но понравится ли ее кулинарное искусство Арсению? Нет, я должна хоть что-то сделать сама! А что? Перепелок-то я готовить не умею! И не только перепелок... Надо бы взять у Таньки пару уроков, а то стыдно, будто я и не женщина!»

Размышляя так, Мария металась от прилавка к прилавку, набивая корзину всем, что казалось ей достойным Арсения. Взяла банку черной икры, но, подумав, поставила на место. Он человек скромный и, наверное, не такой уж богатый. Подумает, что она выпендривается, как какая-то миллионерша. Надо, наверное, взять хорошего вина? Но что любит он? И пьет ли вообще? Мария совсем засуетилась. Ей так хотелось сделать Арсению что-нибудь приятное, какой-нибудь сюрприз! В итоге она ничего оригинального так и не придумала. В конце концов, загрузив в машину огромные сумки, набитые всевозможной снедью, и не слишком довольная собой, она двинулась в сторону кольцевой и вскоре выехала на трассу.

Домик, как всегда, встретил ее приветливо. Мария разгрузила сумки, взглянула в зеркало, усмехнулась и сказала о себе: «До чего же у нее сейчас глупое выражение лица! Хорошо, что никто ее не видит!»

Потом поднялась на второй этаж, достала портрет Алана, посмотрела на него, и впервые за долгие годы сердце ее даже не дрогнуло.

— Я больше тебя не люблю! — произнесла она вслух. — На самом деле — не люблю!

После этого надо было чем-то себя занять, потому что просто так сидеть и ждать завтрашнего дня было невыносимо. Она то хваталась за книгу, то включала телевизор, который не смотрела уже несколько месяцев. Потом устроила осмотр купленных продуктов и поняла, что накупила всякой ерунды. Зачем, например, сразу столько соусов и приправ? В конце концов позвонила Таньке и попросила дать срочную консультацию по приготовлению белой рыбы.

— Маша, ты не заболела? — спросила сестра. — За тридцать семь лет, что я тебя знаю, это впервые!

— Заболела! — рассмеялась Мария. — Самым тяжелым недугом.

— Тогда слушай врача и записывай рецепт! — деловито произнесла Танька и стала диктовать по пунктам, как готовить рыбу.

Провозившись с рыбой до полуночи, Мария поняла, что готовить гораздо труднее, чем проектировать дома. Почувствовав вдруг безумную усталость, она едва дошла до кровати, рухнула на нее и заснула безмятежным сном.

Когда Мария проснулась, за окнами ярко сияло солнце. Накинув пальто, она вышла на крыльцо. Всюду искрился снег — на ветках деревьев, на покрытых белыми шапками кустах. Дорожки были тщательно расчищены, и заснеженный сад походил на чудесную картинку из рождественской сказки. На душе стало легко и светло. Впереди был прекрасный день с ожиданием радостной встречи и какая-то еще неведомая, но несомненно яркая, интересная, наполненная глубоким смыслом и чувством новая жизнь.

Около четырех часов на участке появился большой, слегка потрепанный, далеко не последнего года выпуска минивэн «Ниссан». Из него вышел Арсений в элегантном пальто, с непокрытой головой, с большим букетом нежных кремовых роз. Мария, вспорхнув с крыльца, бросилась ему навстречу. И он опять, как тогда, в машине, поцеловал ее... «Неужели теперь так будет всегда? — подумала Мария, жмурясь от яркого солнца и наполнявших ее душу чувств. — Не может быть, уж слишком хорошо!»

Арсений вдруг смутился и спросил:

— Смешная у меня машина? Да?

— Очень хорошая машина... — прошептала Мария. — И красивая...

— Ну, насчет красоты — не знаю, — улыбнулся Арсений. — Зато удобная, вместительная, можно возить картины, доски, подрамники, всякие там материалы для реставрации!

Они вошли в дом. Арсений с интересом оглядел его и сказал:

— Как хорошо!

Мария подумала: «Действительно, как хорошо! Я сделала этот домик не только для себя. Пусть он доставляет радость человеку, который освободил меня от вечной тени прошлого, подарил мне новую жизнь! Я не хочу ничего загадывать, не хочу строить какие-то планы на будущее. Главное то, что происходит сейчас. И даже если наша встреча окажется не вечностью, а коротким мигом, мне и этого мига будет достаточно. Мне теперь ничего не страшно!»

Арсений снял пальто. На нем был черный костюм, белая шелковая рубашка с незастегнутым воротником. В распахнутом вороте рубашки виднелся старинный, чеканный крест на темной строгой цепочке. С лица Арсения не сходила улыбка.

Мария смотрела на него и думала: всю жизнь она любила демона, а теперь встретила ангела, и чувство к нему оказалось еще сильнее. Просто невероятно!

— Вот, это тебе, Машенька! — сказал Арсений, неожиданно перейдя на «ты», и это получилось вполне естественно.

Он протянул Марии большую книгу. На обложке было крупно написано латинскими буквами: ARSENII SUHAREV.

— Спасибо! Это лучший подарок!

Мария взяла каталог и, сразу пролистнув первые страницы, начала смотреть картины. Там были знакомые ей работы — те, что когда-то так потрясли ее на выставке на Малой Грузинской. Как хорошо она их помнила, словно видела только вчера! И было много других, новых, тоже замечательных. Значит, Арсений много работал все эти годы. Увидев несколько икон и узнав образ новомученика Иоанна, на который она обратила внимание в храме, Мария с удивлением воскликнула:

— Так это — твоя?

Арсений кивнул.

— Взгляни. Я подписал.

Мария вернулась на первую страницу и прочитала: «Машеньке — главному чуду в моей жизни, которое я когда-то не сумел разглядеть по душевной своей слепоте! Да хранит тебя бог!»

Мария замерла с книгой в руках, потом посмотрела на Арсения.

— Нет, не по слепоте! Я ведь тоже не разглядела. Дело не в этом. Просто время тогда не пришло...

— Наверное, ты права, — задумчиво произнес Арсений. — Тогда мы жили совсем другим. А сейчас... сейчас, мне кажется, мы больше готовы к встрече, мы свободны. Ты ведь свободна, Маша? Я не ошибся?

— Абсолютно! — воскликнула Мария. — Если не считать, что в последние дни что-то случилось с моим сердцем. В нем поселился светлый ангел!

— Значит, мне не на что надеяться? — с улыбкой спросил Арсений.

Мария встала на цыпочки, обвила его шею руками и, зажмурившись от волнения и страха, что все, происходящее с ней, может оказаться лишь чудесным сном, поцеловала. И тут же с испугом отпрянула.

— Маша, — сказал смущенно Арсений, — я ведь не ангел и даже не монах, хотя и пишу иконы!

— Хорошо, что ты не монах! — засмеялась Мария.

— А если я разочарую тебя?

— Не получится, — сказала Мария. — От нас уже ничего не зависит!

Они сидели в гостиной, где, как и хотелось Марии, потрескивал огонь в камине, горели свечи. А за окном деревья склоняли свои заснеженные лапы. Арсений поставил на стол бутылку французского красного вина.

— Я угадал? — спросил он.

— Да, это именно то, что я люблю.

— Но зачем ты устроила такой безумный прием, Машенька? — произнес Арсений, оглядывая накрытый стол.

— Мне очень хотелось праздника, — призналась Мария. — Правда, я совсем не умею готовить...

— Это мы сейчас выясним!

— А рыбу ты любишь? — настороженно спросила Мария. — Белую рыбу с шампиньонами в ореховом соусе?

— Обожаю! — не задумываясь, ответил Арсений. — Жаль только, что не смогу выпить с тобой.

— Почему? Ты не пьешь? Совсем? — расстроилась Мария.

— Мне еще ехать обратно.

— Но... ты можешь остаться... — с отчаянием от

одной мысли, что он скоро уедет, предложила Мария. — Дом у меня большой...

— А домовой у тебя есть? — вдруг спросил Арсений.

— Есть, — ответила Мария, не зная еще, хорошо это или плохо.

— Очень хорошо, — сказал Арсений. — Я люблю домовых...

— Позвать? — спросила Мария.

— Не надо, — улыбнулся Арсений. — Он сам выйдет, когда захочет.

Он разлил в бокалы вино, сделал небольшой глоток, и Мария с радостью подумала, что, наверное, он останется...

— Маша! А как ты жила все эти годы? Расскажи! — попросил Арсений.

— А ты?

— Потом — я, но, по-моему, у меня жизнь не такая интересная.

Мария помолчала, закурила, вздохнула и стала рассказывать о своей жизни. Арсений был первым человеком, который узнал ее историю, всю — от начала до конца. И о любви к Алану, и о больнице, и о неожиданно проснувшемся даре слышать голос земли. Умолчала она только о той своей встрече с Аланом, когда они после получения премии уехали вместе и провели последнюю ночь...

— Машенька, как удивительно... ты прожила не одну жизнь... — тихо произнес Арсений. — Теперь я понимаю, почему тебя не узнал.

— Знаешь, а мы с Аланом собирались тогда поехать к тебе. Несколько раз собирались. Мне очень хотелось, но все что-то мешало. А на самом деле Алан просто меня приревновал — слишком уж я тобой восхищалась. В общем, я так до тебя и не доехала... — с сожалением произнесла Мария.

Арсений взял ее за руку.

— Ты же сама сказала — время тогда не пришло!

Они помолчали немного.

— А что было дальше, Машенька?

— Много всего! Но это уже не так интересно. Работа, карьера... Копание в себе... Да я и так совсем тебя заговорила!

— Нет-нет, продолжай, — улыбнулся Арсений. — Я хочу все знать о тебе!

— Все — невозможно! — засмеялась Мария. — Должна оставаться какая-то тайна. Но то, что происходит сейчас, — наверное, это важно...

И она стала рассказывать о самых последних событиях, о той странной ситуации, которая сложилась. И о том, что в эту ситуацию по какой-то непонятной иронии судьбы оказались замешаны и Алан, и даже Тамара. Арсений слушал очень внимательно, выражение его лица то и дело менялось. Рассказав о звонке Тамары, Мария вдруг устало откинулась в кресле. Ощущение у нее было такое, что она вывернула наизнанку всю свою душу. Она поймала на себе тревожный взгляд Арсения, и ей вдруг стало неловко.

— Все! Кажется, я выдохлась. Больше не могу! Я и тебя утомила, да?

Арсений покачал головой, протянул ей бокал вина.

— Нет. Просто я слушал тебя и думал: как же ты живешь со всем этим? Сколько же надо сил!

— Знаешь, когда ты рядом, мне совсем не хочется быть сильной, — с улыбкой призналась Мария. — Просто хочется жить!

Арсений осторожно обнял Марию, с нежностью стал гладить ее тонкие пальцы и сказал спокойно и просто:

— Вот мое плечо, моя рука! И моя жизнь.

Мария прислонилась к нему, склонила голову на его плечо, закрыла глаза и прошептала:

— А теперь рассказывай ты!

— У меня все намного проще, — сказал Арсений. — Но начнем с.конца твоей истории, с Тамары... Мы с ней прожили вместе несколько лет, даже были женаты, но то сходились, то расходились. Как-то у нас не получалось. Слишком мы разные. Она любила мои картины, наверное, больше, чем меня. А я любил ее красоту, но плохо понимал, чем живет ее душа. Мне хотелось иметь семью, детей, она относилась к этому с презрением. Когда уехал Алан, с ней что-то произошло. Она очень изменилась, как-то даже ожесточилась. Я не мог понять — почему. Понял уже позже. Она всю жизнь любила его! Ревновала к тебе, хотя и скрывала свою ревность. Когда мы расстались окончательно, я совсем перестал писать картины, думал уйти в монастырь. Не потому, что боюсь одиночества, человек вообще одинок. Но как-то душа, что ли, хотела очиститься от всех страстей. И меня отговорил друг. Он тогда не был еще священником, но уже шел к этому. Он мне сказал — монастырь не для тебя, ты должен иначе служить богу; бог дал тебе большой талант, ты всегда был лучшим из нас, так вот — пиши свои картины, выполняй свой долг и этим прославляй Господа! И, представляешь, его слова меня убедили. И я снова взялся за работу. Позже, когда он получил приход в Подмосковье и стал отцом Сергием, я помогал ему строить храм. А теперь вот его в Москву перевели, и мы опять работаем вместе. Вот, собственно, и вся моя история.

— И ты так и не женился? — спросила Мария.

— Нет. Я всегда относился к браку серьезно, мне нужна была большая любовь, а ее я не встречал...

— А что потом было с Тамарой?

— Мы совсем не общались. Но вдруг я узнал от общих знакомых, что вернулся Алан. Он был женат несколько раз, и в Москве. Но Тамара, как говорили, решила взять его осадой и в конце концов дождалась своего часа. Она его жена.

— Тогда все понятно! — догадалась Мария. — Все понятно с ее звонком!

— Конечно! Она охраняет то, чего так долго ждала и с таким трудом сумела получить. Я рад за нее, искренне рад! Но ей, видно, приходится нелегко.

— Я не хочу ей мешать! Пусть у них все будет хорошо! — воскликнула Мария. — Но как же быть с этим проклятым комплексом? Это же преступление!

— Не знаю, Маша, только ты сама можешь решить, — задумчиво произнес Арсений. — Я далек от этого. Но если бы я оказался на твоем месте, то, наверное, не стал бы выходить из игры. И дело тут не в каких-то личных отношениях. Преступление есть преступление, чего бы оно ни касалось.

— Хорошо, я подумаю, — сказала Мария.

Они еще долго и неторопливо разговаривали, сидя рядом и держась за руки — им ведь так много надо было сказать друг другу! И пили чудесное вино, и ели рыбу, приготовленную по Танькиному рецепту. Смеялись, снова говорили. А домовенок Тишка в тот вечер так и не появился. Конечно, нельзя гарантировать, что он не подглядывал и не подслушивал из какой-нибудь щелки, но никаких знаков о себе не подавал — видно, понял, что хозяйке не до него. И даже тактичный кот Бандит не пришел на запах рыбы!

И была еще ночь. Удивительная ночь, полная щемящей нежности, хрупкой, целомудренной страсти и невероятной любви. И в каждое ее мгновение и Марии, и Арсению казалось, что это — самая прекрасная из всех ночей, которые были в их жизни.

— Как хорошо, что ты не стал монахом! — прошептала Мария.

— Спасибо отцу Сергию, — улыбнулся Арсений. — Наверное, он знал, что когда-нибудь я встречу тебя...

На другое утро Арсений стал собираться — в храме его ждала работа. Мария проводила его, немного погрустила... и тоже поехала в Москву, потому что оставаться одной в доме без него ей не хотелось. Она была уверена, что они уже никогда не расстанутся, но каждый день, каждый час, прожитый без Арсения, казался ей теперь потерянным и просто бессмысленным.

Воскресный вечер она провела в московской квартире. Поговорила с Танькой, потом сделала контрольный звонок Трубочкину — на всякий случай, чтобы не волноваться зря. Он сразу ответил по мобильному и сообщил, что работает дома. Мария перезвонила ему домой, еще недолго с ним поговорила и, убедившись, что он ее не обманывает, немного успокоилась и попыталась настроиться на дела. Надо было собраться с мыслями, подготовиться к собранию сотрудников своей мастерской, которое она назначила на понедельник.

Рано утром раздался звонок «внутреннего мобильного». Мария радостно протянула руку к трубке, подумав, что это Арсений, потом удивленно взглянула на часы. Было семь утра. Странно, он, наверное, не стал бы будить ее так рано! И тут же в сознание закралась тревога. Опять что-то случилось? Она схватила трубку и услышала незнакомый мужской голос.

— Мария Еловская?

— Да!

— Дежурный охраны. Из поселка. Ваш дом горит!

По дороге Мария лихорадочно думала: откуда такой удар, прямо в самое сердце? Неужели она сама виновата, плохо потушила камин? Нет, невозможно! Не настолько она рассеянная! Поджог?..

Она набрала номер Влады. Мисс Хай-тек ответила сонным голосом:

— Алло...

— Это я! — заговорила Мария, сама заметив, что ее голос звучит как чужой. — Собрание отменяется. У меня пожар.

— Что? — закричала, сразу проснувшись, Влада.

— Домик горит. Еду туда. Позвоню. — Мария отключила связь. Потом позвонила Таньке.

Танька не стала задавать вопросы, только по-деловому сказала:

— Сейчас приеду!

— Ну, скорее, «рафик», скорее! — подгоняла Мария свой верный автомобиль.

Машин на трассе было немного, и довольно скоро Мария увидела указатель знакомого поворота. И тут у нее промелькнула нелепая мысль — а успел ли спастись домовенок? Не было ли случайно в доме Бандита, которому она оставила на кухонном столе остатки рыбы?

Вдоль забора краснели пожарные машины, кругом суетились какие-то люди — охранники, соседи, электрик. Электрик бурчал, что проводка была в порядке, сам проверял. Пожар уже потушили, только над участком клубился едкий дым. Сквозь серую пелену было видно, что выгорела часть второго этажа, мрачно чернело окно спальни. Первый этаж почти не пострадал от огня, но пожарные его изрядно залили водой. Мария стояла на пепелище, словно окаменевшая, и старалась не смотреть на то, что еще вчера было любимым домиком. Слезы капали на воротник. Ее обнимала Танька, тихо шмыгавшая своим красивым носиком.

— Сережа сейчас приедет, — шептала она. — Он что-то знает.

— Ага... — кивнула Мария, почти не понимая, о чем идет речь.

И вдруг откуда-то из сугроба к ней бросился Бандит, взлетел, как на дерево, на ее плечо и стал лизать в лицо.

— Бандитушка, милый, ты жив... — Мария прижала к себе кота и отчаянно разрыдалась.

— Маша, пойдем в машину! Хватит на морозе

стоять! Все равно ментов надо ждать, никуда не денешься, — сказала Танька и потащила сестру к джипу. — И Бегемота тащи! Он, наверное, все видел, знает что-то!

— Кто это сделал, Бандитушка? — сквозь слезы спросила Мария.

— Ур-мяу! — нежно ответил Бандит, еще раз лизнул Марию в лицо, стараясь слизать слезы, спрыгнул с ее плеча и тут же исчез в кустах.

— Не хочет говорить, вредина! — возмутилась Танька, включая двигатель, чтобы можно было включить обогрев салона. Потом взяла сестру за руки и стала растирать ей пальцы. — Совсем заледенели! Нельзя же так!

— Домик, милый, прости... Не уберегла тебя... — рыдая, говорила Мария. — Расслабилась, дура! Что же я наделала...

— Да ладно тебе причитать! Прямо как баба! — возмутилась Танька. — Все живы, даже Бандюга цел!

— А домик? Танька! Я ведь давно почувствовала — кто-то целится именно в меня! Ну, кто, кто это сделал? — в отчаянии задавала Мария вопросы, на которые не было ответа.

— Найдут твоих врагов, они за все ответят, я уверена! А ты включи мозги и сама думай!

— Но как же понять, как вычислить, кто именно? — бормотала Мария.

— Успокойся, и давай по порядку! — сказала Танька.

И тут позвонил Арсений. Лицо Марии изменилось мгновенно.

— Машенька, что с тобой, — спросил он испуганно. — Ты плачешь?

— У меня дом сгорел, — с трудом выговорила Мария.

— Ты сейчас там?

— Да, на пепелище.

— Я приеду! Хочешь?

— Хочу! — всхлипнула Мария.

— Все. Скоро буду.

Мария посмотрела на сестру и прошептала:

— Это — он.

— Поняла. У тебя же все на лбу, как всегда, написано. А притворяешься скрытной! Да что же Сережа не звонит, не едет? — сказала Танька, нервно набирая номер Сергея.

— А где он?

— Не знаю. Как ты позвонила, он сразу сорвался с места, меня ждать не стал. У него своя какая-то версия!

— Танька, ну, где же милиция? Я не могу больше здесь сидеть!

— С ума сошла! Сейчас твой Арсений приедет!

Мария посмотрела в окно.

— Да! Вот он!

Она выскочила из машины, бросилась к подъехавшему старенькому «Ниссану». Танька вышла следом за ней.

Арсений быстро оглядел мрачную картину и деловито спросил:

— У тебя все чертежи сохранились?

— Все, — сказала Мария. — И в компьютере, и в распечатках...

— Это — главное, дом мы восстановим, — сказал он уверенно. — Закончим храм, возьму своих рёбят. И все будет, как было! Надеюсь, ты доверяешь профессиональным реставраторам?

Мария молча кивнула и уткнулась головой ему в плечо.

Подбежала Танька, тараща свои голубые блюдца глаз.

— Познакомься, это Арсений, — сказала Мария.

Маленькая Танька крепко пожала горячую, сильную руку Сухарева.

Мария обернулась и увидела еще две подъехавшие машины. Из одной выбралась вся ее мастерская, почти в полном составе, не было только Родиона, а из другой — Георгий Малахов и даже сам господин Степанов. И тут она не удержалась и снова расплакалась, растроганная тем, сколько людей готовы прийти ей на помощь...

Глава 7

КОРОТКОЕ ЗАМЫКАНИЕ В ДЛИННОЙ ЦЕПИ

После пожара в доме Марии прошел почти месяц.

За это время встретили Новый год — встретили тихо и немного печально. Ни Арсений, ни Танька, ни Сергей о сгоревшем домике старались не говорить, чтобы лишний раз не травмировать Марию.

А та понемногу успокаивалась, но мысли ее все равно то и дело возвращались к последним событиям. Единственной настоящей радостью, наверное, было то, что Арсению неожиданно предложили сделать большую персональную выставку в ЦДХ и он стал энергично готовиться к ней. Работа в храме шла к завершению и тоже требовала большого напряжения и сил. Короткие встречи урывками и для Марии, и для Арсения стали просто невыносимыми, и Мария, к огромной радости Арсения, решила переехать к нему в мастерскую.

Сергей все последнее время был мрачен и особенно озабочен. Отказ от участия в строительстве комплекса действительно стоил ему больших финансовых потерь. Танька очень беспокоилась за него, пыталась утешить, но Сергей все равно нервничал. И все время с кем-то говорил по телефону непонятными, отрывочными фразами и без конца куда-то уезжал.

Пролетели Рождественские каникулы. Мария вышла на работу и в первый же день узнала, что за время праздников загорелся еще один дом, построенный по ее проекту, а также пострадали по разным причинам квартира и офис, в которых она оформляла интерьер. В квартире случился жуткий потоп, потому что где-то прорвало трубу, а в офисе, кажется, произошло короткое замыкание в электросети, которое вызвало пожар. Правда, дом обгорел не сильно, пожар потушили очень быстро, и ущерб, нанесенный квартире и офису, тоже оказался незначительным, но вот престиж компании Марии Еловской, без сомнения, от этих неприятных происшествий пошатнулся еще сильнее. И самой Марии было совершенно очевидно — кто-то целенаправленно этого добивался. Клиенты начали относиться к ней не только настороженно, но и подозрительно, новые заказы по-прежнему не поступали.

Влада нервно поглядывала на телефон, который почти совсем перестал звонить, а если уж звонил, то обязательно приносил какую-нибудь неприятность. Каркуша целыми днями возился со счетами и разными другими бумагами, пытаясь извлечь из них хоть какие-то деньги. Кирилл мрачно сидел за компьютером и молчал. Родион в мастерской почти не появлялся и только докладывал по телефону о своем местонахождении. И, как это ни странно, Дракула, который всегда был общительным, разговорчивым, в последнее время стал молчаливым и замкнутым. Однажды Мария спросила его:

— Что с тобой происходит, Даглар?

— Ничего не происходит, — ответил он сдержанно. — Ищу клиентов. Ты же сама просила меня заняться рекламой! Вот я и занимаюсь!

Но клиенты все не появлялись. Оставался один Малахов, который уже давно полностью рассчитался за проект, а тех денег, что он платил за авторский надзор, на затыкание всех дыр в прохудившемся бюджете мастерской все равно не хватало. Все его попытки увеличить гонорар Мария отвергала, прекрасно понимая, что это будет просто подарок, не предусмотренный договором.

В общем, после Нового года дела в мастерской пошли совсем плохо. За короткий срок из богатой, преуспевающей женщины Мария превратилась чуть ли не в банкрота. Она прекрасно понимала, что фактически находится на грани разорения.

В этот тяжелый для мастерской период Мария не раз вспоминала о Кассандре. Отношения с этой странной дамой остались какими-то не проясненными, разговор — незавершенным, но Мария никак не могла заставить себя ей позвонить.

Арсений теперь с утра до ночи работал в храме, а с ночи до утра готовился к выставке в ЦДХ. Мария старалась помочь ему, чем могла, они вместе отбирали картины, приводили их в порядок.

— Машенька, у тебя такие проблемы, а я ничем не помогаю тебе! — сокрушался Арсений.

— Ты помогаешь мне жить! Одна я просто всего этого не выдержала бы, — отвечала ему Мария. — Теперь у меня есть ты. Я счастлива, что могу видеть твои замечательные картины, особенно те, которые помню еще с Малой Грузинской. Я смотрю на них и черпаю в них силы. И я ничего не боюсь. Останусь без работы — буду помогать тебе, обучусь реставрации. Буду рисовать портреты, когда-то ведь у меня неплохо получалось. Этим тоже можно заработать.

Арсений только покачал головой. Он ни за что не хотел мириться с тем, что любимая женщина находится в таком бедственном положении, и все время думал о том, как найти хоть какую-то возможность помочь ей.

И тут позвонила Танька.

— Маша, мы так давно не виделись! — сказала она каким-то странным голосом.

Мария, почувствовав в ее интонациях скрытое беспокойство, сразу помчалась к ней.

В углу гостиной стояла большая серебристая елка, сверкающая разноцветными шарами, в которых отражались красивые фонарики. Танька порхала вокруг елки, снимала игрушки, аккуратно складывала в коробку.

Мария сидела с сигаретой на диване, смотрела на елку, на сестру. Вот фонарики погасли, и сразу стало как-то грустно и пусто.

— Тебе помочь? — спросила Мария.

— Не надо, я сама! — отказалась Танька, снимая с елки блестящую гирлянду лампочек.

— Присядь, передохни, — сказала Мария. — Нельзя же так — целый день на ногах!

— Знаешь, Маша, мне так лучше, — вздохнула Танька. — Мне надо себя занять, чтобы в голову всякие мысли не лезли.

— Какие еще мысли? — с беспокойством спросила Мария.

— Да глупость всякая, — ответила сестра.

— Ну-ка, рассказывай, какая там еще глупость!

Танька неуверенно повернулась к ней, лицо у нее было задумчивое и печальное.

— Я не хотела говорить... У тебя и без меня хватает...

— Выкладывай! — потребовала Мария. — Я тоже немного научилась по лбу читать!

— Ну, в общем, Сережа меня беспокоит, — решилась наконец Танька. — Он, понимаешь, в последнее время какой-то мрачный, замкнутый. Кто-то все время ему звонит, куда-то он без конца уезжает, даже ночью...

— Во-первых, я не заметила, чтобы он стал особо мрачным, — сказала Мария. — А во-вторых, ты же сама знаешь, какие у него проблемы в банке. Вот он и носится, чтобы их хоть немного уладить.

— Да знаю я. Но ночью-то — какие переговоры? — Танька вдруг всхлипнула. — Маша, а вдруг у него женщина появилась? А он мне сказать боится...

— С ума ты сошла! — возмутилась Мария. — Ты бы видела, как он смотрит на тебя! Со стороны-то виднее!

— Маша, я все понимаю умом, но каждый раз,

как он убегает, у меня — будто пуля в сердце. Если он бросит меня, я умру!

Мария встала, подошла к сестре, обняла ее.

— Выкинь эти дурные мысли из головы! Мы все сейчас нервничаем. Ну, период у нас такой! Но если мы еще и в любовь перестанем верить — тогда действительно хоть в петлю лезть. У нас же с тобой есть самое главное, самое лучшее! И грех сомневаться в любимых мужчинах!

Танька удрученно прислонилась головой к плечу сестры.

— Ты правильно все говоришь! Я знаю, что своими подозрениями только дурное притягиваю. Мне самой стыдно, что об этом думаю, но сделать с собой ничего не могу. Гадкие мысли так и лезут... как тараканы...

— Танька, неужели в твоей прекрасной головке тараканы завелись? — воскликнула Мария. — Ну, ладно, я занималась всяким там самокопанием, но ты-то! Ты же такая умница! Меня всегда на путь истинный наставляла!

— Действительно, чего это я расквасилась! — шмыгнув носиком и приложив платочек к глазам, встрепенулась Танька. — Маша, но я так его люблю, так люблю...

— И он тебя любит, никогда в этом не сомневайся! — успокоила сестру Мария и, чтобы отвлечь ее от неприятных мыслей, решила сменить тему. — А знаешь, о чем я тут думала? Вот сгорел мой домик...

— Может, не надо об этом? — сразу переключилась Танька.

— Надо! — уверенно заявила Мария. — Нельзя все время молчать, будто ничего не случилось! Арсений меня туда не пускает, но сам все осмотрел. Он сказал, что первый этаж почти не пострадал! Следы от затеков легко устранить. Он дом восстановит, я уверена, и мы следующий Новый год встретим в нем. Но я сейчас о другом.

— О чем, Маша? — с интересом посмотрела на нее Танька.

— Понимаешь, вместе с домиком сгорела часть моей души, но рана затягивается, я успокаиваюсь. Потому что у меня теперь есть Арсений!

— Хочешь сказать — за счастье надо платить? — угадала ход мыслей сестры Танька. — Но... не слишком ли цена велика?

— Танька, оставим в покое злую карму, пусть ею Кассандра занимается. Я вовсе не считаю, что расплатилась пожаром в домике за свое счастье, — произнесла Мария задумчиво. — Просто подумала вдруг, что сгорела именно та часть второго этажа, где я хранила портрет Алана. Начинается новая жизнь, без мрачных теней прошлого. И это, наверное, символично!

— Все прекрасно? Очистительный огонь? Никто не виноват? — вдруг возмутилась Танька. — Ты, кажется, готова уже простить поджигателя, чуть ли не благодарна ему!

— Ни в коем случае! — воскликнула Мария. — Я только стараюсь найти в самом плохом что-то хорошее...

— Хватит сентиментальной философии! — решительно заявила Танька. — Все равно мы не успокоимся, пока не узнаем, какая же сволочь это сделала. Давай думать!

— Давай! — согласилась Мария, обрадовавшись, что сумела отвлечь сестру от мучившей ее ревности и переключить совсем на другой разговор.

— Перечислим для начала всех подозреваемых, — деловито предложила Танька. — Ты называй, а я буду комментировать.

Мария улыбнулась.

— Ладно, начнем с главных персонажей: Алан, Тамара, Кассандра.

— Не спеши, не надо всех сразу, в одну кучу! Конечно, у каждого есть мотивы, — Танька наморщила лоб. — Начнем с Алана. Ты обошла *его* в карьере: он работает на чужого дядю, а ты — сама на себя — это раз. Ты мешаешь ему строить чертов элитный комплекс — два! Ты слишком похорошела, пока он тебя не видел, — три! Не бросилась ему на шею, когда он тебя поманил, — четыре! В общем, целый букет мотивов. Кроме того, он явно в тебе заинтересован, даже предложил вместе работать. А ты не отреагировала. Как тебя получить? Испортить тебе карьеру, запугать, и тогда в отчаянии ты сама прибежишь к нему. По-моему, логично, как ты считаешь?

— Не то слово! Ты просто — Эркюль Пуаро!

— Конечно! — с гордостью покивала Танька, все больше увлекаясь своим расследованием. — Кроме того... ты уж прости, сестричка... Алан, по большому счету, подлец и циник. В общем, ставлю за него семьдесят процентов из ста. Поехали дальше.

— Тамара, — назвала вторую кандидатуру Мария.

— Ну, эта стерва вообще подходит по всем параметрам. Тут и ревность, и месть, и страх. Ты для нее ты — вечный источник опасности. За нее — процентов восемьдесят, не меньше.

— А Кассандра?

— Кассандра... — задумчиво протянула Танька. — Судя по тому, как ты ее описывала, она еще та штучка! Но мне почему-то кажется, что она изобрела бы что-то пооригинальнее... Хотя удары в цель попадают. И мотив у нее тоже есть, но — один: ты отказалась с ней работать. Не знаю, за нее — процентов пятьдесят. Кто следующий?

— Родион, — Мария произнесла имя своего сотрудника и ужаснулась своему собственному предположению.

— Этот отпадает, — сразу успокоила ее сестра. — Он влюблен в тебя. Не стал бы тебе так гадить.

— Мне лично не стал бы, — согласилась Мария. — Но я вот чего боюсь: не мог ли он Сапрыкина подпалить? Это вписывается в его программу...

— В принципе все может быть, — кивнула Танька. — Но что же тогда получается? Поджигатель не один, а несколько?

— Интересная мысль...

— Кто еще остается? — продолжала размышления Танька. — Анонимные конкуренты. Ты их почему-то вообще упускаешь из виду, а они тебя наверняка не упускают. И вполне могут держать под прицелом, выражаясь твоей же терминологией. Им главное — переманить заказчиков, а тут все средства хороши!

— Танька, — вздрогнула вдруг от пришедшей ей в голову мысли Мария. — А вдруг мы так никогда и не узнаем, кто это сделал?

— А я уверена, что узнаем! — не согласилась с ней Танька. — Тот, кто это сделал, сам как-то проявится. Обязательно на чем-то проколется!

— Знаешь, я тут подумала... Наверное, мне не стоило отказываться от участия в работе комиссии. Надо встретиться с Аланом, поглядеть ему в глаза. Как он будет вести себя? Если он причастен к поджогам — я это почувствую, пойму!

— Только для этого? — удивилась Танька. — Стоит ли нервы трепать?!

— Не только, — сказала Мария. — Вообще как-то некрасиво получается. Сергей выбыл из игры в какой-то степени из-за меня, а я — в кусты. Он кучу денег на этом потерял, носится, пытается дела поправить, ты нервничаешь, всякие дикие фантазии накручиваешь... А получается: ведь это вроде как я вас подставила!

— Да ты что, Маша! — закричала Танька. — С ума сошла?

— Совсем наоборот — прояснился темный ум! Завтра же позвоню Степанову и, если еще не поздно, пойду на встречу той комиссии. Надо доводить дела до конца, а не бросать на полдороге!

Танька помолчала, поглядела на сестру и попросила тихо:

— Будь осторожнее, очень тебя прошу.

— Постараюсь, — улыбнулась Мария.

В это время открылась дверь, и появился Сергей. Танька молча смотрела на него. Он подошел к ней, обнял, поцеловал и сказал с чувством:

— Господи, как же я соскучился!

Танька прильнула к нему, он долго не выпускал ее из своих объятий. И Мария, глядя на них, снова убедилась, что слова Сергея — чистейшая правда. А потом сообразила: им просто необходимо сейчас побыть вдвоем, быстро собралась и уехала со спокойным сердцем.

На другой день Мария собрала в кабинете своих сотрудников и открыто им заявила:

— Дорогие мои! Я вас всех люблю и ценю! Но,

без всяких обид, предлагаю вам подыскивать работу, потому что я уже не могу платить вам так, как раньше. И если ситуация не изменится в ближайшее время — не смогу платить вообще, потому что сама окажусь банкротом.

Сотрудники мялись, говорили, что готовы терпеть. Поблагодарив их за преданность и терпение, Мария всех отпустила и попросила остаться только Дракулу.

— Даглар, — сказала она. — У меня к тебе особое поручение.

Мария протянула ему пакет документов на свою городскую квартиру, вместе с генеральной доверенностью на продажу. Тот изменился в лице.

— Мария, зачем такая крайняя мера? Я уверен: наши дела скоро наладятся...

— Не спорь, я решила, — остановила его Мария с улыбкой. — Вы же все равно от меня не уйдете! А я буду мучиться совестью... Этих денег хватит, чтобы немножко заткнуть дыры. Где жить, мне есть. Пропишусь у родителей. Постарайся продать квартиру как можно дороже, как можно быстрее и чтобы никто из посторонних об этом не знал. Все, приступай!

Дракула взял бумаги и покинул кабинет босса с мрачным лицом.

После этого Мария позвонила Степанову.

— Герасим Ильич, — сказала она. — Я все обдумала. Если вы еще заинтересованы в сотрудничестве со мной, я согласна.

Степанов очень обрадовался, что получил наконец ее согласие на участие в дальнейшей борьбе с грозящим всем экологическим преступлением. Он сказал, что уже подготовил договор для нее, как для нештатного независимого консультанта по специальным экологическим вопросам, осталось только подписать его. Но встреча с руководством компании «Манхэттен» отложена, к сожалению, на начало февраля.

После этого Мария решилась позвонить и Кассандре — договориться о встрече. В конце концов глупо стоять в позе, когда скоро нечем будет платить зарплату сотрудникам. Возможно, Кассандра еще не передумала работать с ней, и тогда надо срочно согласиться. Если колдунья и имеет отношение к поджогам, при встрече это тоже как-то проявится.

Но Мария нигде не могла найти ее визитку. И никто из сотрудников тоже эту визитку не видел. И даже представления не имел, куда она могла подеваться. В общем, связаться с Кассандрой Мария так и не смогла. И подумала — что ж, видно, все-таки не судьба! И, наверное, это к лучшему — не придется подвергать себя унижению.

Буквально через несколько дней Дракула сообщил Марии, что покупатель на ее квартиру уже есть и готов внести аванс. Причем цена квартиры была максимальной, а сумма аванса оказалась намного больше, чем рассчитывала получить Мария. Что ж, хоть в чем-то повезло! Это действительно на какое-то время решало финансовые проблемы почти разорившейся мастерской.

Приближалось тридцатое января — день рождения Марии. Она не хотела отмечать его — сейчас было не до того. Арсений занят еще больше, чем все последнее время, совсем похудел, почти не спит. До открытия выставки оставались считаные дни. Сергей, хотя и был уже не таким мрачным, по-прежнему с таинственным видом вел какие-то переговоры и приезжал домой за полночь. Но Танька уговаривала сестру, несмотря ни на что, устроить праздник.

— Праздники нужны для поднятия тонуса! — уверенная в своей правоте, убеждала она старшую сестру. — Мы все сделаем сами, а ты только придешь и сядешь за стол.

— Ну, хорошо, — согласилась Мария. — Но — никаких подарков и гостей! Пусть все будет очень тихо и соберутся только свои!

На самом же деле получилось все немного иначе, и совершенно невероятные сюрпризы начались еще накануне.

Утром в офис Марии неожиданно позвонила Кассандра.

— Мария, вы согласитесь меня принять? — спросила она.

Как ни странно, никакого зла и раздражения при разговоре с колдуньей Мария не почувствовала, больше того, обрадовалась ее звонку и сразу согласилась с ней встретиться.

Кассандра появилась через полчаса. Мария провела ее к себе в кабинет.

— Я давно хотела объясниться, — взволнованно произнесла Кассандра. — Но сначала — о деле! Знаю о ваших несчастьях...

— Откуда? — заикнулась было Мария, но тут же поняла, насколько наивен ее вопрос. Если о проблемах ее компании знала чуть ли не вся Москва, то что уж говорить о Кассандре!

— Мы живем в большом информационном пространстве, — деловито откликнулась белокурая колдунья. — Я и пришла потому, что очень хочу вам помочь. Во-первых, могу предложить хорошего частного детектива.

— Конечно, я благодарна вам, но у меня сейчас финансовые трудности, — ответила Мария.

— Мой детектив берет недорого. Об этом даже не думайте! Дайте только свое согласие, и он начнет работать.

— Я вам очень признательна, — сказала Мария сдержанно. — Обещаю посоветоваться и подумать.

— Мария! Я поняла, почему вы отказались со мной работать и в чем я была не права, — призналась Кассандра, глядя в глаза своей собеседнице. — Мы уже многое пересмотрели и изменили в своей программе. Думаю, она теперь вам больше понравится.

Мария в очередной раз удивилась и подумала, что, видно, все же недооценивала эту женщину.

— Помещение для нашего центра мы пока еще не нашли, — продолжала Кассандра. — И мое предложение остается в силе, Мария. Я ведь тоже рассчитываю на вашу помощь! Поймите, у нас нет хороших специалистов по патогенным зонам.

— Спасибо, — сказала Мария и подумала, что на этот раз, скорее всего, согласится. — Я не буду тянуть с ответом...

Кассандра улыбнулась.

— Я очень на вас надеюсь!

— А где вы теперь находитесь? — спросила Мария.

— Пока — нигде, — вздохнула Кассандра. — Но мы не хотим терять клиентов. Нам случайно повезло, мы приобрели хорошее временное помещение... — Кассандра вдруг загадочно улыбнулась. — Оно небольшое, но просто чудесное, уютное, с замечательной энергетикой. Конечно, маловато, но на первое время его вполне хватит.

— Я рада, что проблему вы решили. Так где же это? — с интересом спросила Мария.

— Вы знаете адрес! — Кассандра сверкнула глазами и назвала адрес городской квартиры Марии. Мария опешила.

— Значит, я должна срочно освободить квартиру, — растерянно произнесла она.

— Нет, нет, оставьте все, как есть! — воскликнула Кассандра. — Я специально решила купить именно вашу квартиру. Не только потому, что она хороша, а чтобы она не досталась кому-то постороннему. Вы всегда сможете ее вернуть, если ваши финансовые дела наладятся.

Окончательно потрясенная, Мария спросила:

— Но почему же в договоре стоит совсем другое имя?

— Все знают мой псевдоним, а в договоре указано мое настоящее имя, которое практически никому не известно, — с таинственным видом произнесла Кассандра. — Вы же просили сохранять конфиденциальность сделки!

— Кажется, теперь я поняла, почему не могла найти вашу визитку! — с улыбкой ответила Мария. — Не надо быть Эркюлем Пуаро, чтобы догадаться, кто у меня ее похитил!

Кассандра под секретом поведала Марии еще одну тайну. Оказывается, к ней приходил не только Даглар, но и Родион. Правда, второй отнюдь не с добрыми намерениями: он угрожал Кассандре расправой за то, что она вредит Марии. Кассандра, используя весь свой профессиональный опыт, сумела его убедить, что он ошибается. Больше того — предложила ему помощь хорошего психолога.

— Трубочкин — человек внушаемый, — мягко заметила она. — Согласился он быстро, и психолог с ним уже работает. Совершенно бесплатно, ради собственного интереса.

— Я вам очень признательна, — поблагодарила собеседницу Мария, осознав, какая еще опасность нависла над ней, которой, к счастью, удалось избежать. — А кто этот психолог, если не секрет?

— Ваша покорная слуга, — улыбнулась Кассандра. — Не имея профессионального образования, я бы никогда не взялась руководить таким центром.

— Вы действительно прекрасный профессионал!

— Я знаю, Мария, вы подозревали, что я имею отношение к этим поджогам, — прошептала вдруг Кассандра. — И ничуть не обижаюсь на вас. Надеюсь, теперь вы убедились, что это не так.

Когда Мария вышла проводить Кассандру в приемную, они крепко пожали руки друг другу и... неожиданно обнялись на глазах у удивленных сотрудников. Потом к Кассандре подлетел сияющий Дракула, с заговорщическим видом подмигнул Марии и отправился провожать гостью.

Как только ушла Кассандра, в мастерскую приехал Малахов с огромным букетом цветов.

— Я должен сделать признание, — произнес он торжественно, зайдя в кабинет Марии. — Сейчас, пока мы одни.

— Какое признание, Георгий? — испугалась Мария.

— С того момента, как я увидел вас, я влюбился без памяти! Я, конечно, простой мужик, не такой утонченный, как вы, потому я и не спешил, решил заслужить сначала ваше доверие, Мария, не лезть со своим ухаживанием. А то, подумал, отпугну сразу. А сам замыслил хитрый план. Я решил — пусть вы проектируете дом для меня, как для самой себя! Именно поэтому я никогда не вмешивался и просил вас делать все именно так, как хочется вам самой! Вот, думаю, достроят дом, и тут я предложу своей прекрасной избраннице руку, сердце и дом, который она делала, как для себя. А вдруг — согласится?

— Боже мой... — только и смогла произнести Мария.

— Конечно, я понимал, что шансов у меня немного, — продолжал Малахов. — Я ведь вижу, как мужчины на вас смотрят! Ну, думаю, найму телохранителя, могу себе позволить. Я! Я человек богатый, как этот... Рогожин. Видите, я не совсем лапоть, классику почитывал! В общем, сразу после окончания строительства хотел сделать вам предложение. Но вдруг увидел вас с этим художником! И ваши глаза! Впервые за все время, что знаю вас, у вас был такой взгляд. Сердце мое забилось печально, и понял я безнадежность своих намерений. Но, как настоящий мужчина, я готов остаться вашим другом. И хочу сейчас передать вам свой дом в качестве подарка на день рождения!

— Георгий, да что вы! — произнесла Мария срывающимся голосом, потрясенная его признанием. — Я тронута. Мне неловко даже. Но... вы же понимаете сами, я не смогу принять такой подарок!

— Очень жаль, что вы отказываетесь! — воскликнул Малахов. — Но все-таки подумайте... Дом еще не достроен. Время у вас есть. И помните — на меня вы можете рассчитывать всегда!

На следующий день сюрпризы продолжались. Именно тридцатого января открылась выставка Арсения Сухарева в ЦДХ. Это был главный его подарок Марии.

Когда Мария, потрясенная таким поворотом событий, вошла в зал, она увидела на самом видном месте совершенно удивительный свой портрет, который Арсений написал в тайне от нее. Это был следующий его подарок.

На торжественном открытии выставки, конечно же, собрались все, и по сияющим лицам Таньки, Сергея и даже сотрудников своей мастерской, Мария поняла, что о готовящемся сюрпризе было известно заранее им всем.

Выставка имела просто невероятный успех. На ней, к удивлению Марии и даже самого Арсения, оказались толпы журналистов, телевидение. После одной из съемок и очередного интервью к немного растерянному и смущенному художнику подошел какой-то американец с переводчицей. Они долго о чем-то говорили в стороне от всех.

Потом Мария спросила Арсения, кто это к нему подходил.

— Да, один американский журналист, — отмахнулся Арсений. — Что-то типа очередного интервью...

После выставки Танька поехала домой готовить стол и чуть ли не силой утащила с собой Марию. Арсений остался общаться с посетителями и журналистами и обещал приехать немного позже. Сергей же быстро куда-то исчез.

Когда стол был накрыт, сестры сели перекурить.

— Господи, ну где же наши мужчины? — с волнением произнесла Танька.

— Знаешь, сестричка, мне иногда кажется, что я живу с ангелом, — с внезапной грустью сказала Мария. — Уж слишком он хорош! А вдруг возьмет и улетит? Это же страшно!

— А мне кажется, — сказала в свою очередь сестра, — что я живу с каким-то Суперменом или Бэтменом. И все молюсь: лишь бы его не убили и лишь бы он никого не убил!

— Ни Супермена, ни Бэтмена не убивают, это точно, — заявила Мария уверенно. — И ведь они — о, господи! — они тоже летают...

И тут позвонил Сергей. Он сообщил, что скоро приедет и привезет еще один сюрприз. И почему-то спросил озабоченно, тут ли Арсений.

— Нет, он занят на выставке, будет позже. — Мария была совершенно сбита с толку.

— Очень хорошо, что его еще нет! — заявил Сергей. — Сюрприз не слишком приятный, и ему это видеть совсем не надо. Я тут кое-кого к вам везу! Пожалуйста, оденьтесь и спуститесь во двор.

Сестры растерянно переглянулись.

— Маша, я поняла! Он везет поджигателей! — воскликнула Танька. — Он их искал все это время и .теперь наконец нашел! А я... я еще плохо о нем думала...

— Ладно, не кайся! Пошли, мой Эркюль Пуаро!

Сестры вышли на улицу. Скоро они увидели, как по расчищенной от снега дороге движутся друг за другом два черных джипа с включенными фарами. Мария смотрела, как они приближаются, и с напряжением и страхом ждала, кого выведут из этих машин. Конечно же, не самих заказчиков, а каких-то наемников, исполнителей... Она успокаивала себя, всей душой не желая обнаружить в роли преступников кого-либо из знакомых и близких.

Машины остановились. Мария вцепилась в руку Таньки. Из первого джипа вышел Сергей. И каково же было потрясение сестер, когда открылись двери второго джипа, и «спортивная команда» банкира вывела из машины... отнюдь не наемников и не конкурентов! Сначала они без особых церемоний вытолкнули на снег Валентина, а следом за ним... Федора! И потом еще двоих перепуганных молоденьких парней — тех самых рэкетиров, которые полгода назад напали на дороге на Таньку.

К ошарашенным сестрам подошел Сергей.

— Это и есть поджигатели. Мы долго охотились за ними и наконец поймали с поличным — они собирались поджечь коттедж Георгия. Тут-то мы их и взяли. Я не успел сделать подарок к дню рождения Татьяны, но хоть к твоему получилось, Мария. Это они сожгли твой дом.

Сестры стояли молча, глядя на бывших своих возлюбленных и с трудом веря собственным глазам.

У Марии в памяти возникла давно забытая картина — сквозь щель под неплотно закрытой дверью просачивается легкий, белый дымок и, медленно расползаясь, стелется по полу. «Что это? Пожар? Но почему? Откуда? — с легким испугом думала она в тот вечер. — Нет, не может быть, невозможно!»

— Ты играешь с огнем, Валентин, — сказала тогда Мария.

— Огонь — моя стихия, вот я с ним и играю, — ответил он.

Так что же, он еще тогда, заранее, задумал и спланировал свою месть? Все может быть, все возможно!

Валентин и Федор стояли, боясь поднять глаза. Потом вдруг Валентин поглядел на Марию и произнес с вызовом:

— Я требую дать мне последнее слово!

Сестры переглянулись.

— Пусть говорит, — сказала Мария.

И он заговорил хорошо поставленным голосом, словно обращался не к Марии, а произносил монолог на сцене или речь в суде.

— Единственным мотивом моих действий была ревность. Ты должна это знать, Мари! — произнес Валентин торжественно и мрачно. — Я не прошу прощения! Я действительно мстил тебе! С тех пор, как ты меня бросила, я постоянно следил за тобой. И до того момента, пока ты не приводила в дом мужчин, я выжидал, сохраняя надежду вернуть любимую женщину. Но когда ты оставила ночевать в доме другого мужчину, мое раненое сердце не выдержало. Я всегда любил только тебя и измену простить не мог! И я поджег этот ненавистный теперь мне дом!

После него попросил слова Федор. Он сказал, что тоже мстил бросившей его жене, а также ее сестре, которую всегда ненавидел, считая главной подстрекательницей к разрыву Тани с ним.

— А теперь послушайте, как было на самом деле, — заговорил Сергей. — Твой муженек, Танюша, и не подозревал, что мы еще с лета следили за рэкетирами, напавшими на тебя. Именно поэтому я и отпустил их, чтобы выяснить, кто их нанял и кто за ними стоит. Рэкетиры в итоге и вывели нас на след Федора. Сами они оказались студентами театрального института, которых использовал Федор, посулив им легкую добычу. Он каким-то образом пронюхал о нашем романе и решил тебя проучить. А заодно проверить, как поведет себя твой банкир. Этот слизняк был уверен, что я или вообще не приеду, бросив тебя на произвол судьбы, или с перепуга дам деньги пацанам, а они, естественно, отдадут деньги ему, и он им выдаст из них небольшой гонорар. До последнего момента Федор отпирался, настаивал на своей непричастности к нападению на тебя, а признался во всем только после очной ставки с вымогателями-неудачниками. Теперь мы можем сдать их властям или можем разобраться сами. Решать вам, дорогие сестры! — закончил Сергей.

Сестры обменялись долгими, выразительными взглядами, сжали друг другу руки, и Мария решительно произнесла:

— Отдайте властям! Не стоит марать руки!

— Ваша воля — закон, — сказал Сергей, подал знак своей команде, и двух красавчиков с перекошенными физиономиями поволокли обратно в машину...

Вот так, неожиданно для сестер раскрылись истинные причины произошедших событий...

Спустя еще какое-то время в доме наконец появляется Арсений. Он извинился перед всеми, что слишком задержался на выставке, потом обратился к Марии:

— Машенька! Я хочу в день твоего рождения сделать небольшой взнос в бюджет твоей мастерской. — И протянул Марии чек.

Мария, ничего не понимая, вертела бумажку в

руках, а Танька с Сергеем почему-то улыбались и загадочно переглядывались.

— Откуда? — растерянно спросила Мария, глядя на огромную сумму, указанную в чеке. И вдруг ее осенило: — Ты продал картины?

— Не все, Машенька! — улыбнулся Арсений.

— Зачем ты это сделал?! — ужаснулась Мария.

— Не огорчайся! Две самые твои любимые остались. Я ведь их даже не выставлял! И никогда их не продам! А другие мои работы отправятся после выставки в Калифорнию и будут висеть рядом с лучшими картинами не только нашей двадцатки, а и других прекрасных художников. Это — большая честь. А мы сможем иногда ездить и смотреть на них.

Оказалось, что американец, который подходил к Арсению на выставке, был одним из тех западных коллекционеров, для кого собирание «второго русского авангарда» стало не просто хобби, а делом всей жизни. Он давно уже охотился за работами Арсения Сухарева, предлагал Арсению купить коллекцию его картин семидесятых-восьмидесятых годов за огромные деньги. Но Арсений категорически отказывался, не желая расставаться со своими работами и не испытывая особой нужды в деньгах. Будучи человеком скромных запросов, он вполне укладывался в те, что зарабатывал реставрацией, и картины почти никогда не продавал. Но теперь, когда известный коллекционер обратился к нему в очередной раз, Арсений, к его удивлению, не задумываясь дал согласие. Это был именно тот случай, которого он искал, чтобы помочь Марии решить финансовые проблемы ее мастерской.

Мария уже не знала, радоваться ей или плакать. Картин было жалко, но Арсений, чтобы окончательно убедить ее, сказал:

— Маша, пойми, мне самому это нужно! Я всю жизнь витал в облаках, а теперь, когда у меня есть ты, мне хочется быть мужественным и сильным и заботиться о тебе! — И он добавил с улыбкой: — Согласись, я ведь поступил, как настоящий мужчина.

Эпилог

Следствие по делу о поджогах и о нападении на Татьяну закончилось. Валентину, который нанял хорошего адвоката, присудили относительно небольшой денежный штраф за повреждение чужого имущества путем поджога, а также год условно.

Его напарник, точнее — подельник Федор также отделался денежным штрафом и условным сроком, но и он, и Валентин навсегда оставили даже мысль о том, чтобы как-то навредить Татьяне и Марии. Уж об этом позаботились Сергей и его команда.

А коттедж Сапрыкина, как выяснилось на следствии, сожгли не они, а одна из его пациенток, которой он неудачно сделал пластическую операцию на груди. Имплантат не прижился, женщина считала себя изуродованной, причем за огромные деньги. Она потеряла богатого любовника, и простить это пластическому хирургу, конечно же, не могла. Но подавать на него в суд не имело смысла, поскольку перед операцией она дала расписку о согласии на возможный риск. И вместо того, чтобы обратиться к Сапрыкину за помощью и лечь на повторную операцию, она, охваченная порывом гнева, сожгла его дом.

Что же касается последнего обгоревшего коттеджа, залитой квартиры и пострадавшего от короткого замыкания офиса — все это оказалось всего лишь совпадением. Дом совершенно случайно подожгли петардами в новогодние каникулы разгулявшиеся тинейджеры, в квартире прорвало трубу из-за недосмотра сантехника, а в офисе не было никакого короткого замыкания, а просто сотрудники оставили по пьянке непогашенные сигареты. Так что никакой мистической или криминальной связи в этих событиях не оказалось.

Встреча с руководством компании «Манхэттен» давно прошла, получено заключение государственной экологической экспертизы со всеми необходимыми документами, и на некоторых из них стоит подпись Марии Еловской.

Забегая немного вперед, можно сказать, что по настоянию экологов строительство пока заморожено на неопределенный срок, а компания уже подыскивает для элитного комплекса новый участок...

В храме закончилась реставрация, теперь он открыт для прихожан. А совсем недавно отец Сергий обвенчал в нем своего давнего друга Арсения Сухарева и Марию Еловскую.

Сам же Арсений со своей бригадой уже отреставрировал часть загородного дома своей жены. И как-то он признался ей, что разговаривал с домовенком, который, конечно же, не пострадал от пожара, а сумел вовремя скрыться и отсидеться в соседском подвале, куда его пригласил кот Бандит... Вообще этот кот очень много чего знал, но редко считал нужным посвящать людей в свои тайны.

С Георгием Малаховым все остались друзьями, а недавно он появился в гостях у Марии вместе с Владой, за которой, по еще не подтвердившимся слухам, в последнее время совершенно неожиданно начал ухаживать. Это вызвало у Марии большую радость, и ей очень хотелось, чтобы слухи оказались правдой...

Вот, наверное, и все, что можно рассказать на данный момент о наших героях и произошедших с ними событиях...

Литературно-художественное издание

Щербиновская Елена Владимировна

КТО В СПАЛЬНЕ КОРОЛЬ?

Ответственный редактор *О. Рубис*
Редактор *И. Шведова*
Художественный редактор *С. Курбатов*
Технический редактор *Н. Носова*
Компьютерная верстка *Л. Панина*
Корректор *Л. Перовская*